dtv

Nur einmal können die drei einander begegnet sein: Im November 1924 am Hauptbahnhof in Zürich, wo die Geschichte einsetzt. Danach führen ihre Wege auseinander und bleiben doch auf eigentümliche Weise miteinander verbunden. Der pazifistische Jüngling Felix Bloch studiert Atomphysik bei Heisenberg in Leipzig, flüchtet 1933 in die USA, gerät nach Los Alamos, wo er Robert Oppenheimer beim Bau der Atombombe helfen soll. Die rebellische Musikantentochter Laura d'Oriano versucht sich als Sängerin, doch da ihr das große Talent fehlt, lässt sie sich als Spionin rekrutieren. Der Kunststudent Emile Gilliéron folgt Schliemann nach Troja, zeichnet Vasen und restauriert Fresken, fertigt auf Wunsch auch Reproduktionen an – und muss bald einsehen, dass es von der Kopie bis zur Fälschung nur ein kleiner Schritt ist.
Alex Capus treibt seinen Erzählstil des faktenreichen Träumens zu neuer Meisterschaft. Er zeichnet die exakt recherchierten Lebensläufe dreier Helden nach, die durch die Macht der Umstände gezwungen werden, von ihren Wünschen und Hoffnungen abzulassen – um schließlich in der Niederlage zu triumphieren.

Alex Capus, geboren 1961 in Frankreich, studierte Geschichte und Philosophie in Basel und arbeitete als Journalist bei verschiedenen Schweizer Tageszeitungen. 1994 veröffentlichte er seinen ersten Roman ›Munzinger Pascha‹, dem seither viele weitere folgten. Alex Capus lebt heute als freier Schriftsteller in Olten in der Schweiz. Zuletzt erschienen der Roman ›Léon und Louise‹ und ›Skidoo. Meine Reise durch die Geisterstädte des Wilden Westens‹ sowie ›Mein Nachbar Urs. Geschichten aus der Kleinstadt‹.

Alex Capus

Der Fälscher, die Spionin und der Bombenbauer

Roman

dtv

Ausführliche Informationen über unsere Autoren und Bücher
www.dtv.de

Von Alex Capus
sind bei dtv außerdem erschienen:
Mein Studium ferner Welten (13065)
Munzinger Pascha (13076)
Fast ein bißchen Frühling (13167)
Eigermönchundjungfrau (13227)
Glaubst du, daß es Liebe war? (13295)
13 wahre Geschichten (13470)
Léon und Louise (14128)

3. Auflage 2015
2015 dtv Verlagsgesellschaft mbH & Co. KG, München
Lizenzausgabe mit Genehmigung des Carl Hanser Verlags, München

Umschlagkonzept: Balk & Brumshagen
Umschlaggestaltung nach einem Entwurf
von Peter-Andreas Hassiepen unter Verwendung eines Fotos von gettyimages/Bert Hardy
Druck und Bindung: Druckerei C.H.Beck, Nördlingen
Gedruckt auf säurefreiem, chlorfrei gebleichtem Papier
Printed in Germany · ISBN 978-3-423-14374-5

Emile Gilliéron
1885–1939

Laura d'Oriano
1911–1943

Felix Bloch
1905–1983

Erstes Kapitel

Ich mag das Mädchen. Mir gefällt die Vorstellung, dass sie im hintersten Wagen des Orient-Express in der offenen Tür sitzt, während silbern glitzernd der Zürichsee an ihr vorüberzieht. Es könnte Anfang November 1924 sein, an welchem Tag genau, weiß ich nicht. Sie ist dreizehn Jahre alt und ein großgewachsenes, hageres, noch ein wenig ungelenkes Mädchen mit einer kleinen, aber schon tief eingefurchten Zornesfalte über der Nase. Das rechte Knie hat sie angezogen, das linke Bein baumelt über dem Treppchen ins Leere. Sie lehnt am Türrahmen und schaukelt im Rhythmus der Gleise, ihr blondes Haar flattert im Fahrtwind. Gegen die Kälte schützt sie sich mit einer Wolldecke, die sie vor der Brust zusammenhält. Auf dem Zuglaufschild steht »Constantinople–Paris«, darüber prangen goldene Messingbuchstaben und das Firmenzeichen mit den königlich-belgischen Löwen.

Mit der rechten Hand raucht sie Zigaretten, die im Wind rasch verglühen. Wo sie herkommt, ist es nichts Ungewöhnliches, dass Kinder rauchen. Zwischen den Zigaretten singt sie Bruchstücke orientalischer Lieder – türkische Wiegenlieder, libanesische Balladen, ägyptische Liebeslieder. Sie will Sängerin werden wie ihre Mutter, aber eine bessere. Niemals wird sie auf der Bühne ihr Dekolleté und die Waden zu Hilfe nehmen, wie die Mutter das tut, auch wird sie keine rosa Federboa tragen und sich nicht von Typen wie ihrem Vater begleiten lassen, der stets ein Zahnputzglas voll Brandy auf dem Piano stehen hat und jedes Mal, wenn die Mutter ihr Strumpfband herzeigt, augenzwinkernd ein Glissando hinlegt. Eine echte Künstlerin will sie werden. Sie hat ein großes und weites Gefühl in ihrer Brust, dem sie eines Tages Ausdruck verleihen wird. Das weiß sie ganz sicher.

Noch ist ihre Stimme dünn und heiser, das weiß sie auch. Sie kann sich selbst kaum hören, wie sie auf ihrem Treppchen sitzt und singt. Der Wind nimmt ihr die Melodien von den Lippen und trägt sie ins Luftgewirbel hinter dem letzten Wagen.

Drei Tage ist es her, dass sie in Konstantinopel mit den Eltern und ihren vier Geschwistern in einen blauen Wagen zweiter Klasse gestiegen ist. Seither hat sie viele Stunden in der offenen Tür verbracht. Drinnen im Abteil bei der Familie ist es stickig und laut, und draußen ist es mild für die Jahreszeit. In diesen drei Tagen hat sie auf ihrem Treppchen den Duft bulgarischer Weinberge geschnuppert und die Feldhasen auf den abgemähten Weizenfeldern der Vojvodina gesehen, sie hat den Donauschiffern gewinkt, die mit ihren Schiffshörnern zurückgrüßten, und sie hat in den Vorstädten von Belgrad, Budapest, Bratislava und Wien die rußgeschwärzten Mietskasernen mit ihren trüb erleuchteten Küchenfenstern gesehen, in denen müde Menschen in Unterhemden vor ihren Tellern saßen.

Wenn der Wind den Rauch der Dampflok nach rechts trug, saß sie in der linken Tür, und wenn er drehte, wechselte sie auf die andere Seite. Wenn ein Schaffner sie aus

Sicherheitsgründen zurück ins Abteil scheuchte, tat sie, als ob sie gehorchen würde. Kaum aber war er weg, stieß sie die Tür wieder auf und setzte sich aufs Treppchen.

Am dritten Abend waren die Schaffner kurz vor Salzburg von Abteil zu Abteil gegangen, um eine außerfahrplanmäßige Routenänderung bekanntzugeben. Der Zug würde nach Innsbruck abbiegen und Deutschland südlich durch Tirol und die Schweiz umfahren; seit belgisch-französische Truppen ins Ruhrgebiet einmarschiert waren, gab es für den belgisch-französischen Orient-Express auf der gewohnten Route über München und Stuttgart kaum mehr ein Durchkommen. Die Fahrdienstleiter der Reichsbahn stellten absichtlich die Weichen falsch oder verweigerten der Lokomotive Kohle und Wasser, und in den Bahnhöfen ließ die Polizei sämtliche Passagiere aussteigen und nahm nächtelange Ausweiskontrollen vor, und wenn die Reise dann endlich weitergehen konnte, stand bei der Ausfahrt aus dem Bahnhof oft ein herrenloser Viehwagen oder Rundholztransporter auf der Schiene, den aufs Abstellgleis zu schieben kein Mensch im gesamten Deutschen Reich die Befugnis hatte, solange nicht die formelle dienstliche Einwilligung des rechtmäßigen Besitzers vorlag. Und diesen auf dem ordentlichen Dienstweg zu ermitteln, konnte äußerst zeitaufwendig sein.

Nach der Einfahrt in Tirol war es dunkel und kühl geworden, beidseits hatten sich Felswände himmelan getürmt und waren bedrohlich näher gerückt. Als das Mädchen sich auf den Rücken hätte legen müssen, um die Sterne am Nachthimmel sehen zu können, war sie ins Abteil gegangen und hatte sich schlafen gelegt in der muffigen Geborgenheit der Familie. Früh am Morgen aber, als der Zug sich endlich am Arlberg vornüberneigte und talabwärts Fahrt aufnahm, war sie mit ihrer Wolldecke zum Treppchen zurückgekehrt und hatte beobachtet, wie die Täler sich weiteten, die Berggipfel zurückwichen und im Sonnenaufgang erst den Dörfern und Bächen, dann den Städten und Flüssen und endlich den Seen Platz machten.

Die Eltern haben sich längst an den Eigensinn der Tochter gewöhnt, schon als kleines Mädchen hat sie draußen auf dem Treppchen gesessen. Während der zweiten oder dritten Bagdad-Tournee zwischen Tikrit und Mosul muss es gewesen sein, dass sie zum ersten Mal durch den Seitengang zur Ausgangstür lief, um die Kraniche am Ufer des Tigris besser sehen zu können; auf der Rückreise hatte sie sich wiederum aufs Treppchen gesetzt und war nicht loszureißen gewesen vom Anblick moskitoverseuchter Reisfelder, öder Steppen und rotglühender Gebirge. Seither sitzt sie immer auf ihrem Treppchen, auf der Fahrt durchs Nildelta von Alexandria nach Kairo genauso wie auf der Schmalspurbahn im Libanongebirge oder unterwegs von Konstantinopel nach Teheran. Immer sitzt sie auf dem Treppchen, schaut sich die Welt an und singt. Hin und wieder lässt sie es zu, dass eins ihrer Geschwister sich eine Weile zu ihr setzt. Aber dann will sie wieder allein sein.

In Kilchberg steigt ihr der Duft von Schokolade in die Nase, in ihrem Rücken zieht die prunkvolle Schlossfabrik von Lindt & Sprüngli vorbei. Auf dem See kreuzen ein paar Segelboote, an einer Anlegestelle liegt ein Raddampfer. Die Morgennebel haben sich verzogen. Der Himmel ist fahlblau. Die Wiesen am gegenüberliegenden Ufer sind, weil sich noch kein Frost übers Land gelegt hat, zu grün für die Jahreszeit. An der Spitze des Sees taucht aus dem Dunst die

Stadt auf. Die Schiene beschreibt einen langen Bogen und vereinigt sich mit vier, acht, zwanzig anderen Schienen, die aus allen Himmelsrichtungen aufeinander zuführen, um schließlich parallel in den Hauptbahnhof zu münden.

Gut möglich, dass dem Mädchen bei der Einfahrt in die Stadt jener junge Mann auffiel, der im November 1924 oft zwischen den Gleisen auf der Laderampe eines grau verwitterten Güterschuppens saß, um die ein- und ausfahrenden Züge zu beobachten und sich Gedanken über sein weiteres Leben zu machen. Ich stelle mir vor, wie er seine Mütze knetete, während der Orient-Express an ihm vorüberfuhr, und dass ihm das Mädchen im hintersten Wagen ins Auge fiel, das ihn mit beiläufigem Interesse musterte.

Der Bursche passt nicht recht zur Laderampe und zum Güterschuppen. Rangierarbeiter oder Gleisbauer ist er jedenfalls nicht, und Kofferträger auch nicht. Er trägt Knickerbockers und eine Tweedjacke, und seine Schuhe glänzen in der Herbstsonne. Sein ebenmäßiges Gesicht zeugt von einer sorgenfreien Kindheit, oder zumindest einer katastrophenarmen. Die Haut ist klar, Augen, Nase, Mund und Kinn sind rechtwinklig angeordnet wie die Fenster und Türen an einem Haus. Sein braunes Haar ist akkurat gescheitelt. Ein bisschen zu akkurat vielleicht.

Sie sieht, dass sein Blick ihr folgt, und dass er sie anschaut, wie ein Mann eine Frau anschaut. Es ist noch nicht lange her, dass Männer sie so anschauen. Die meisten merken dann rasch, wie jung sie noch ist, und wenden sich verlegen ab. Der hier scheint es nicht zu merken. Der Bursche gefällt ihr. Stark und friedfertig sieht er aus. Und nicht dumm.

Er hebt grüßend die Hand, sie erwidert den Gruß. Dabei wedelt sie nicht mädchenhaft mit der Hand und winkt auch nicht mit allen fünf Fingern einzeln wie eine Kokotte, sondern hebt wie er lässig die Hand. Er lächelt, sie lächelt zurück.

Dann verlieren sie einander aus den Augen und werden sich nie wiedersehen, das ist dem Mädchen klar. Sie ist eine erfahrene Reisende und weiß, dass man einander normalerweise nur einmal begegnet, weil jede vernünftige Reise in möglichst gerader Linie vom Ausgangspunkt zum Ziel führt und zwei Geraden sich nach den Gesetzen der Geometrie nicht zweimal kreuzen. Ein Wiedersehen gibt es nur unter Dörflern, Talbewohnern und Insulanern, die lebenslang dieselben Trampelpfade begehen und einander deshalb ständig über den Weg laufen.

Der junge Mann auf der Laderampe ist zwar kein Dörfler und kein Insulaner, aber in Zürich geboren und aufgewachsen und mit den Trampelpfaden des Städtchens bestens vertraut. Dieses sonderbare Mädchen in der offenen Tür würde er gern wiedersehen. Wenn sie in Zürich aussteigt, wird er sie wiedersehen, dessen ist er sich gewiss. Wenn nicht, dann nicht.

Er ist neunzehn Jahre alt, vor vier Monaten hat er die Matura abgelegt. Jetzt muss er sich für ein Studium entscheiden. Die Zeit drängt, das Semester hat schon begonnen. Morgen um elf Uhr dreißig läuft die Immatrikulationsfrist ab.

Der Vater möchte, dass er Maschinenbau oder Ingenieurwissenschaften studiert. Die Eidgenössische Technische Hochschule Zürich ETH hat einen ausgezeichneten Ruf, und am Stadtrand stehen die besten Industriebetriebe der Welt. Brown und Boveri in Baden bauen die besten Turbinen der Welt, aus Winterthur kommen die besten Webmaschinen und Dieselmotoren, die Maschinenfabrik Oerlikon baut die besten Lokomotiven. Mach Maschinenbau, sagt der Vater, als Techniker hast du ausgesorgt.

Der Vater selber ist nicht Techniker, sondern Getreidehändler. Getreidehandel mit Osteuropa ist vorbei, sagt der Vater, den kannst du vergessen. Die Grenzen sind dicht, die Zölle hoch und die Bolschewiken haben nicht alle Tassen im Schrank, mit denen kannst du keine Geschäfte machen. Getreide war gut für deinen Großvater, der ist damit reich geworden. Weizen aus der Ukraine, Kartoffeln aus Russland, fürs Gemüt ein bisschen ungarischer Rotwein und bosnische Trockenfeigen. Das waren die guten Zeiten damals, die Eisenbahn war schon gebaut und der Nationalismus hatte sich noch nicht so richtig durchgesetzt, und als Jude konnte man unter der Herrschaft der morschen Imperien so halbwegs auskommen. Schade, dass du unser Haus in Pilsen nie gesehen hast. Dein Großvater hat noch an den Getreidehandel geglaubt, deshalb hat er mich hierher nach Zürich geschickt. Ich habe gehorcht und bin hergekommen und Schweizer Bürger geworden, aber geglaubt habe ich damals schon nicht mehr daran. Jetzt bin ich hier und mache weiter, solange es eben geht. Für mich und deine Mutter wird's schon noch reichen.

Dich aber, mein Sohn, wird das ukrainische Getreide nicht mehr ernähren, und deswegen rate ich dir: Mach Maschinenbau. Heute wird alles von Maschinen gemacht. Das Getreide wird von Maschinen ausgesät, von Maschinen geerntet und von Maschinen gemahlen, das Brot wird von Maschinen gebacken, unser Vieh wird von Maschinen geschlachtet, und die Häuser werden von Maschinen gebaut. Die Musik kommt aus Automaten, die ihrerseits von Automaten gebaut werden, und die Bilder macht nicht mehr der

Maler, sondern der Fotoapparat. Bald werden wir auch für die Liebe Apparate benötigen und für das Sterben saubere, geräuschlose Maschinen haben, und auch die unauffällige Beseitigung der Kadaver werden diskrete Gerätschaften besorgen, und wir werden nicht mehr Gott anbeten, sondern eine Maschine oder den Namen ihres Herstellers, und der Messias, der den Weltfrieden bringt und in Jerusalem den Tempel wieder aufbaut, wird kein Sohn des Stammes Juda sein, sondern eine Maschine oder deren Erbauer. Die Welt ist eine einzige Maschine geworden, mein Sohn, deshalb rate ich dir: Geh an die ETH und mach Maschinenbau.

Der Sohn hört zu und nickt, denn er ist ein braver Sohn, der dem Vater den geschuldeten Respekt erweist. Bei sich selber aber denkt er: Nein, ich mache nicht Maschinenbau. Ich kenne diese Maschine. Lieber tu ich gar nichts im Leben, als dass ich ihr zudiene. Wenn ich überhaupt etwas mache, wird es etwas ganz und gar Nutzloses, Zweckfreies sein; etwas, das die Maschine sich keinesfalls dienstbar machen kann.

Der junge Mann hat das Wüten der Maschine eine halbe Kindheit und Jugend lang aus der Ferne studiert. Er war noch keine neun Jahre alt, als der Vater ihm die »Neue Zürcher Zeitung« mit der Schlagzeile aus Sarajevo über den Frühstückstisch reichte, und von da an las er täglich die Nachrichten von der Maas, der Marne und der Somme. Er schlug im Atlas nach, wo Ypern, Verdun und der Chemin des Dames lagen, hängte in seinem Bubenzimmer eine Europakarte übers Bett und spickte sie mit Stecknadeln, und er führte Statistiken in karierten Schulheften, in denen er die Toten erst zu Tausenden, dann zu Hunderttausenden und schließlich zu Millionen zusammenfasste. Aber nie gelang es ihm, in all dem Morden einen Sinn zu finden. Oder zumindest eine Logik. Oder eine plausible Ursache. Oder wenigstens einen ordentlichen Anlass.

Sich selbst zum Trost spielte er stundenlang Klavier im Wohnzimmer der Eltern. Er war kein besonders begabter Schüler. Aber als ihm die Finger zu gehorchen begannen, entwickelte er eine tiefe Zuneigung zu Bachs Goldberg-Variationen, deren ruhige, zuverlässige und berechenbare Mechanik ihn an das galaktische Ballett der Planeten, Sonnen und Monde erinnerte.

Er war, das berichtete er Jahrzehnte später in seinen handschriftlichen Lebenserinnerungen, ein einsames Kind. An der Grundschule quälten ihn die Mitschüler, weil er Schweizerdeutsch mit böhmischem Akzent sprach, und der Lehrer erinnerte die Klasse immer wieder gern daran, dass Felix einer bösen, fremdartigen Rasse angehöre.

Seine Beschützerin und engste Vertraute war die drei Jahre ältere Schwester Clara. Als sie im zweiten Kriegsjahr starb, weil sie mit dem rechten Fuß in einen Nagel getreten war, versank er für Jahre in hoffnungsloser Schwermut. Die Ärzte konnten mit ihrer Wissenschaft des frühen 20. Jahrhunderts zwar recht genau erklären, was sich in Claras Körper abspielte – die bakterielle Verunreinigung, die Sepsis, schließlich der Kollaps –, ihre Heilkunst aber kannte noch keine Therapie, die Claras qualvollen, sinnlosen und banalen Tod hätte verhindern können. In den folgenden Monaten ließen seine Leistungen am Gymnasium stark nach. Warum sollte er sich in Biologie und Chemie anstrengen, wenn die Wissenschaft im entscheidenden Moment ohne Nutzen blieb? Wozu sollte er überhaupt etwas lernen, wenn Erkenntnis ohne Nutzen war?

Vergnügen bereitete ihm lediglich der Mathematikunterricht mit seinen verlässlichen, zweckfreien Gedankenspielen. Gleichungen mit mehreren Unbekannten, Trigonometrie, Kurvendiskussionen. Es war für den Jüngling eine Offenbarung, dass es in dieser aus den Fugen geratenen Welt etwas so Klares und Schönes wie das Verhältnis von Zahlen zueinander gab. Während der Herbstferien 1917 brachte er eine ganze Woche damit zu, mithilfe der Rotationsgeschwindigkeit der Erde, des Neigungswinkels ihrer Achse zur Sonne sowie Zürichs geographischer Breite die Dauer eines Oktobertags zu errechnen. Am nächsten Tag maß er mit seiner Taschenuhr die Zeitspanne von Sonnenaufgang bis -untergang und war unbeschreiblich glücklich, als die Messung mit seiner Berechnung übereinstimmte. Die Erfahrung, dass ein von ihm gedachter Gedanke – die trigonometrische Berechnung – tatsächlich etwas mit der realen Welt zu tun hatte und sogar mit ihr in Einklang stand, erfüllte ihn mit einer Ahnung von Harmonie zwischen Geist und Materie, die ihn zeitlebens nicht mehr verlassen sollte.

Am meisten verstörte den Jüngling während der Kriegsjahre, dass sein Zeitungswissen über die Welt in scharfem Kontrast zu seiner alltäglichen empirischen Beobachtung stand. Wenn er in seinem Bubenzimmer aus dem Fenster schaute, sah er unten auf der Seehofstraße keine Füsiliere durch Laufgräben rennen und keine aufgeblähten Pferdekadaver in Bombenkratern liegen, sondern wohlgenährte Dienstmädchen, die überquellende Einkaufstaschen heimwärts trugen, und rotwangige Kinder, die auf dem Pflaster mit Glasmurmeln spielten. Er sah Taxifahrer, die zigarettenrauchend beisammenstanden und auf Kundschaft aus dem Opernhaus warteten, und er sah dösende Kutscher hinter dösenden Pferden und den Scherenschleifer, der von Tür zu Tür ging. Derart groß war der Friede in der Seehofstraße, dass nicht einmal Polizei zu sehen war. Diese friedliche Straße lag im Herzen einer unfassbar friedlichen Stadt, die im Herzen eines unfassbar friedlichen Landes lag, dessen Bauern auf ihren von den Ahnen ererbten Äckern bedächtigen Schrittes ihre Furchen zu einem Horizont hin zogen, hinter dem das große europäische Menschenschlachten geschah. Nur in besonders stillen Nächten war über den Rhein und den Schwarzwald hinweg das Donnergrollen der deutsch-französischen Front zu hören.

Dieses Grollen verfolgte ihn in den Schlaf und schwoll dort zu ohrenbetäubendem Gebrüll an. In seinen Träumen watete er in Strömen von Blut durch zerfetzte Landstriche, und nach dem Aufwachen las er beim Frühstück im »Morgenblatt« in hilflosem Entsetzen, wie die Kriegsmaschine den Kontinent umpflügte und sich alles unter der Sonne einverleibte, was ihr irgendwie dienlich sein konnte. Sie verschluckte Mönche und spuckte sie als Feldprediger wieder aus, sie machte Hirtenhunde zu Grabenkötern und Flugzeugpioniere zu Kampfpiloten, Wildhüter zu Scharfschützen und Pianisten zu Feldmusikern und Kinderärzte zu Lazarettschlächtern, Philosophen zu Kriegstreibern und Naturdichter zu Blutgurglern, Kirchenglocken wurden zu Kanonen umgegossen und Operngückerlinsen in Zielfernrohre eingebaut, Kreuzfahrtschiffe wurden zu Truppentransportern und Psalmen zu Nationalhymnen, und die Webstühle aus Winterthur woben keine Seide mehr, sondern Uniformdrillich, und die Turbinen aus Baden produzierten Strom nicht mehr für die Weihnachtsbeleuchtung, sondern für die Elektroloks aus Oerlikon, die keine Touristen mehr ins Engadin verfrachteten, sondern Kohle und Stahl zu den Hochöfen und Gießereien der Waffenschmiede schleppten.

Nach tausendfünfhundert Tagen war die Maschine kurz vor Felix Blochs dreizehntem Geburtstag mangels Treibstoff ins Stottern geraten und widerwillig zum Stillstand gekommen. Seither hat sie sich einigermaßen ruhig verhalten, das ist wahr, aber jetzt brummt sie schon wieder; bald wird sie wieder ruckeln und rattern, und über kurz oder lang werden ihre Schwungräder wieder zu drehen anfangen und ihre Schredderzähne sich aufs Neue durch die Landschaften und das Fleisch und die Seelen der Menschen fressen.

Mag sein, dass die Maschine nicht aufzuhalten ist, sagt sich der junge Mann, aber mich wird sie nicht kriegen. Ich mache nicht mit, ich studiere nicht Maschinenbau. Ich werde etwas ganz und gar Zweckfreies machen. Etwas Schönes und Nutzloses, was sich die Maschine keinesfalls einverleiben kann. Etwas wie die Goldberg-Variationen. Es wird sich schon was finden. Jedenfalls gehe ich nicht an die ETH. Ich mache nicht Maschinenbau, da kann der Vater lange reden. Eher werde ich Fuhrmann für eine Brauerei.

Trotzig stößt er sich vom Schuppen ab, zur Rebellion entschlossen springt er von der Laderampe. Aber noch bevor er unten auf dem Schotter landet, sinkt ihm schon der Mut und verlässt ihn die Entschlossenheit, und als er die ersten Schritte über den klappernden Plattenweg geht, der zwischen den Gleisen zur Bahnhofshalle führt, steigt ihm leise, aber unaufhaltsam wie eine bittere Champagnerperle die Erkenntnis aus den Eingeweiden übers Herz in den Kopf, dass er sehr wohl an die ETH gehen und Maschinenbau studieren wird – denn erstens würde er ein Zerwürfnis mit dem Vater nicht ertragen, zweitens hat er lauter Bestnoten in Mathematik,

Physik und Chemie, und drittens will ihm auf den Tod nichts einfallen, was er mit seiner einseitigen Begabung anderes anstellen könnte, als Maschinenbau an der ETH zu studieren.

Zwischen den Gleisen springt ein Signal auf Grün und gibt dem Schnellzug nach Genf freie Fahrt aus der Bahnhofshalle. In einem Abteil erster Klasse sitzt an einem jener ersten Novembertage des Jahres 1924 – ob's wirklich am selben Tag und zur selben Stunde war, lässt sich nicht mit letzter Sicherheit sagen – der Kunstmaler Emile Gilliéron. Er ist geschäftlich aus Griechenland über Triest und Innsbruck nach Geislingen bei Ulm gereist, wo er einen Auftrag an die Württembergische Metallwarenfabrik zu vergeben hatte. Auf der Rückreise will er einen Abstecher an den Genfersee machen, um die Asche seines Vaters, der kurz vor seinem dreiundsiebzigsten Geburtstag in einem Athener Restaurant tot unter den Tisch gesunken war, in heimatlicher Erde zu bestatten.

Der Vater hatte ebenfalls Emile Gilliéron geheißen, war ebenfalls Kunstmaler in Griechenland und ein berühmter Mann gewesen. Er hatte Heinrich Schliemann bei den Ausgrabungen Trojas und Mykenes als Zeichner begleitet und eine Briefmarkenserie für die griechische Post gestaltet, und er war Zeichenlehrer der griechischen Königsfamilie gewesen und hatte ein stattliches Wohnhaus mit prächtiger Aussicht auf die Akropolis gebaut, und er hatte den Sohn zu seinem tüchtigen Geschäftspartner herangezogen. Groß war deshalb in der Familie die Überraschung gewesen, als bei der Testamentseröffnung nur Schulden zum Vorschein kamen und sich herausstellte, dass die Gilliérons zwar auf großem Fuß, aber ständig von der Hand in den Mund lebten.

Zusätzlich in Verlegenheit brachte die Hinterbliebenen der testamentarische Wunsch des Verstorbenen nach einer

Bestattung in seiner alten Heimat am Genfersee; denn eine offizielle, legale Repatriierung des Leichnams über drei oder vier Landesgrenzen hinweg wäre mit einem finanziellen und administrativen Aufwand verbunden gewesen, den sich allenfalls der Papst, der König von England oder ein amerikanischer Eisenbahnmagnat hätte leisten können. Einigermaßen durchführbar war nur ein klandestiner Transport nach vorgängiger Einäscherung. Zwar waren Feuerbestattungen im orthodoxen Griechenland bei strenger Strafe verboten, aber im Botschaftsviertel von Athen gab es Bestattungsunternehmen, die auf ausländische Kundschaft spezialisiert waren. Gegen Aufpreis brachten sie am Tag der Beerdigung dem Popen einen mit Sandsäcken beschwerten, ansonsten aber leeren Sarg zum Friedhof und führten den Leichnam auf geheimen Wegen einer informellen Kremation zu.

Emile Gilliéron hatte mit Nachdruck darauf verzichtet, über den präzisen Ablauf dieser Dienstleistung ins Bild gesetzt zu werden; er wollte nicht wissen, welcher Bäcker, Töpfer oder Schlosser nachts seinen Ofen zur Verfügung stellte, bevor er am nächsten Morgen im selben Ofen wieder Brötchen buk oder Wasserkrüge brannte. Erst auf der Überfahrt von Piräus nach Triest mit dem Postschiff des Lloyd Triestino war ihm der Gedanke gekommen, dass er niemals mit Sicherheit wissen würde, ob sein Vater tatsächlich kremiert oder den Haien zum Fraß vorgeworfen worden war, und ob die Zigarrenkiste in seinem Koffer nicht die Asche eines Fremden enthielt oder die zerstampften Knochen eines Straßenköters.

Emile Gilliéron junior ist ein schöner Mann im besten Alter. Sein Gesicht ist noch immer jugendlich scharf geschnitten und goldbraun gebrannt von den Jahren, die er mit dem Vater auf den Ausgrabungsfeldern von Knossos verbracht hat, und seine Augen glühen wie die seiner italienischen Mutter Josephine, die ihn und den Vater zeitlebens mit ihrer Fürsorglichkeit und Eifersucht verfolgte. Sein Kopfhaar und der kühn geschwungene Schnurrbart sind ein wenig zu schwarz, um ganz naturbelassen zu sein, die Nase ist gerötet von der täglichen Flasche Armagnac, und in den Mundwinkeln liegt eine Spur Bitterkeit und enttäuschter Ehrgeiz. In Athen erwartet ihn seine italienische Ehefrau Ernesta, die in ihrer freien Zeit auf der Terrasse ihres Hauses liebliche Ölbilder mit der immer gleichen Ansicht der Akropolis malt, und sein erstgeborener Sohn, der auf den Namen Alfred hört und vier Jahre alt ist.

Zweites Kapitel

Es wäre ein Zufall, wenn Emile Gilliéron bei der Ausfahrt aus dem Zürcher Hauptbahnhof das Mädchen und den Burschen wahrgenommen hätte, aber ich wünsche es mir. Ich wünsche mir, dass er zu lange im Bahnhofbuffet saß und zum Zug rennen musste, und dass er schwitzend und keuchend Hut und Mantel ablegte und seinen Koffer ins Gepäcknetz stemmte, während der Zug langsam beschleunigend aus dem Bahnhof fuhr.

Ich wünsche mir, dass Emile Gilliéron sich ins Polster fallen lässt und um Atem ringend aus dem rechten Fenster schaut, wo in einiger Entfernung ein nachtblauer Zug vorüberfährt. In den Fenstern sind Fahrgäste zu sehen, die sich zum Aussteigen bereitmachen und durch die Seitengänge drängeln. Die Türen sind noch geschlossen, nur im hintersten Wagen sitzt ein blonder Backfisch auf dem Treppchen und gähnt mit weit aufgesperrtem Mund. Ein seltsamer Anblick um diese Jahreszeit, denkt Emile Gilliéron, das dumme Ding holt sich dort draußen den Tod. Hat sich wohl mit den Eltern gestritten und weigert sich jetzt, zurückzukehren ins warme Abteil. Hält ihre Eltern für Paviane oder Lurche, sich selbst hingegen für die Krone der Schöpfung. Wenigstens mit einer Hand an der Haltestange festhalten sollte sich die

Lichtgestalt, sonst könnte es rasch ein Ende haben mit dem jugendlichen Auserwähltsein. Und die andere Hand könnte sie beim Gähnen vor den Mund halten, das sähe schon mal netter aus.

Der blaue Zug verschwindet rechts aus dem Blickfeld, im linken Fenster wird die Sicht frei hinüber zu den Güterschuppen, wo ein junger Bursche zwischen den Gleisen dahinschlurft. Noch so eine Type, denkt Gilliéron. Der Kerl sieht aus wie einer, der sich vor den Zug werfen will, weil er zu gut ist für diese Welt. Oder zu schlecht. Sonderbare Sache, dass sich junge, schöne und gesunde Menschen vor Züge werfen müssen. Vor meinen Zug wird er es Gott sei Dank nicht schaffen, dafür ist er zu weit weg. Das dauert ja immer Stunden, bis alles wieder sauber ist und man endlich weiterfahren kann.

Der Schaffner kommt und kontrolliert die Fahrscheine. Emile Gilliéron steckt sich eine seiner ägyptischen Zigaretten mit golden aufgedrucktem Monogramm an, dann lehnt er sich zurück und betrachtet durchs Fenster das Land seiner Ahnen, dessen puppenstubenhafte Niedlichkeit ihn bei jedem Besuch aufs Neue fasziniert. Der Zug fährt vorbei an einer putzigen kleinen Bierbrauerei, einer hübschen kleinen Getreidemühle und den blitzblanken Stahlkugeln eines kleinen Gaswerks, dann folgt er dem Lauf eines lieblich mäandrierenden Flüsschens zu den Ausläufern eines sanften, bewaldeten Gebirges. Zwischendurch hält er in blitzblanken Puppenstubenbahnhöfen, die zu blitzblanken, wenn auch düsteren Kleinstädten mit mittelalterlichen Ringmauern gehören, hinter denen Menschen leben, die emsig und höflich, aber nicht sehr gut gelaunt sind. Und nicht sehr gut gekleidet.

Zwischen zwei Kleinstädten fährt der Zug an den Kalksteinsäulen eines mittelalterlichen Galgens vorbei, der blütenweiß und weithin sichtbar am Waldrand steht, als hätte dort gestern noch der letzte Unglückliche am Strick gehangen. Das gibt es sonst nirgends auf der Welt, denkt Gilliéron, dass ein Volk zwar den Henker zum Teufel schickt, das Schafott aber stehen lässt; was müssen das für Menschen sein, welche die Richtstätten überwundener Feudalherrschaft jahrhundertelang nicht nur nicht schleifen, sondern sogar putzen und instand halten. Kleine Menschen in einem kleinen Land mit kleinen Ideen, die kleine Städte, kleine Bahnhöfe und unfassbar pünktliche Eisenbahnen bauen. Sogar der Galgen ist klein. Da würde ich mir ja die Knie wundscheuern, wenn man mich an dem aufknüpfen würde.

In der achten Kleinstadt muss Gilliéron umsteigen, dann geht die Fahrt weiter an einem kleinen See entlang zum nächsten kleinen See, dann über einen Hügelzug mit winterlich nackten Kartoffeläckern und durch lächerlich klein parzellierte Weinberge, die lange nach Sonnenuntergang noch golden leuchten. Im Süden thront mächtig weiß und unverrückbar der Mont Blanc, Europas höchster Berg. Endlich mal etwas Großes in diesem Land, denkt Gilliéron, wobei ihm bekannt ist, dass der Mont Blanc genaugenommen in Frankreich steht, während die Schweiz sich mit dessen Anblick begnügt. Volkswirtschaftlich ist das eine kluge Entscheidung. Aus der Ferne ist so ein Berg schön anzusehen, die touristische Vermarktung des Postkartenidylls bringt gutes Geld. Aus der Nähe betrachtet hingegen ist er nur eine gefährliche und kostspielige Geröllhalde.

In Lausanne steigt Gilliéron um in die Regionalbahn. Eine halbe Stunde später gelangt er ans östliche Ende des Genfersees, zum Geburtsort seines Vaters und ans Ziel seiner Reise.

Der Bahnhof von Villeneuve liegt im Dunkeln. Auf dem Bahnsteig ist kein Mensch zu sehen, im Stationsgebäude brennt kein Licht. Der Fahrkartenschalter ist geschlossen, in der Tür zum Wartesaal liegt dürres Laub. Taxis oder Droschken gibt es keine, Kofferträger schon gar nicht. Der Bahnhofplatz ist gesäumt von kahlen Platanen, auf dem nassen Kopfsteinpflaster picken Tauben in plattgefahrenem Pferdedung. Hinter dem Bahnhof sind die schwarzen Umrisse der Waadtländer Voralpen zu sehen, davor steht leicht erhöht das »Hotel Byron«, das seit hundert Jahren vergeblich auf wohlhabende Engländer wartet und noch jeden Eigentümer in den Ruin gerissen hat.

Emile Gilliéron stellt den Koffer ab und schnuppert. In der Luft liegt tatsächlich Modergeruch – der süße, würzige Moorgeruch des Rhonedeltas, über den der Vater so unermüdlich schimpfen konnte, als habe er ihn nach Jahrzehnten des griechischen Exils noch immer in der Nase gehabt. Ihm zufolge führt die schlechte Luft von Villeneuve bei längerer Inhalation zu Schwindsucht und Schwachsinn sowie Rachitis und Zahnfäulnis, ebenso zu Trunksucht, Gürtelrosen, Epilepsie und allerlei Formen weiblicher Hysterie. Diese multiple Toxizität erklärte er damit, dass Moorgeruch nichts anderes sei als der Verwesungsgestank verendeter Organismen, die ein Lebensalter lang Zeit gehabt hätten, alle möglichen Krankheitserreger einzusammeln, wobei interessanterweise der Mensch, wenn er in den Sumpf gerate, der Gnade dieser Zersetzung nicht teilhaftig werde, weil er eben nicht an der sauerstoffreichen Oberfläche bleibe, sondern ziemlich rasch in jene Tiefe von drei bis vier Metern absinke, in der das spezifische Gewicht seines Körpers jenem des Umgebungssumpfs entspricht, um dort, falls er noch nicht tot ist, zu ersticken und in stabilem Schwebezustand luftdicht verpackt und von der Moorsäure sanft gegerbt jahrtausendelang eine körperliche Frische zu bewahren, von der die Pharaonen im trockenen Sand Ägyptens mit all ihrer Balsamierungskunst nur hätten träumen können. Deshalb sei mit großer Sicherheit anzunehmen, dass im Sumpf von Villeneuve Hunderte, wenn nicht Tausende lebensecht erhaltener Moorleichen friedlich beisammenlägen, die einander unter der Sonne niemals hätten begegnen können – keltische Fischer neben burgundischen Kreuzrittern, römische Legionäre neben deutschen Rom-Pilgern, maurische Entdecker neben venezianischen Gewürzhändlern und alemannischen Hirtenmädchen –, wobei die einen vielleicht aus Liebeskummer in den Sumpf gegangen waren und andere im Jagdfieber, wieder andere im Suff oder aus Dummheit oder aus Geiz, weil sie dem Grafen von Chillon den Wegzoll nicht hatten entrichten wollen; und irgendwo mussten, als würden sie nur schlafen, auch die hundertsiebenundzwanzig Juden von Villeneuve liegen, die 1348 während der Pestepidemie von der Bürgerschaft wegen Brunnenvergiftens massakriert und in den Sumpf geworfen worden waren.

Ach, die Bürger von Villeneuve.

Der Vater hatte eine ganze Kindheit und Jugend mit ihnen verbracht, und auch wenn er danach ein halbes Jahrhundert im Exil gelebt hatte, war er doch einer von ihnen geblieben. Vielleicht war er als junger Mann nur deshalb aus Villeneuve geflohen, um einer von ihnen bleiben zu können und nicht endgültig verstoßen zu werden.

Die Bürger von Villeneuve waren Fischer, Bauern und Fuhrleute, arbeitsame Protestanten und brave Untertanen, die ihren Platz kannten in einer festgefügten Welt. Jeder Fischersohn wusste, dass er zeitlebens auf den See hinausfahren würde, und jeder Bauernsohn wusste, dass er die von den Vätern ererbten Äcker bestellen würde bis ans Ende seiner Tage; das war so selbstverständlich, dass man nicht darüber nachdenken musste. Mitte zwanzig wurde geheiratet und mit fünfzig gestorben, und den Erstgeborenen taufte man auf den Vatersnamen, und um halb zehn war Lichterlöschen, und mittwochs wohnte man seiner Frau bei, und freitags gab es Fisch. Sonntags ging man zur Predigt und trug eine schwarze Jacke. Und nicht etwa eine graue. Oder gar eine blaue.

Natürlich gab es auch in Villeneuve immer ein paar Milchbärte, die blaue Jacken trugen, um den Mädchen zu gefallen, und zu allen Zeiten hatte es ein Rudel Welpen gegeben, das durch die Gassen zog und davon träumte, Villeneuve hinter sich zu lassen und über den Großen Sankt Bernhard nach Italien abzuhauen. Dafür hatten die Bürger Verständnis, denn sie waren auch einmal jung gewesen. Genauso klar war aber, dass der Spaß irgendwann ein Ende haben musste, spätestens nach dem zwanzigsten Geburtstag hörte der Welpenschutz auf. Wer dann noch eine blaue Jacke trug, tat vielleicht tatsächlich besser daran, über den Großen Sankt Bernhard zu verschwinden.

Ach, die Bürger von Villeneuve. So ausschweifend der Vater über den Sumpf hatte schimpfen können, so milde hatte er immer seinen weißen Spitzbart gestreichelt, wenn die Rede auf die Bürger von Villeneuve gekommen war. Der Sohn hatte früh verstanden, dass der Vater den Sumpf von

Villeneuve nur deshalb so leidenschaftlich hassen musste, weil er die Bürger weiterhin lieben wollte.

Emile Gilliéron nimmt den Koffer wieder auf, überquert den Bahnhofplatz und biegt ein in die nachtschwarze Grande Rue, die gesäumt ist von mittelalterlichen Fachwerkbauten. Alle Fenster sind dunkel, dabei ist es noch nicht einmal zehn. Rechts eine Apotheke, links eine Bäckerei, rechts eine Metzgerei, links das »Hotel de l'Aigle«. Dort isst man angeblich recht gut, aber die Fenster sind schon dunkel. In einer Seitengasse hängt ein Fischernetz zum Trocknen, in der nächsten duftet ein Miststock nach Kleinvich.

Vor der Kirche plätschert einsam ein großer Brunnen. Dort muss sich der Waschtrog befinden, von dem der Vater erzählt hat. Viele Jahrhunderte lang hatten die Frauen von Villeneuve an diesem Trog ihre Wäsche gewaschen und nicht beachtet, dass er an einer Ecke gestützt wurde durch eine auffällig runde Säule, welche die Aufschrift »XXVI« trug. Eines Tages war der Kantonsarchäologe aus Lausanne vorbeigekommen und hatte den Bürgern von Villeneuve erklärt, dass sie einen zweitausend Jahre alten Meilenstein der Altrömischen Heeresstraße unter ihrem Waschtrog hätten, und dass die Zahl Sechsundzwanzig die Entfernung zur Garnisonsstadt Martigny in römischen Meilen angebe. Da hatten die Bürger bedächtig genickt, die Köpfe schief gelegt und beifällig ihren römischen Stein betrachtet, und manche hatten »Tiens donc« gemurmelt und »Sacré Romains« oder »ça, par exemple«. Als aber der Kantonsarchäologe die Bürger bat, das Zeugnis der Vergangenheit vor Witterung und Seifenwasser in Sicherheit zu bringen und zuhanden der Nachwelt in der Kirche aufzustellen, hatten sie trotzig die Fäuste in den Taschen versenkt und die Unterlippen vorgeschoben, weil man für diese Arbeit den Steinmetz aus Vevey hätte herbeirufen und ihm mindestens fünfundzwanzig Batzen geben müssen, und sie hatten erst gehorcht, nachdem der Archäologe die fünfundzwanzig Batzen auf den Waschtrog gezählt und fünfzehn weitere dazugelegt hatte.

Dies hatte sich um die Mitte des 19. Jahrhunderts ereignet, während Emile Gilliérons Vater in Villeneuve heranwuchs als einziger Sohn des Dorfschullehrers und ganz gewöhnlicher Dorfjunge ohne auffällige Merkmale. Er war durchschnittlich groß, durchschnittlich kräftig und durchschnittlich braunhaarig, und er hatte keine herausragenden Eigenschaften oder erkennbaren Talente außer dem einen: er konnte unglaublich gut zeichnen – unglaublich scharf, unglaublich ausdrucksstark, und mit unglaublicher, geradezu fotografischer Präzision und Vorstellungskraft. Er hatte keinen besonderen Unterricht genossen, war von niemandem ermuntert und von niemandem zum Üben angehalten worden, er tat es nicht mal sonderlich gern – er konnte es einfach. Und weil Villeneuve für junge Leute wenig Zerstreuung bot, zeichnete er ohne Unterlass. Schon als Siebenjähriger hatte er auf dem Pflaster des Pausenplatzes mit fliegender Hand verblüffende Kohleportraits seiner Schulkameraden angefertigt, und sonntags war er mit dem Aquarellkasten zum Hafen gelaufen und hatte die Schiffe und die Weiden am Ufer und die schneebedeckten Berge am Horizont mit einer Leichtigkeit aufs Papier geworfen, dass der Betrachter die Brise zu spüren glaubte, die am Nachmittag vom See her landeinwärts wehte.

Die Bürger von Villeneuve hatten seine Begabung zur Kenntnis genommen, ohne sich darüber den Kopf zu zerbrechen. So etwas gibt's, sagten sie schulterzuckend, manche können Sachen, die andere nicht können, man darf da nicht ins Grübeln geraten. Es gibt Leute, die spüren Wasseradern oder hören Geisterstimmen, andere sprechen in Zungen oder können Warzen wegmachen. Der kleine Gilliéron kann nun mal gut zeichnen, was soll's. Macht nix und schadet keinem. Solange er mit seinen Farbstiften spielt, macht er keine größeren Dummheiten.

Gilliéron selber maß seiner Begabung ebenso wenig Bedeutung bei. Das Zeichnen war ihm ein bloßer Zeitvertreib, der ihm übrigens nicht sonderlich viel Vergnügen bereitete. Auch war er nicht etwa stolz auf seine Zeichnungen, ging nicht mit ihnen hausieren und bewahrte sie nicht auf, sondern legte sie, kaum dass sie fertig waren, neben den Ofen zum Anfeuern aufs Brennholz.

Das änderte sich erst 1866, als er fünfzehn Jahre alt wurde, sich eine blaue Jacke zulegte und davon zu träumen begann, für immer nach Italien abzuhauen, statt wie die anderen Welpen seines Jahrgangs Bauer, Fischer oder Dorfschullehrer in Villeneuve zu werden. Als ihn der Vater ans Lehrerseminar nach Lausanne schicken wollte, verkündete er verächtlich schnaubend, dass er sich eher vierteilen lassen würde, als den Rest seiner Tage zwischen Lehrerpult und Schiefertafel zu vergeuden.

Stattdessen richtete er in einer verlassenen Scheune am Rand des Sumpfs sein erstes Künstleratelier ein, ließ sich das Kopfhaar lang wachsen und rauchte Waldrebenstengel, die er im Sumpf von den Bäumen gerissen und auf dem Scheunenboden zum Trocknen ausgelegt hatte. An den Markttagen lungerte er vor den Gasthäusern herum und versorgte die Pferde der auswärtigen Bauern unter der Bedingung, dass sie ihm dafür ein Glas Féchy spendierten. Wenn er Geld brauchte, ging er den Winzern in den Weinbergen zur Hand oder putzte den Fischern die Netze. Wenn das Wetter gut war, verbrachte er die Abende mit seinen Freunden am See unter einer alten Trauerweide. Während der kalten Jahreszeit diente sein Atelier als Treffpunkt.

So verging ein Jahr, dann ein zweites und ein drittes. Als aber Emile Gilliéron und seine Freunde volljährig wurden und noch immer keine Anstalten machten, ihre blauen Jacken gegen schwarze oder wenigstens gegen graue einzutauschen, beschlossen die Bürger von Villeneuve, dass es genug sei. In einer lauen Frühlingsnacht brannte Emiles Atelier aus nie geklärten Gründen vollständig nieder, und zwei Wochen später brachte ihm der Postbote einen Brief, in dem ihm zu seiner Überraschung die Kunstgewerbeschule Basel mitteilte, dass er zum Lehrgang für angehende Zeichnungslehrer zugelassen sei und sich am folgenden Montag zwischen acht und zehn Uhr zur Immatrikulation in der Aula Magna einzufinden habe.

Emile begriff, dass die eigentliche Absenderin nicht die Kunstgewerbeschule Basel, sondern die Bürgerschaft von Villeneuve war, die einige seiner Zeichnungen entwendet und nach Basel geschickt haben musste, und dass er den Brief nicht als Einladung, sondern als Verbannung zu verstehen hatte. Also packte er verächtlich schnaubend sein Bündel, reiste nach Basel und stellte nach dem ersten Semester verächtlich schnaubend fest, dass er alles, was die Professoren ihm beibringen wollten, eigentlich schon konnte. Gewiss lernte er Techniken des Skizzierens, Schabens, Spachtelns, Stechens, Modellierens und Ätzens, von denen er in Villeneuve nie gehört hatte, und in der ständigen Ausstellung des Kunstmuseums taten sich ihm Welten auf, die er sich im Sumpf des Rhonedeltas nicht hätte träumen lassen; zurück im Klassenzimmer aber kopierte, variierte und karikierte er nach Belieben jeden Alten Meister, den er gesehen hatte, jeden Stil und jede Schule. Er malte runde Puttenengel wie Rubens und pfeildurchbohrte Märtyrer wie Caravaggio, und er brachte seine Mitschüler zum Lachen, indem er pfeildurchbohrte Puttenengel malte und tanzende Märtyrer, denen gebratene Hühnerschenkel aus dem Mund ragten; er töpferte Vasen und modellierte Götterstatuetten und zeichnete griechische Tempel und Statuen, als hätte er sein ganzes bisheriges Leben auf dem Peloponnes verbracht, und das alles mit einer Lässigkeit, Gleichgültigkeit und Geringschätzung gegenüber der eigenen Begabung, die seine Professoren faszinierte und auch ein wenig beleidigte.

Nach dem Unterricht zog er durch die Kneipen Kleinbasels und erlangte Berühmtheit, weil er Weißwein saufen konnte wie kein zweiter. Wo immer er hinkam, machte er sich Freunde mit seiner ungekünstelten Herzlichkeit und bäuerlichen Schlagfertigkeit; seine Kommilitonen aber nahmen ihm übel, dass er, der im Unterricht immer alles gleich konnte, was sie erst mühsam erlernen mussten, jedes gelehrte Stammtischgespräch über Kunst und Musenkuss verweigerte, weil er sich mehr für die Beine und Dekolletés der Kellnerinnen interessierte.

Emile Gilliéron war bei aller Faulheit und Nonchalance unbestreitbar der beste Schüler seines Jahrgangs. Er gewann sämtliche Wettbewerbe, obwohl die Schulleitung ihn jedes Mal zur Teilnahme drängen musste und er seine Arbeiten immer erst in der Nacht vor dem Abgabetermin anfertigte, und als die Merian-Stiftung ein zweijähriges Stipendium für die École des Beaux-Arts in Paris ausschrieb, bewarb er sich nur, um die unausweichliche Rückkehr nach Villeneuve hinauszuschieben.

Die folgenden zwei Jahre verbrachte er hauptsächlich in den Bistros des Marais und des Montmartre. Zwischendurch nahm er der Form halber ein bisschen Unterricht bei den populärsten Professoren und Künstlern seiner Zeit. Die monatlichen Stipendienzahlungen deckten seinen Geldbedarf nur bis Mitte des Monats, danach kopierte er Werke von Millet, Troyon und Courbet und verkaufte sie an Kneipenwirte und Touristen. Am meisten Geld verdiente er mit der Anfertigung griechisch-römischer Architekturschwarten in jenem pompös-historistischen Stil, der beim konservativen, selbstgefälligen Bürgertum unter Napoleon III. so beliebt war.

Zwar war in der Pariser Bohème das Tragen blauer Jacken geradezu Pflicht, aber Emile schaffte es auch in dieser vergleichsweise libertären Umgebung in kürzester Zeit, sich bei allen Würdenträgern unbeliebt zu machen. Seine Erfolgschancen in der Pariser Kunstszene beeinträchtigte er schon zu Beginn des ersten Studienjahres nachhaltig, als er zur Eröffnung des jährlichen Salons mit einer entkorkten Weißweinflasche in der Hand auftauchte und während der gesamten Ansprache des Akademiepräsidenten auf den Stockzähnen grinste. Als er dann auch noch im Garten hinter einer Jeanne-d'-Arc-Statue urinierte und einem Lakaien ein Tablett mit *Petits Fours* aus der Hand schlug, wurde er von zwei uniformierten Ordnungshütern auf die Straße geworfen.

Die Zeit verging schnell. Es nahte der Tag, an dem Emile gezwungen sein würde, nach Villeneuve zurückzukehren und ein für allemal eine schwarze Jacke überzuziehen. Da geschah es, dass der deutsche Milliardär Heinrich Schliemann, der an der Place Saint Michel ein schönes Haus besaß und es sich um die Lebensmitte in den Kopf gesetzt hatte, seine russischen Handelsgeschäfte fahrenzulassen und der berühmteste Archäologe der Welt zu werden, beim Direktor der École des Beaux-Arts anfragen ließ, ob es unter seinen Studenten einen guten Zeichner gebe, der ihm auf den Ausgrabungsstätten von Mykene zu Diensten sein könnte. Darauf ließ der Direktor den talentierten und ungebärdigen Gilliéron rufen, weil er sich dachte, dass dieser Auslauf gebrauchen konnte und sich im streng ritualisierten Pariser Kunstbetrieb sowieso nie zurechtfinden würde. Als er ihn fragte, ob er als wissenschaftlicher Zeichner nach Griechenland fahren möchte, sagte Emile sofort zu.

Der Direktor gab dann doch zu bedenken, dass Schliemann ein mecklenburgischer Pastorensohn mit herrischem, aufbrausendem Charakter sei, der noch nie im Leben einen Freund gehabt habe, rastlos in der Welt umherreise und überall binnen weniger Tage zwanghaft die jeweilige Landessprache lernen müsse.

Das bedeute doch immerhin, dass er mit den Leuten rede, sagte Gilliéron.

Schliemann rede nicht, er kommandiere, sagte der Direktor. Liebe und Freundschaft kenne er nicht, die Menschheit bestehe für ihn aus Vorgesetzten und Untergebenen. Von seiner russischen Ehefrau habe er sich scheiden lassen, weil er für sein archäologisches Abenteuer eine Griechin an seiner Seite haben wollte. Dann habe er brieflich beim Erzbischof von Athen um eine Auswahl schöner junger Griechinnen gebeten und sich anhand von Fotografien für eine Siebzehnjährige entschieden, und auf der Hochzeitsreise habe der dreißig Jahre ältere Gatte das arme Ding vier Monate lang über die Altertümer Italiens getrieben und derart erbarmungslos mit Deutschunterricht traktiert, dass sie kurz nach der Ankunft in Paris einen Nervenzusammenbruch erlitt.

Na ja, sagte Gilliéron, er wolle Schliemann ja nicht heiraten.

Weiter müsse er bedenken, sagte der Direktor, dass Schliemann als Archäologe von niemandem ernst genommen werde. Die Fachwelt lache über diesen naiven Preußen, der mit dem Spaten in der einen und der Volksausgabe der »Ilias« in der anderen Hand über den Hellespont spaziere und immer gleich meine, den tatsächlichen Palast des Priamos samt dessen Goldschatulle gefunden zu haben, oder den wirklichen Kampfplatz vor den Toren Trojas, auf dem Aphrodite ihren Liebling Paris vor der Streitaxt des Menelaos rettete.

Immerhin habe der Mann ziemlich viele hübsche Sachen ans Tageslicht befördert, sagte Gilliéron.

Aber doch nicht die Streitaxt des Menelaos, sagte der Direktor. Genauso gut könne man in Andalusien nach Don Quichotes Lanze graben oder im Schwarzwald Hänsel und Gretels Backofen suchen.

Eine Streitaxt sei eine Streitaxt, sagte Gilliéron.

Das gab der Direktor zu. Auffällig sei aber doch, dass Schliemann den goldenen Glitzerkram immer erst am letzten Grabungstag entdecke, wenn grad niemand hingucke. In Anwesenheit von Zeugen aber kämen jeweils nur Tonscherben zum Vorschein wie bei allen anderen Archäologen auch.

Wenn Glitzerkram aus dem Boden aufsteige, sagte Gilliéron, müsse man ihn naturgetreu zeichnen. Das traue er sich zu. Fürs Echtheitszertifikat sei er als Zeichner nicht zuständig.

Das sei wohl wahr, sagte der Direktor.

Griechenland solle sehr schön sein, sagte Gilliéron, und die Bezahlung sei gut. Und sein Stipendium laufe nächstens aus.

Bei der Ankunft stellte sich ihm Griechenland dann allerdings als eine große Enttäuschung dar. Schon während der dreitägigen Überfahrt von Triest über Brindisi, Korfu und Patras war er ununterbrochen seekrank gewesen, dass er hätte sterben mögen, und als er am Morgen des 23. März 1877 in sehnsüchtiger Erwartung des Landgangs im strömenden Regen auf dem Oberdeck stand, geriet der vornehme, blendend weiße Ägyptendampfer des Österreichischen Lloyd vor der Einfahrt in den Hafen von Piräus in eine Rangelei mit einem Rudel stinkender, schwarz gegerbter und von Möwen umflatterter Fischerboote, von denen die einen auslaufen, die anderen aber in den Hafen zurückkehren wollten, weshalb sie einander den Weg versperrten und gegenseitig in die Seiten fuhren, dass die Spanten krachten. Der Kapitän des Ägyptendampfers ließ in sicherer Entfernung die Maschinen halten, stellte sich in vollem Ornat auf die Brücke und wartete. Und da es den Anschein machte, dass keiner von den Fischern binnen sinnvoller Frist klein beigeben und seinem Nebenmann den Vortritt gewähren würde, ließ er zwei Minuten lang die Dampfsirenen dröhnen und steuerte dann mit halber Kraft mitten durchs Gewimmel auf die Hafeneinfahrt zu.

Die Fischerboote stoben widerstrebend auseinander und gaben eine Gasse frei, die dem Dampfer knapp die Durchfahrt erlaubte. Gilliéron schaute von der Höhe des Sonnendecks hinunter auf die krakeelenden Fischerleute, die im Regen ihre schwarz behaarten Fäuste schüttelten und einander mit rostigen Enterhaken beiseitezuschubsen versuchten. Kleine und untersetzte Männer mit Pluderhosen, Pausbacken und schwarzen Schnurrbärten waren das, die so gar keine Ähnlichkeit hatten mit den adlernasigen Marmorstatuen in der Antikenabteilung des Louvre, an denen Emile sein Griechenlandbild geschärft hatte.

Nachdem der Dampfer den Leuchtturm an der Mole passiert hatte, öffnete sich der Blick auf den Hafen, an dem schon Aristoteles, Perikles, Platon und Alexander gestanden hatten – ein düsteres Halbrund von grauen, ein- und zweistöckigen Backsteinbauten vor einer kahlen, seit Jahrtausenden abgeholzten Hügelkette, darüber ein bleigrauer Himmel, unter dem schwarze Regenwolken landeinwärts zogen. Auf dem Landungsplatz standen zerlumpte Gestalten barfuß zwischen den Pfützen und winkten aufgeregt zu den Passagieren der ersten Klasse hinauf, schlugen das Rad, machten den Handstand und vollführten kleine Tänze, worauf die Passagiere Kupfermünzen hinunterwarfen und vergnügt beobachteten, wie die Zerlumpten sich darum balgten.

Kaum hatte Emile Gilliéron wieder festen Boden unter den Füßen, verflüchtigte sich die Seekrankheit, dafür wurde er auf der kurzen Kutschenfahrt nach Athen im offenen Zweispänner nass bis auf die Haut. Beidseits der verschlammten Straße saßen Hunderte von hohlwangigen Kindern, die mit großen schwarzen Augen zu den Reisenden aufschauten. Emile fragte den Kutscher, was es mit den Kindern auf sich habe, und erhielt zur Auskunft, sie würden jeden Morgen vom Waisenhaus hier ausgesetzt in der Hoffnung, dass ein Reisender sich erbarme und eins von ihnen mitnehme.

Als durch den Regen von weitem die weißen Säulen der Akropolis in Sicht kamen, heiterte Gilliérons Stimmung sich ein wenig auf, und als er im »Hotel d'Angleterre« ankam und erstmals die helle und geräumige Suite betrat, die Schliemann für ihn hatte reservieren lassen, und als das Zimmermädchen ihm den Mantel abnahm und ihm zur Stärkung wortlos einen Ouzo reichte, war er schon fast wieder versöhnt; ein paar Wochen oder Monate würde er es hier schon aushalten. Und falls Schliemann ihn tatsächlich so gut bezahlte wie versprochen, würde er ein ganzes Jahr bleiben und im nächsten Frühjahr mit den Taschen voller Geld heim nach Villeneuve fahren. Dort würde er sich ein kleines Haus am See bauen, die Abende mit seinen Freunden aus der Welpenzeit verbringen und tagsüber für den Lebensunterhalt kitschige kleine Aquarelle für englische Touristen malen – und selbstverständlich würde er, ob das den Bürgern von Villeneuve nun passte oder nicht, blaue Jacken tragen bis ans Ende seiner Tage. Vielleicht sogar gelbe.

So dachte Emile Gilliéron sich das, aber natürlich kam es anders. Als er am nächsten Morgen seinen Frühstückskaffee getrunken hatte und zu einem ersten Spaziergang durch die Stadt und hinauf zur Akropolis aufbrechen wollte, fing ihn vor der Haustür Heinrich Schliemanns Kutscher ab und führte ihn mit wortloser Dienstfertigkeit im eleganten Vierspänner geradewegs zum Arbeitszimmer seines Herrn, das reich dekoriert war mit Marmorstatuen, bunt bemalten Vasen und Reproduktionen hellenischer Fresken.

Schliemann saß hinter seinem Schreibtisch und schaute Gilliéron mit gerecktem Schildkrötenhals durch eine runde Nickelbrille mit kühlen, blassblauen Augen entgegen. Er begrüßte ihn knapp in sonderbar klingendem, wenn auch fehlerfreien Französisch und deutete mit herrischer Gebärde vor sich auf den Schreibtisch, auf dem ein hölzernes Tablett mit drei handtellergroßen Fragmenten eines Freskos lag. Das eine Mörtelstück stellte eine zur Faust geballte Hand dar, das andere ein Lilienornament und das dritte einen Fuß samt Wade.

Diese Stücke seien am Abend zuvor aus Mykene eingetroffen, sagte Schliemann und wollte wissen, was Gilliéron in ihnen sehe.

Emile zuckte mit den Schultern und antwortete, er sehe eine Hand, einen Fuß und ein Stück Lilienmuster.

Er verbitte sich Keckheiten, sagte Schliemann. Gilliéron solle ihm sagen, was dieses Fresko als Ganzes dargestellt haben könnte.

Das könne man nicht wissen, sagte Gilliéron.

Dann sei Gilliéron der falsche Mann für ihn, sagte Schliemann.

Kein Mensch auf der Welt könne das mit Sicherheit wissen, sagte Gilliéron.

Aber man könne sich doch einen Reim machen, entgegnete Schliemann.

Das könne man immer, sagte Gilliéron, beugte sich schulterzuckend über das Tablett und schob die Fragmente hin und her. Dann griff er nach dem bereitliegenden Zeichenblock und entwarf in Minutenschnelle einen Wagenkämpfer, in dessen Faust ein Speer lag und dessen rechter Fuß auf dem liliengeschmückten Wagenrand ruhte.

Großartig, sagte Schliemann, das ist des Rätsels Lösung. Dass ich das nicht selbst gesehen habe, es liegt ja auf der Hand.

Darauf ordnete Gilliéron die Bruchstücke anders und zeichnete auf einem neuen Blatt einen Tempelwächter, der eine brennende Fackel in der Faust hielt und einen Kopfschmuck mit Lilienornament trug.

Schau an, sagte Schliemann, Sie sind mir ja einer! Der Wagenkämpfer vorhin war Quatsch, das sehe ich jetzt.

Gilliéron riss auch dieses Blatt ab und zeichnete einen Laokoon, der sich in einem Lilienfeld mit Händen und Füßen gegen Würgeschlangen wehrte.

Das ist ja ... sagte Schliemann. Wollen Sie mich auf den Arm nehmen?

In der Folge zeichnete Gilliéron einen Theseus im Kampf gegen Andromache, dann einen attischen Olivenbauern bei der Ernte und einen siegreichen Athleten mit einem Ölzweig, und jede Zeichnung beinhaltete eine Faust, einen Fuß und ein Lilienornament. Schliemann folgte seinem Bleistift mit atemloser Begeisterung. Gilliéron zeichnete Stierkämpfer und Schafhirten und Seefahrer, dann auch eine Amazone, die mit blankem Schwert ein nacktes Paar verfolgte.

Die zwei Nackten kenne ich aber, sagte Schliemann. Wo habe ich die schon gesehen?

In der Sixtinischen Kapelle, erwiderte Gilliéron. Adam und Eva bei der Vertreibung aus dem Paradies, von Michelangelo.

Sie sind mir ja einer, sagte Schliemann erneut.

Emile nahm ein weiteres Blatt und zeichnete einen Jüngling mit einem Schafbock.

Und das? fragte Schliemann.

Johannes der Täufer, von Caravaggio.

Gilliéron fertigte noch rasch einen kleinen Botticelli und einen Degas an, dann riss ihm Schliemann den Bleistift aus der Hand.

Schluss jetzt mit den biblischen Scherzen, sagte er, es ist Zeit fürs Mittagessen. Sie bleiben hier, wir essen *en famille* und *sans façon*, ich dulde keinen Widerspruch. Meine Frau hat Moussaka kochen lassen. Danach setzen wir einen Vertrag auf, Sie bleiben ein Jahr. Mindestens.

Sechs Monate, sagte Gilliéron.

Ein Jahr, sagte Schliemann.

Höchstens sechs Monate, sagte Gilliéron. Im Oktober beginnt am Genfersee die Weinlese, da muss ich wieder zu Hause sein.

Wieso denn das, sagte Schliemann.

Mein Vater hat einen Weinberg, log Gilliéron.

Sie bleiben ein Jahr, sagte Schliemann, ich dulde keinen Widerspruch. Wir fahren zusammen nach Troja, Mykene und Tiryns, danach brauche ich Sie hier in Athen. Und jetzt zu Tisch.

Soso, dachte Gilliéron, während er seinem Dienstherrn in den Speisesaal folgte. En famille und sans façon, der Mann duldet keinen Widerspruch. Wir werden sehen.

Zwischen der Abreise des jungen Mannes nach Griechenland und der Heimkehr seiner Asche an den Genfersee liegt ein halbes Jahrhundert. Sein Sohn geht mit dem Koffer hinunter zum Hafen, seine Schritte hallen auf dem Kopfsteinpflaster. Die Segeljollen der Ausflügler liegen winterfest vertäut im Wasser, auf den Spieren sitzen schlafende Möwen. Er schaut auf seine Taschenuhr. Noch dauert es eine Stunde, bis der nächste Zug nach Brig fährt. Dort wird er den Nachtzug nach Triest nehmen, wo am Nachmittag der Postdampfer nach Athen abgeht, wo ihn seine Gattin empfangen und ihr neuestes Akropolis-Ölbild präsentieren wird.

Emile Gilliéron junior geht ans Ende des Quais, setzt sich auf einen Poller und nimmt die Zigarrenkiste aus dem Koffer. Sie enthält ein Häuflein taubengraue Asche. Drei oder vier Handvoll vielleicht, da und dort lugt ein fingernagelgroßes Knochenstück hervor. Ob's wirklich die Asche seines Vaters oder jene eines anderen Wesens ist, spielt jetzt keine Rolle mehr. Er ist seinem letzten Willen nachgekommen, das allein zählt.

Emile schaut hinunter ins schwarze Wasser, das leise gegen die Hafenmauer klatscht. Langsam lässt er die Asche ins Wasser rieseln, die Zigarrenkiste wirft er hinterher. Eigentlich ist es ein Seemannsgrab, das er dem Vater hier bereitet. Aber wo hätte er in Villeneuve ein stilles Fleckchen Erde finden können, um ihn unbemerkt zur letzten Ruhe zu betten? Kleine Städte wie Villeneuve sind nachts still, aber sie schlafen nicht; in jeder Gasse gibt es vom Kummer gequälte Witwer oder von Zahnschmerzen geplagte Jungfern, die ans dunkle Fenster eilen, wenn draußen auf dem Kopfsteinpflaster die Absätze eines Fremden hallen. Gilliéron ist sich bewusst, dass er, seit er aus dem Zug gestiegen ist, kaum einen unbeobachteten Schritt gemacht hat. In die Weinberge hätte er nicht gehen können, dort wachen die Kettenhunde; in den Sumpf auch nicht, dort wäre er mit seinem Koffer weithin sichtbar gewesen und hätte erst recht den Argwohn der Bürger von Villeneuve auf sich gezogen.

Auch am Hafen steht Gilliéron unter Beobachtung, das ist ihm klar. Hier aber ist er in den Augen der Bürger ein harmloser Tourist, der versehentlich eine Station zu früh aus dem Zug gestiegen ist und nun eine Stunde totschlagen muss, bis der nächste Zug kommt. Dass er währenddessen nicht auf dem Bahnsteig hin und her läuft, sondern einen Spaziergang zum Hafen unternimmt, ist zwar bemerkenswert, aber nicht gänzlich ungehörig. Und wenn er sich auf einen Poller setzt und ein bisschen mit seinem Gepäck hantiert, ist das auch kein Grund zur Aufregung. Hauptsache, er steht rechtzeitig wieder auf und geht zurück zum Bahnhof, damit die einsamen Witwer und Jungfern wieder zu Bett gehen können.

Die Asche seines Vaters versinkt im dunklen Wasser und ist nicht mehr zu sehen; die größeren Knochenstücke werden senkrecht auf den Seegrund fallen, die Asche wird verwehen und sich weitherum mit dem Schlick des Seegrunds vereinen. Schlick ist nichts anderes als Erde, denkt Gilliéron, letztlich führt auch ein Seemannsgrab in Mutter Erde. Die Zigarrenkiste dümpelt an der Hafenmauer. Eine gewöhnliche Zigarrenkiste, nichts weiter. Sie wird im Lauf der Nacht davontreiben, in den nächsten Tagen irgendwo an Land gespült werden und friedlich in einem Haufen Treibgut verrotten.

Drittes Kapitel

Felix Bloch hat das Mädchen im Orient-Express nie wiedergesehen, denn sie ist in Zürich nicht aus dem Zug gestiegen. Laura d'Oriano fuhr an jenem Novembernachmittag weiter über Basel nach Belfort und nahm dort am nächsten Morgen, während Felix Bloch das Immatrikulationsbüro der ETH aufsuchte und Emile Gilliéron in Triest auf seinen Dampfer wartete, den Schnellzug nach Marseille, wo ihre Eltern sich zur Ruhe setzen und die Musikalienhandlung eines entfernten Verwandten übernehmen wollten. Es war Zeit, dass die Odyssee der Familie ein Ende nahm. Ein halbes Jahrhundert waren die d'Orianos unterwegs gewesen, zwanzig Jahre lang war die Mutter als jugendliche Chansonneuse durch die Luxushotels des Vorderen Orients getingelt. Jetzt war sie müde und sah den Tag nahen, an dem ihr das Strumpfband und das Dekolleté auf der Bühne keine Hilfe mehr sein würden. Auch der Vater war müde und hatte Leberschmerzen. Und für die fünf Kinder war es ebenfalls Zeit, sesshaft zu werden.

Laura und ihre Geschwister waren vom vielen Reisen und vom Luxus, den sie als Künstlerkinder in den Grand Hotels hatten kosten dürfen, kapriziös und frühreif geworden. Sie hatten Tischmanieren wie englische Grafenkinder und konnten tanzen wie Kosaken, und untereinander sprachen sie ein buntes Gemisch aus Englisch, Französisch, Griechisch, Russisch und Italienisch. Sie rauchten wie die Türken und interessierten sich für die Londoner Aktienkurse, sie kannten die Tarife der Fährschiffe am Bosporus und wussten, wie man eine Orange mit Messer und Gabel isst. Aber sie hatten nie mit Nachbarskindern Räuber und Gendarm gespielt, weil sie nie anderer Leute Nachbarskinder gewesen waren, und Weihnachten hatten sie immer in Gesellschaft fremder Hotelgäste gefeiert, und ihre einzigen Freunde waren die Zimmermädchen und Portiers gewesen, welche die Kinder der d'Orianos wiedererkannten und mit Vornamen grüßten.

Wie alle Nomaden richteten sie sich in der Routine des Reisens häuslich ein. Die erstgeborene Laura fand ihr Zuhause in den wechselnden Proberäumen und Künstlergarderoben, in welche die Mutter sie schon als Säugling mitgenommen hatte, um sie zwischendurch stillen zu können. Nachmittags lauschte sie den Proben der Musiker, und abends schaute sie der Mutter beim Schminken und Abschminken zu, und rund um die Uhr nahm sie Anteil an den immer gleichen Künstlerdramen um Selbstzweifel, Weltschmerz und Unverstandensein, die sich hinter den Kulissen ereigneten. Kein Tag, keine Stunde durfte verstreichen ohne Dramolett, ständig gab es Treueschwürde, Ohnmachtsanfälle und Weinkrämpfe, immerzu zerschellten Sektgläser und wurden Türen geknallt, und mittendrin stand die kleine Laura, drückte ihre Puppe an den Kinderbauch und wuchs heran in der Gewissheit, dass dies das richtige Leben in der realen Welt sei.

Als Laura groß genug war, um allein lange Flure zu durchqueren, Dienstbotentreppen hochzusteigen und zuverlässig an der Tür mit der richtigen Zimmernummer zu klopfen, schickten die Erwachsenen sie los mit kleinen Briefchen oder auswendig gelernten Verwünschungen. Laura erledigte diese Aufträge gewissenhaft und übermittelte die schwärzesten Flüche mit einem strahlenden Unschuldslächeln, und nebenher prägte sie sich gründlich ein, wer mit wem in Liebe oder Feindschaft verbunden war durch einen gestohlenen Kuss, eine künstlerische Kränkung oder eine nicht beglichene Spielschuld. Und weil das alles so aufregend war, begnügte sie sich bald nicht mehr mit der Nebenrolle der Sendbotin, sondern inszenierte sich selbst als blondgelockter Teufelsbraten, der auf eigene Faust arglos lispelnd Tod und Verderben säte.

Laura hatte großes Vergnügen an diesem Puppenspiel. Sie deponierte Damenstrumpfbänder an Orten, wo diese nicht hätten liegen dürfen, ließ zwecks Beleidigung der Hauptdarsteller mitten im Akt den Vorhang fallen oder schlich sich in den Zuschauersaal, um an unpassender Stelle zu kichern. Sie behauptete wider besseres Wissen, dass dieser ein Toupet trage, jener falsche Zähne habe und ein Dritter wegen einer galanten Unannehmlichkeit den Urologen habe aufsuchen müssen. Und manchmal reichte schon ein wissender Blick aus ihren blauen Kinderaugen, um gestandenen Mannsbildern den Angstschweiß auf die Stirn zu treiben.

Zuweilen kam es vor, dass Lauras Intrigen aufgedeckt wurden, bevor die d'Orianos zur nächsten Etappe aufgebrochen waren. Dann weinte sie, plädierte auf kindliche Unzurechnungsfähigkeit und versteckte sich in der Garderobe der

Mutter, bis sich der Pulverdampf verzogen hatte. Weil es dort nichts zu tun gab, sang sie leise mit, wenn die Mutter ihre Koloraturen übte, und schon bald war sie der Meinung, dass sie die Töne ebenso gut treffe wie die Mama. Oder sogar ein bisschen besser. Was auch stimmte. Und dann kam der Tag, an dem sie sich während einer langen Zugfahrt erstmals draußen aufs Treppchen setzte.

Als ihre Brüder Umberto und Vittorio Emmanuele zur Welt kamen, konnte die Mutter diese nicht auch noch zu den Proben mitnehmen. Also überließ sie die Söhne dem Vater, der sein abendliches Geklimper längst nicht mehr üben musste und keinerlei darüber hinausgehenden künstlerischen Ehrgeiz hatte. So verbrachten die Buben ihre Kindheit im Dunstkreis des Vaters auf Pferderennbahnen, Strandpromenaden und in den Rauchsalons der Grand Hotels, wo sie heranreiften zu ausgebufften Pokerspielern, die untereinander sehr ernsthaft um sehr hohe Summen spielten. Mal war der eine lebenslänglich beim anderen verschuldet und de facto dessen Sklave, ein paar Tage später war es umgekehrt.

Die zwei jüngsten Geschwister Marina und Maria Teresa wiederum wuchsen unter der Obhut eines Kindermädchens auf, das ein einfältiges Ding war und viel Zeit darauf verwandte, die Mädchen im Umgang mit Mascara und Nagellack zu unterweisen. Abends vor dem Einschlafen erläuterte sie ihnen die verwandtschaftlichen Beziehungen zwischen den europäischen Königshäusern und berichtete von Traumhochzeiten und tragischen Todesfällen. Die Mädchen lauschten, ließen alles in ihre weichen Kinderschädel einsinken und waren schon bald überzeugt, dass es der vornehmste Lebenszweck jedes Mädchens sei, sich von einem russischen

Prinzen heiraten zu lassen; so tief sank diese Vorstellung in sie ein, dass die Idee sich später, als ihre Schädel härter geworden waren, nicht mehr verflüchtigen konnte. Deshalb verdrehten Marina und Maria nur noch die Augen, wenn die Eltern sie zum Lösen von Rechenaufgaben nötigen wollten, und wenn man ihnen erklärte, dass auch Mädchen etwas tun müssten im Leben, weil es erstens auf der Welt schon immer viel mehr Mädchen als russische Prinzen gegeben habe und zweitens die wenigen russischen Prinzen kürzlich alle entweder erschossen worden seien oder in Paris als Taxifahrer angeheuert hätten – wenn man ihnen das erklärte, lächelten sie ungläubig und schauten sehnsuchtsvoll aus dem Fenster.

Es war wirklich höchste Zeit, dass die d'Orianos sich zur Ruhe setzten. Das lange Umherziehen hatte sie weltgewandt und reiseklug gemacht, ihr Horizont umspannte die Welt. Aber sie waren wurzellos und bindungslos, und im Herzen ein wenig verkümmert. Und das schon in dritter Generation.

Die Odyssee der Familie hatte ein halbes Jahrhundert zuvor im napoletanischen Fischerdorf Pozzuoli mit Vincenzo d'Oriano, dem Großvater der Kinder, begonnen. Er war ein glutäugiger Fischerjunge gewesen und hatte gerade zuoberst auf einer Pyramide aus Heringsfässern ein Lied gesungen, als ein reicher Engländer mit seiner Jacht in den Hafen einlief und Vincenzo aus einer Laune heraus vom Fleck weg als seinen persönlichen Bänkelsänger engagierte. Während der ersten Überfahrt nach Palermo hatte der Engländer sich nicht satthören können am Gesang des pittoresken Fischerjungen, der am Bug napolitanisches Liedgut zum Besten gab, aber dann folgte die Überfahrt nach Korfu und jene nach Piräus, dann jene nach Heraklion und nach Naxos, und bis die Jacht an der türkischen Ägäisküste angelangt war, hatte Vincenzo sein Repertoire gewiss hundertfach bis zum Überdruss des Engländers in den levantinischen Himmel hinausgeschmettert, weshalb dieser froh war, ihn im Hafen von Smyrna mit den besten Wünschen und einer großzügigen Abfindung zu entlassen.

Wie der junge Vincenzo d'Oriano sich die ersten Jahre so weit weg von Zuhause über Wasser hielt, liegt im Dunkel der Geschichte und wird kaum mehr herauszufinden sein. Aktenkundig ist, dass er am 29. Januar 1877 – am 14. Muharram 1294 nach islamischer Zeitrechnung – in der Kathedrale von Smyrna eine Teresa Capponi heiratete, die ihm in den folgenden vierundzwanzig Jahren acht Kinder schenkte, die alle ebenfalls in der Kathedrale von Smyrna getauft wurden und von denen das drittletzte ein Junge namens Policarpo war. Dieser heiratete mit vierundzwanzig Jahren – wiederum in der Kathedrale von Smyrna – im Mai 1910 die damals noch hoffnungsvolle, zwanzigjährige und bildschöne Chansonneuse Aida Agnese Caruana, zog als ihr Beschützer und Pianist durch den Vorderen Orient und zeugte mit ihr unterwegs die eigensinnige Laura und deren vier Geschwister.

Das war nun vorbei, diese Welt gab es nicht mehr. Das Osmanische Reich war im Großen Krieg zerfallen in eine unübersichtliche Zahl traumatisierter, hysterischer kleiner Nationalstaaten, die einander aufs Blut bekämpften, bisher unbekannte ethnische Unverträglichkeiten erfanden und ihre neu gezogenen Grenzen zu unüberwindlichen Barrikaden ausbauten. Handel und Verkehr kamen zum Erliegen, die Schiffe blieben in den Häfen. Die Grand Hotels in Beirut und Alexandria hatten keine Gäste mehr, die Kabaretts sperrten zu, die Musiker wurden nach Hause geschickt.

Da sie keine Auftritte und kein Einkommen mehr hatten, zogen sich die d'Orianos nach Smyrna in das Haus des verstorbenen Großvaters zurück. Die Mutter hatte keine Auftritte mehr, der Vater gab noch ein bisschen Klavierunterricht. Zwei Jahre lebten sie müßig in der schönen, alten Hafenstadt, die von manchen das Paris des Ostens genannt wurde und von anderen die Hauptstadt der Toleranz, weil hier seit Homers Zeiten Menschen aus aller Herren Länder und aller Religionen friedlich zusammengelebt hatten; sie hatten friedlich zusammengelebt unter den griechischen Kolonisten, und sie hatten friedlich zusammengelebt unter den Kaisern von Rom und Byzanz und unter dem Schutz der Kalifen viele Jahrhunderte lang; sie hatten friedlich zusammengelebt bis zum 15. Mai des Jahres 1919 nach Christi Geburt, als griechisch-nationale Truppen in die Stadt einfielen und in hellenistischem Taumel die muslimische Bevölkerung massakrierten, worauf dreieinhalb Jahre später Atatürks Truppen ebenfalls in die Stadt einfielen, in kemalistischem Taumel die nicht-muslimische Bevölkerung massakrierten und Smyrna bis auf die Grundmauern niederbrannten.

Man muss vermuten, dass die d'Orianos im Brand einen Großteil ihres inzwischen recht spärlichen Hab und Guts verloren. Ob ihnen im letzten Augenblick die Flucht auf einem Fährschiff gelang oder ob sie zu Fuß landeinwärts übers Küstengebirge entkamen, weiß man nicht. Sicher ist, dass sie zwei Jahre später in Konstantinopel den Orient-Express nahmen und über Budapest und Wien nach Zürich fuhren, um in Marseille ein neues Leben zu beginnen.

Ich kann mir vorstellen, dass die d'Orianos nach der Ankunft in Marseille an jenem Novembermorgen 1924 am Bahnhof Saint-Charles einen Träger engagierten, der ihre Koffer auf einem Karren über die Canebière hinunter zum Alten Hafen schob. Die Wahrscheinlichkeit ist groß, dass die Sonne am freundlichen Himmel der Côte d'Azur durch die breiten Straßen schien und die neuen, palastartigen Wohnhäuser der Handelsbürger zum Leuchten brachte.

Marseille war kürzlich zu großen Teilen neu erbaut worden als Tor zum französischen Kolonialreich in Afrika und Ostasien. Ein Hauch von Orient lag in der Luft, in den Straßen sah man schwarze Bärte und Kaftane, türkische Pluderhosen und Turbane, aber auch britische Stehkragen, weiße Soldatenuniformen und französische Bérets, und alle fuhren einträchtig nebeneinander Straßenbahn, machten miteinander im Kaffeehaus Geschäfte oder hielten nach ein- und ausfahrenden Schiffen Ausschau.

Der Hafen verfügte über neue, großzügige Docks und Quais mit modernen Löschkranen und Güterzügen zum Abtransport der Kolonialwaren. In den Hafenbecken hingegen lagen keine neuen Dampfschiffe, sondern hauptsächlich altertümliche Segelschiffe aus Holz. Mächtige hanseatische Fünfmaster aus dem 19. Jahrhundert lagen neben eleganten amerikanischen Klippern, norwegische Gaffelschoner neben arabischen Dauen, sogar chinesische Dschunken legten gelegentlich an; moderne Dampfschiffe aus Stahl hingegen sah man selten, weil ein Großteil der weltweit verfügbaren Dampferflotte 1914–18 auf den Grund des Ozeans versenkt worden war. Nach dem Krieg hatten die Reeder deshalb sämtliche noch halbwegs seetüchtigen Holzschiffe hervorgeholt, und weil mit den Stahlschiffen auch ein Großteil der weltweit verfügbaren Seeleute ertrunken war, hatten die Reeder auch die Altersasyle durchkämmt und mit sanftem Druck jeden weißbärtigen, zahnlosen Seebären angeheuert, der noch halbwegs aufrecht stehen konnte und seine fünf Sinne noch einigermaßen beisammen hatte.

Das neue Zuhause der d'Orianos stand am Vieux Port in einem Riegelbau aus dem 18. Jahrhundert. Im Erdgeschoss befand sich die Musikalienhandlung, darüber auf zwei Etagen die Wohnung, die aus vier kleinen Zimmern und einem Salon mit Blick auf das Hafenbecken bestand. Die Wände waren weiß getüncht, das Treppenhaus duftete nach Bohnerwachs. Laura inspizierte das Haus im Wissen, dass sie hier drei Jahre würde ausharren müssen. Sie würde zur Schule gehen und zu keinerlei Beanstandungen Anlass geben, und sie würde zu Hause den Einkauf und den Abwasch besorgen und nachmittags im Laden aushelfen. Nach einem halben Jahr des Wohlverhaltens würde sie die Mutter um Erlaubnis bitten, Gesangsstunden am Konservatorium von Marseille zu nehmen und gelegentlich ein Konzert zu besuchen. An ihrem sechzehnten Geburtstag aber, das wusste sie ganz sicher, würde sie ihren Koffer packen und nach Paris fahren.

Und zwar allein.

*

Felix Bloch war einer der seltenen Menschen, denen im Leben ein Erweckungserlebnis zuteilwurde, und er sollte sich bis ans Ende seiner Tage daran erinnern. Es geschah am Schluss seines ersten Studienjahrs am letzten Tag seines vierwöchigen Industriepraktikums kurz nach halb sechs, als er im Büro der Gießerei Fritz Christen in Küsnacht am

Zürichsee zum letzten Mal am Reißbrett stand. Drüben in der Gießerei war es schon still, die Arbeiter waren ins Wochenende gegangen. Die Sekretärin hatte Mantel und Tasche unter den Arm geklemmt und sich verabschiedet, der Chef saß noch am Fenster über den Büchern. Draußen auf dem See tutete ein Schiffshorn, das Licht ließ allmählich nach. Bald würde man die elektrischen Glühlampen einschalten müssen.

Felix Bloch zog mit Tusche den letzten Strich an der letzten Zeichnung eines Kanalisationsdeckels, den die Gießerei im kommenden Winter in Produktion nehmen wollte. Vier Wochen lang hatte er sich neun Stunden täglich mit diesem Deckel beschäftigt, er kannte ihn in- und auswendig – ein kreisrunder Gussschachtdeckel samt Rahmen von sechzig Zentimetern Durchmesser und fünf Zentimetern Dicke mit eingelassenem Hebegriff und Firmennamen in der Mitte sowie vierundzwanzig konzentrisch angeordneten Oberflächenwasserabflusslöchern und senkrecht zueinander verlaufenden Rutschsicherungsrillen.

Am ersten Arbeitstag hatte der Chef ihm einen Stoß Papier mit Bleistiftskizzen und technischen Maßen in die Hand gedrückt und ihm aufgetragen, daraus brauchbare technische Zeichnungen für die Werkstatt und die Verkaufsabteilung anzufertigen. Kanalisationsdeckel waren ein gutes und sicheres Geschäft. Seit immer mehr Menschen Auto fuhren, florierte der Straßen- und Kanalisationsbau. Kanalisationsdeckel waren unverzichtbar, die Nachfrage nahm seit Jahren stetig zu. Bei weitem die wichtigste Kundschaft waren Gemeinden und Kantone, und die bezahlten prompt und bestellten nicht einzeln oder im Dutzend, sondern en gros.

Am Ende seines Praktikums kannte Felix Bloch seinen Kanalisationsdeckel so gut wie sonst nichts auf der Welt – besser als die Augen seiner Mutter, besser als sein Taschenmesser, besser als den Schalter seiner Nachttischlampe, besser als seine eigenen Hände. Er hatte den Deckel in senkrechter Aufsicht von oben gezeichnet und in senkrechter Aufsicht von unten, und zwar jeweils in den Maßstäben eins zu vier, eins zu acht und eins zu zwölf; auch eine – nicht sehr ergiebige – Seitenansicht hatte er angefertigt. Besonders aufwendig waren die Zeichnungen in einer Aufsicht von fünfundvierzig Grad gewesen, und zu jeder Zeichnung hatte er ein technisches Beiblatt mit Angaben zu den Maßen und Gewichten sowie zum Kohlenstoffgehalt des Stahls und zur Stoß- und Druckfestigkeit pro Quadratzentimeter angefertigt.

Die vierwöchige Beschäftigung mit dem Kanalisationsdeckel hatte ihm zu seiner Überraschung Spaß gemacht. Nach einem ersten Tag der Verwunderung über die schwer zu überbietende Schlichtheit des Gegenstands hatte er Vergnügen daran gefunden, sich in mönchischer Kontemplation in die Aufgabe zu versenken. Die Frage nach dem Sinn seines Tuns stellte sich ihm nicht. Erstens war das Industriepraktikum obligatorischer Bestandteil des Lehrgangs zum Ende jedes Studienjahrs. Zweitens waren Gussschachtdeckel unbestreitbar eine gute und sinnvolle Sache, denn sie sorgten für schlammfreie Straßen und dienten der Volkswirtschaft sowie der Bewegungsfreiheit der Menschen und der öffentlichen Hygiene und Volksgesundheit. Drittens waren sie militärisch ohne erkennbaren Nutzen. Viertens entdeckte Felix Bloch, wie befriedigend es sein konnte, fundiertes Fachwissen auf einem klar umrissenen Gebiet zu besitzen.

Ab Mitte der zweiten Woche konnte er mit Fug und Recht von sich behaupten, Experte für Gussschachtdeckel mit sechzig Zentimetern Durchmesser zu sein.

Vier Wochen lang war er täglich mit dem Rad von Zürich nach Küsnacht gefahren und hatte mit Eifer und Vergnügen Gussschachtdeckel gezeichnet. Er war morgens der erste im Büro und abends der letzte gewesen, und der Chef hatte ihm, wenn er am Reißbrett stand, über die Schulter geschaut und anerkennend gebrummt. Die Mittagspausen verbrachte er mit den Arbeitern im Umkleideraum. Er saß mit ihnen auf den Sitzbänken, die den Wänden entlang angebracht waren, legte wie sie die Ellbogen auf die Knie und aß wie sie sein Käsebrot aus einer mitgebrachten Blechdose. Er lauschte ihren Gesprächen, hielt klugerweise die Klappe und war dankbar, dass sie ihn, obwohl er doch ein Student war, ihre Verachtung nicht allzu sehr spüren ließen.

Am Ende der zweiten Woche hatte der Chef ihm nach Feierabend fünf Franken zugesteckt und gebrummt, wenn er nach dem Studienabschluss eine Stelle suche, solle er sich als erstes bei ihm melden. Am Ende der dritten Woche hatte er ihm noch mal fünf Franken zugesteckt und gebrummt, er halte eigentlich nicht viel von Zeugnissen und Diplomen, seinetwegen könne er auch gleich hierbleiben. Die Gießerei wachse schnell und er brauche einen hellen Kopf, den er später vielleicht mal zum Teilhaber machen könne.

Felix Bloch hatte sich über das Lob und die väterliche Zuneigung des Chefs gefreut, und in der letzten Woche seines Praktikums hatte er sich ausgemalt, wie es wäre, das Studium tatsächlich fahrenzulassen und ein neues Leben als erwachsener Mann mit eigener Wohnung und einem richtigen Beruf als Experte für Gussschachtdeckel anzufangen. Er würde Steuern zahlen und eine Frau heiraten und eine neue Werkhalle für Gussschachtdeckel unten am See planen, und er würde Dienstreisen nach Köln und Skitouren im Engadin und eine Italienreise mit der Frau unternehmen. Später würde er ein Haus auf eine grüne Wiese bauen und die Gießerei ganz übernehmen, und irgendwann würde er sich zur Ruhe setzen, die Gussschachtdeckelproduktion seinen Söhnen überlassen und sich um seine Enkel und seine Kakteensammlung kümmern.

In der letzten Minute seines letzten Praktikumstags aber, als er zum letzten Mal die Feder absetzte und den Deckel aufs Tuschfass schraubte, seinen Mantel vom Haken nahm und sich vom Chef verabschiedete, der ihn mit gespielter Beiläufigkeit zum Ausgang geleitete und unter der Tür unwirsch murmelte, dass ihm hier, er wisse es ja, die Tür jederzeit offen stehe – in jener Minute, da Felix Bloch aus dem Haus trat und aufs Rad stieg, durchfuhr ihn wie ein elektrischer Schlag die Erkenntnis, dass er nie wieder hierher zurückkehren würde, weil ein Gussschachtdeckel immer nur ein Gussschachtdeckel war und er niemals im Leben die Demut aufbringen würde, seine Schaffenskraft der Herstellung von Gussschachtdeckeln zu widmen. Oder der Produktion von Kurbelwellen. Oder Pleuelstangen. Oder Webmaschinen. Oder Gasturbinen.

In jenem Augenblick wurde ihm klar, dass er keinen Tag länger Maschinenbau studieren würde, weil er im vorigen Herbst recht gehabt hatte auf der Laderampe jenes Güterschuppens, als er für die Dauer einiger Sekunden den festen Beschluss gefasst hatte, im Leben unbedingt etwas Schönes, Nutzloses und ganz und gar Zweckfreies zu machen. Entschlossen trat er in die Pedale. Er würde auf direktem Weg nach Hause fahren und dem Vater erklären, dass er nicht anders könne, als sofort ein neues Leben zu beginnen.

Es gab nämlich an der ETH Zürich in jenen Jahren tatsächlich ein paar Männer, deren Beruf es war, sich tagein, tagaus schöne und schwer verständliche Gedanken zu machen, die keinen erkennbaren praktischen Nutzen und eine gewisse Ähnlichkeit mit den Goldberg-Variationen hatten. Sie spähten mit neuartigen Teleskopen in die Tiefen des Universums und malten sich aus, dass der Kosmos gekrümmt sein müsse und jeder Mensch, wenn er nur tief genug schauen könnte, zuhinterst in der Schwärze des Alls seinen eigenen Hinterkopf erblicken würde. Sie erhitzten Salze und Metalle, leiteten das Licht ihrer Glut durch Glasprismen und stellten aufgrund des Farbenspiels Vermutungen an über den Tanz der Atome und Elektronen, der in erstaunlichem Maß dem Ballett der Planeten, Sonnen und Monde ähnelte.

In einem Büro der ETH Zürich hatte Albert Einstein seine allgemeine Relativitätstheorie niedergeschrieben, einen Steinwurf entfernt zerbrach sich in jenem Sommer 1925 Erwin Schrödinger den Kopf darüber, wieso Elektronen sich einerseits wie Wellen und gleichzeitig wie Teilchen verhielten. Hermann Weyl hatte hier den mathematischen Nachweis von Einsteins Relativitätstheorie erbracht, und Peter Debye hatte in Zürich experimentell bewiesen, dass die kleinsten Teile der Materie sich tatsächlich so sonderbar sprunghaft verhielten, wie Max Planck es vorausgesagt hatte.

Felix Bloch aber hatte am selben Ort ein Jahr lang Maschinenbau studiert. Mechanische Technologie I mit Repetitorium, Chemie I und chemisches Praktikum, Mechanik I mit Repetitorium und Übungen, Darstellende und Projektive

Geometrie, Metallurgie technisch wichtiger Legierungen, Nationalökonomie, Rechenschieber mit Übungen, zwei Wochenstunden Vorlesung über Maschinenelemente.

Nebenher hatte er zum Spaß ein paar Vorlesungen in Quantenmechanik besucht. Viel verstanden hatte er davon nicht, aber die Poesie der Ideen, die metaphysische Schönheit ihrer Sprache und das antimechanistische und antikausale Temperament ihrer Logik hatten ihn verzaubert. Kam hinzu, dass es vorwiegend junge Männer waren, die Atomphysik betrieben. Es gab weltberühmte Professoren, die kaum älter waren als Felix Bloch, und alle waren jünger als sein Vater. Heisenberg war vierundzwanzig, Paul Scherrer sechsunddreißig, Schrödinger siebenunddreißig; auch Bohr, Weyl und Debye waren noch keine vierzig.

Eine halbe Stunde brauchte er für die Heimfahrt, aber diesmal sank ihm nicht der Mut. Während er am Seeufer entlangradelte, legte er sich zurecht, was er dem Vater sagen würde. Er würde ihm von der gekrümmten Raumzeit berichten, so gut er sie verstanden hatte, auch von Heisenbergs Unschärferelation und Paul Scherrers Röntgenkamera, von der wundersamen Stabilität der Materie und der rätselhaften Einfachheit der Naturgesetze. Vielleicht würde er sogar von seiner Ahnung sprechen, dass tief unter der Oberfläche der atomaren Erscheinungen ein Grund von merkwürdiger innerer Schönheit lag.

Wenn der Vater ihn dann fragte, ob seiner Ansicht nach dem Maschinenbau keine Schönheit innewohne, würde er ihm sagen, dass ein Kanalisationsdeckel einfach nur ein Kanalisationsdeckel sei und er diese Geheimnislosigkeit auf Dauer nicht ertragen würde. Wenn der Vater ihm dann Hochmut vorwarf, würde er ihm zustimmen und sagen, dass er nicht anders könne. Wenn der Vater zu bedenken gab, dass nicht jeder ein Einstein sei, würde er ihm beipflichten und anfügen, dass die Forschung nicht nur Genies, sondern auch Fußvolk brauche und die Kärrner immer zu tun hätten, wenn die Könige bauten. Wenn der Vater nach den Verdienstmöglichkeiten fragte, würde er sagen, dass er nebenbei das Lehrerpatent machen und im schlimmsten Fall Physiklehrer am Gymnasium werden könne. Und wenn der Vater fragte, ob er enden wolle wie sein Physiklehrer Seiler am Gymnasium, der nach vierzig Dienstjahren als lediger Hagestolz in einer kleinen Dachwohnung ohne elektrisches Licht und ohne Wasserklosett hause und die langen Winterabende allein mit einer Wolldecke vor dem Bullerofen verbringe – wenn der Vater ihn das fragte, würde er antworten: Jawohl, das will ich. Wenn es sein muss, ende ich genau wie mein Physiklehrer Seiler.

Er erkämpfte sich den Segen des Vaters zum Studienwechsel schließlich mit dem Argument, dass die mathematisch-physikalische Fakultät ihm die ersten zwei Semester vollumfänglich anrechne und er also keine Lebenszeit verschwende. Darüber wunderte sich der Vater, und auch Felix fand es erstaunlich, dass ihm sein Expertenwissen auf dem Gebiet der Gussschachtdeckelproduktion als Grundstudium in Atomphysik gutgeschrieben wurde. In der Folge stellte sich allerdings heraus, dass Physikstudenten an der ETH Zürich ein Maß an Freiheit genossen, das an Vernachlässigung grenzte.

Es gab weder obligatorische Einführungsvorlesungen noch festgeschriebene Lehrpläne oder Zwischenprüfungen, auch keine verbindliche Zahl von Studienjahren und kein Abschlussexamen. Die vierundzwanzig Studenten, die sich in jenem Wintersemester 1925/26 an der mathematisch-physikalischen Fakultät immatrikuliert hatten, waren weitgehend auf sich allein gestellt; sie komponierten ihren Lehrgang anhand des Vorlesungsverzeichnisses nach eigenem Gutdünken selbst und hatten dabei keine andere Richtschnur zu befolgen als ihre eigenen Neigungen. Es wurde von ihnen lediglich erwartet, dass sie im Lauf ihres Studiums an einem beliebigen Spezialgebiet den Narren fraßen und zu einem nicht vorhersehbaren Zeitpunkt, wenn der Professor sie dazu ermunterte, zu einem eng begrenzten Teilaspekt ihres Spezialgebiets eine Doktorarbeit verfassten.

Diese altmodisch-humboldtsche Freiheit erklärte sich aus dem Umstand, dass die exakten Wissenschaften nach dem Ersten Weltkrieg so unbeliebt waren wie seit hundert Jahren nicht mehr. Eine breite europäische Öffentlichkeit der Zeitungsleser, Bildungspolitiker und Grundschullehrer hatte nach der Katastrophe den Glauben an eine vernünftige Weltordnung verloren und suchte nun sein Heil in einer unvernünftigen Weltordnung. Allein in Zürich gab es zehnmal mehr professionelle Astrologen als Astronomen, Spiritismus und Anthroposophie, Psychoanalyse und religiöse Heilslehren sowie Opiumkuren, sexuelle Libertinage und Rohkostdiäten erfreuten sich größter Beliebtheit. Die exakten Wissenschaften hingegen mussten die Hauptschuld auf sich nehmen für das mechanisierte Töten auf den Schlachtfeldern, das sie zwar nicht vorsätzlich herbeigeführt, aber doch nach Kräften zu Exzessen getrieben hatten, die ohne ihren Beitrag nicht möglich gewesen wären.

Zudem hatte die reale Welt der Fabrikbesitzer ihr Interesse an der Physik weitgehend verloren, seit ihre Dampfmaschinen, Lokomotiven und Turbinen einwandfrei funktionierten. Sie wollten nichts wissen von neuen Forschungsansätzen, die keinen praktischen Nutzen versprachen, sondern mit ihrem Relativitätsgetue nur Newtons schlichte, nützliche Mechanik in Frage zu stellen drohten. Und was die weltfremden Sonderlinge an den Hochschulen betraf, so hatten die Fabrikbesitzer für diese schon gar keine Verwendung.

Zwar war es Felix Bloch recht, dass sich niemand für ihn interessierte und keiner ihm Vorschriften machte. Aber zu Beginn des Studiums wäre ihm ein gewisses Maß an Anleitung doch willkommen gewesen. Da es an der Fakultät niemanden gab, den er hätte zu Rate ziehen können, stellte er sein Veranstaltungsprogramm nach dem Wohlklang der Titel zusammen. So belegte er »Quantentheorie der Serienspektren« bei Debye, »Röntgenstrahlen« bei Scherrer, »Philosophie der Mathematik« bei Weyl, und nach der gleichen Methode wählte er als erste Fachlektüre »Atombau und Spektrallinien« des Münchner Professors Arnold Sommerfeld.

Im Vorwort schrieb der Professor zu Felix' Erleichterung, dass er »dem Nichtfachmanne das Eindringen in die neue Welt des Atominnern ermöglichen« wolle und »den Gebrauch der Mathematik im Interesse der Gemeinverständlichkeit so sehr als möglich zurückgedrängt« habe, um die »vorbereitenden physikalischen und chemischen Tatsachen«, auf die sich die neue Atomphysik stütze, in Kürze und ohne unverständliche Formeln zu entwickeln. Schon auf der ersten Seite aber stolperte Felix über Begriffe, die als bekannt vorausgesetzt wurden, ihm jedoch keineswegs geläufig waren. Und nach dem ersten Kapitel musste er sich eingestehen, dass er schon die vorbereitenden Tatsachen nicht begriff, weil es ihm an notwendigen Vorkenntnissen fehlte. Und als er sich diese Vorkenntnisse anzueignen versuchte, stellte sich heraus, dass ihm auch dafür die Vorkenntnisse fehlten.

So war beispielsweise gleich auf Seite eins von einem elektromagnetischen Feld die Rede. Um herauszufinden, worum es sich dabei handeln mochte, ging er in die Bibliothek und lieh »Theorie der Elektrizität« von Max Abraham aus. Dieser beteuerte in seinem Vorwort ebenfalls, dass ihm beim Verfassen des Buches Gemeinverständlichkeit oberste Maxime gewesen sei, aber er verwendete schon im ersten Kapitel Rätselbegriffe wie »Korpuskularstrahlen« und »Zyklentheorie«, zu deren Erklärung Felix sich wiederum andere Werke ausleihen musste.

Felix gab sein Bestes, sich ein Grundwissen anzueignen, machte aber die Erfahrung, dass der menschliche Verstand einem Muskel ähnelt, der bei ungewohntem Arbeitsaufwand zu Lähmungserscheinungen neigt und auch bei regelmäßigem Training nur in beschränktem Maß leistungsfähiger wird.

Als er das zweite Kapitel las, in dem Professor Sommerfeld die »zentralen und peripheren Eigenschaften des Atoms« behandelte, geriet Felix an den Rand der Kapitulation, und als es im vierten Kapitel um »Vorbereitendes zur Quantentheorie« ging, empfand er die narzisstische Kränkung seines schwachen Hirnmuskels derart schmerzlich, dass er ernsthaft in Erwägung zog, das Buch zu retournieren und reumütig zu den Maschinenbauern und Kanalisationsdeckeln zurückzukehren.

Vielleicht blieb er hauptsächlich deshalb bei der Atomphysik, weil er sich vor seinem Vater nicht blamieren wollte. Nach ein paar Wochen und Monaten machte er zudem die angenehme Erfahrung, dass auch die schwierigsten Gedanken leicht verständlich werden, wenn man sie erst mal begriffen hat; zudem wurden mit Fortgang des Studiums seine Wissenslücken allmählich kleiner oder ihre Ränder zumindest erahnbar. Zwar fühlte er sich noch immer wie ein Eisbär, der auf einer kleinen Eisscholle der Kenntnis über einen Ozean des Unwissens trieb; mit der Zeit aber tauchten andere Eisschollen auf, er konnte von einer zur nächsten hüpfen, sie wurden zahlreicher und die Distanzen zwischen ihnen kürzer, und gegen Ende des zweiten Semesters hatten einige Schollen sich zu einer Insel von Packeis zusammengeschlossen, auf der Felix schon einen recht sicheren Stand hatte.

Und dann lernte er seine Kommilitonen kennen, denen es auch nicht anders ging. Jeder balancierte auf seiner persönlichen, eher zufällig zustande gekommenen Eisscholle in der Hoffnung, eines Tages akademisches Neuland zu entdecken. Die einen befestigten Stromkabel an Salzkristallen und versuchten zu begreifen, was in deren Innerem vor sich ging, andere fuhren über den Rhein, um in deutschen Apotheken radioaktive Doramad-Zahnpasta zu kaufen und diese auf hauchdünne Metallfolien zu schmieren, und wieder andere schauten in den Weltraum und stellten sich gewaltige Explosionen im Inneren von Sternen vor.

Als der Frühling kam, freundete sich Felix Bloch mit zwei deutschen Doktoranden namens Fritz London und Walter Heitler an, die als Schrödingers Assistenten nach Zürich gekommen waren. Sie waren fünf Jahre älter als Felix und versuchten den Bindungskräften in Molekülen auf die Spur zu kommen, indem sie Wasserstoff erhitzten und mit Licht bestrahlten. An den Wochenenden ging er mit ihnen am Hönggerberg spazieren oder führte sie auf Bergtouren in die Glarner Alpen. Fritz London und Walter Heitler beeindruckten Felix Bloch zutiefst mit ihrer Fähigkeit, mitten auf der Alpweide im Plauderton Differential- und Integralgleichungen aufzustellen und diese auch gleich im Kopf zu lösen. Die meiste Zeit lief er hinter ihnen her und versuchte zu verstehen, worüber sie sprachen.

Als sie am letzten Wochenende vor den Sommerferien zu einer Wanderung über den Urnerboden aufbrachen, schloss sich ihnen ein dänischer Doktorand an. Beim Würstebraten am Lagerfeuer machte der Däne sich über das veraltete Atommodell seines Lehrers Niels Bohr lustig und erwähnte beiläufig, dass er selber ein paar ziemlich komplexe Molekularberechnungen angestellt habe, die man allenfalls mit Ultraviolett-Spektroskopie überprüfen könnte.

Felix hatte zwar noch keine gefestigte Vorstellung von Atommodellen und wusste auch nicht, was er sich unter Molekularberechnungen und Ultraviolett-Spektroskopie vorzustellen hatte. Aber er ahnte, dass hier eine schöne Eisscholle an ihm vorübertrieb, die zu entern sich lohnen könnte. Also fragte er den Dänen, was das für Berechnungen seien und wie sich diese experimentell überprüfen ließen, worauf dieser eine Abschrift seiner Arbeit aus dem Rucksack zog. Felix legte seine Bratwurst beiseite und las die Arbeit durch. Sie umfasste fünf Seiten in einem Quartheft. Er war weit davon entfernt, den Inhalt in seiner Gesamtheit zu erfassen, begriff aber immerhin der Spur nach, worum es ging. Felix Bloch ahnte, dass dies genau die richtige Aufgabe für ihn war – überschaubar in der Größe, aber nicht bedeutungslos.

Auf der Rückfahrt nach Zürich im Postauto fasste er sich ein Herz und fragte den Dänen, ob er die Arbeit abschreiben und selber den experimentellen Nachweis versuchen dürfte. Darauf fragte ihn der Däne mit spöttischem Seitenblick, ob er denn einen Spektrographen zur Hand habe. Leider nein, antwortete Felix. Das habe er sich gedacht, sagte der Däne, so ein Gerät finde sich seines Wissens nirgendwo zwischen Rom und Kopenhagen.

Am folgenden Montag trug Felix die Arbeit zu Paul Scherrer, seinem Professor für Experimentalphysik. Dieser las sie aufmerksam durch, strich sich beifällig übers Kinn und reichte sie ihm zurück mit der Bemerkung, dass man für den experimentellen Nachweis einen Spektrographen brauche. Das sei ihm bekannt, sagte Felix, darin liege ja die Schwierigkeit. Darauf nahm der Professor einige Quarzprismen aus der Schreibtischschublade, ging ans Fenster und hielt sie ins Sonnenlicht, worauf sich alle Farben des Regenbogens auf den Fußboden ergossen. Die zwei Männer standen schweigend beisammen und betrachteten das Schauspiel, bis der Professor die Prismen aus dem Sonnenlicht nahm und der Regenbogen erlosch.

Wenn Sie wollen, können Sie sich Ihren eigenen Spektrographen basteln, sagte er. Haben Sie Ausdauer?

Die folgenden zehn Monate verbrachte Felix Bloch in einem fensterlosen Kellerraum im zweiten Untergeschoss des ETH-Hauptgebäudes. Er verließ frühmorgens die elterliche Wohnung und kehrte spätabends zurück, und in den Stunden dazwischen stieg er immer nur kurz aus dem Keller, um eine Vorlesung zu besuchen oder über die Aussichtsterrasse zu spazieren und seine Augen nicht ganz vom Tageslicht zu entwöhnen. Er rasierte sich nur noch einmal wöchentlich und ernährte sich von Schwarzbrot und Trockenfeigen, und im Übrigen gab er sich ganz seiner Bastelarbeit hin.

Er schraubte seine Prismen auf messingene Halterungen und bastelte aus Kupferblech kleine Blenden für seine Bleidampflampe. Er ging ins Kaufhaus und kaufte dutzendweise Schminkspiegel, schabte winzige Löcher unterschiedlichen Durchmessers in deren Silberschicht und bedeckte diese mit Gold-, Silber- oder Aluminiumfolie. Er kaufte auf dem Flohmarkt alte Ferngläser, zerlegte sie in ihre Einzelteile und stellte die Linsen zwischen die Lampe und die Prismen, um das Licht zu bündeln. Er züchtete Salzkristalle, stellte diese in den Lichtstrahl und beobachtete, wie sich der Lichtstrahl in einen Regenbogen auffächerte. Wenn eine Farbe im Regenbogen fehlte, notierte er das und erhitzte den Salzkristall um zehn Grad Celsius. Wenn dann eine andere Farbe im Regenbogen fehlte, notierte er auch das und erhitzte den Kristall um weitere zehn Grad.

Woche um Woche, Monat um Monat verbrachte Felix so im dunklen Keller. Je mehr Daten er sammelte, desto offensichtlicher wurde, dass seine Resultate tatsächlich mit den Voraussagen des Dänen übereinstimmten. Und je klarer Felix wurde, dass hier wiederum ein zuvor gedachter Gedanke seine Entsprechung in der Welt der Dinge fand wie damals, als er die Dauer eines Herbsttags in Zürich vorausberechnet hatte, desto mehr wuchs in ihm der Glaube, dass die Regenbogenfarben an seiner Kellerwand tatsächlich ein sichtbarer Widerschein der Atome waren.

Als der Frühling zurückkehrte, nahm er seine Wanderungen mit Fritz London und Walter Heitler wieder auf und machte eine neue Erfahrung: Diesmal war er es, der beim Aufstieg zum Gipfel leichthin plauderte, während die anderen ihm keuchend zu folgen versuchten. Felix sprach über Frequenzen und Absorptionen und Impulse, Streuungen und Amplituden, und wenn seine Freunde nachfragten, stand er ihnen Rede und Antwort mit der Souveränität eines Experten, der sein Fachgebiet beherrschte wie vielleicht kein Zweiter auf der Welt.

Viertes Kapitel

Wie nicht anders zu erwarten war, blieb Emile Gilliéron senior nicht nur ein paar Monate in Griechenland, sondern sehr viel länger. Zwar bekam er schon nach wenigen Wochen Heimweh, als ihm der orientalische Charme seiner neuen Heimat schal geworden war und er sich zu ärgern begann über die bäurische Grobheit der Griechen, ihre dumpfe Popengläubigkeit und den provinziellen Mief ihrer Hauptstadt, die ihn in vielem an sein Heimatstädtchen Villeneuve erinnerte. An einsamen Abenden setzte er sich mit einer Flasche Rotwein auf die Terrasse des »Hotel d'Angleterre«, betrachtete im schwindenden Licht des Tages die Akropolis und träumte von seinem Häuschen am Genfersee, das er schon bald in einer einsamen kleinen Bucht ein paar hundert Meter abseits des Hafens bauen würde. Wenn die Flasche leer war, öffnete er manchmal eine zweite, und wenn auch die leer war, fasste er meist den Vorsatz, gleich am nächsten Tag einen Brief nach Villeneuve zu schreiben und jenen kinderlosen alten Fischer, dem das Land in der Bucht gehörte, um den Verkauf eines Stücks Baugrund zu bitten.

Aber wenn er am folgenden Morgen mit wollenem Kopf beim Frühstückskaffee saß, schrieb er den Brief dann doch nie. Erstens würde der Fischer ihm das Land nicht verkaufen, weil kein Bürger von Villeneuve jemals Land verkaufte, falls nicht Gott, der Schah von Persien oder der Betreibungsbeamte von Lausanne ihm das Messer an den Hals setzte. Zweitens würden die Bürger von Villeneuve ihm den Bau des Häuschens niemals bewilligen, weil sie ja sonst sein Atelier nicht hätten niederbrennen müssen. Und drittens würden sie ihn so lange nicht als einen der Ihren willkommen heißen, als er noch blaue Jacken im Gepäck hatte. Oder womöglich gelbe. Es sei denn, in den Jackentaschen steckte Geld. Sehr viel Geld. Und dieses Geld, das war Emile klar, konnte nur von Schliemann kommen.

Um sich das Geld zu beschaffen, begleitete Emile seinen Dienstherrn nach Troja und Mykene. Seine Zeichnungen waren um ein Vielfaches lesbarer und verständlicher als die nebligen Fotografien, die Schliemanns Hausfotograf mit seinem Holzkasten und seinen Glasplatten anfertigte. Und im Unterschied zum Fotografen war Emile auch in der Lage, Dinge abzubilden, die gar nicht da waren. Wenn Schliemann es wünschte, füllte er blinde Flecken auf Wandmalereien aus, ergänzte schadhafte Götterstatuen um abgebrochene Gliedmaßen oder vervollständigte einzelne Tonscherben zu prachtvollen Vasen.

Emile hatte den reichen Preußen vom ersten Tag an in der Hand. Schliemann konnte und wollte nicht mehr auf seine Dienste verzichten, weil er ein schneller, gewissenhafter und zuverlässiger Zeichner war, der jede Statuette, jede Münze und jede Vase mit großer Detailschärfe wiederzugeben verstand. Aber das war nicht das Wichtigste. Was Emile vor den Scharen der anderen Kunststudenten auszeichnete, die in panhellenistischer Euphorie aus ganz Europa nach Athen geströmt waren, um im klassischen Altertum ein Auskommen zu finden, war sein sicheres Gespür für Schliemanns Wünsche, die er besser durchschaute als jener selbst. Er durchschaute dessen Schwäche für goldenen Glitzerkram und seine Ablehnung des Profanen, und er verstand, dass Schliemanns herrischer Charakter keine ungelösten Rätsel ertrug. Also ließ Emile aus jeder namenlosen Bartspitze das Antlitz des Poseidon erstehen, und ein Tongefäß mit Asche blieb nicht einfach eine Urne, sondern wurde mindestens zur Ruhestätte des Agamemnon. Oder der Penelope. Wenn nicht gar des Theseus.

Alle Herrlichkeiten des Altertums ließ Gilliéron in genau jener Unversehrtheit auferstehen, die Schliemann sich erträumt hätte, wenn er über die erforderliche Phantasie verfügt hätte. So wuchsen die beiden zu einem eingespielten Team zusammen. Was Schliemann mit seiner unnachgiebigen Beharrlichkeit ausgraben ließ, erweckte Gilliéron mit seiner spielerischen Vorstellungskraft zum Leben. Und falls es so gewesen sein sollte, dass Schliemann den zutage geförderten Glitzerkram vorgängig hatte vergraben lassen, so wollte Gilliéron das nicht wissen.

Schliemann wusste es zu schätzen, dass Gilliéron ihn nicht mit unerwünschten philosophischen Erörterungen über den Grenzverlauf zwischen Original, Kopie, Reproduktion und Fälschung behelligte und sich auch nicht mit künstlerischen Skrupeln oder wissenschaftlichen Bedenken aufplusterte. Er tat einfach, wie man ihn hieß, alles andere ging ihn nichts an. Wenn Schliemann einen Kopf auf einer kopflosen Hermes-Statue haben wollte, so zeichnete er eben einen Kopf auf die Hermes-Statue, und wenn das Schiff auf der Vase einen Bug brauchte, zeichnete er einen Bug. Darüber hinaus waren ihm das Altertum und die Archäologie eher gleichgültig, wenn er auch die zutage geförderten Artefakte als das respektierte, was sie waren: bemerkenswerte Arbeitsproben ziemlich kompetenter Berufskollegen, die vor Jahrtausenden den Pinsel für immer beiseitegelegt hatten.

Was ihn viel mehr interessierte, waren die dreihundert französischen Francs, die er jeweils zum Monatsende erhielt, seine Flasche Rotwein nach Feierabend und das Gekicher der anatolischen Dorfmädchen, die im Schwarm hinter seinem Zeichentisch vorbeiflatterten.

Außerhalb der Grabungsfelder hatte er mit seinem Brotherrn wenig Kontakt. Wenn es im Sommer allzu heiß wurde und wenn die Herbststürme die ersten Regenwolken über die Ägäis trieben, kehrten sie nach Athen zurück. Im Winter unternahm Schliemann mit seiner jungen Gattin ausgedehnte Reisen nach Rom, Paris und London, während Emile Gilliéron Geld sparte, in seinem überheizten und doch unangenehm zugigen Hotelzimmer zurückblieb und sich bis zum Frühling langweilte, weil Athen noch keine richtige europäische Hauptstadt war, sondern einem verschlafenen osmanischen Provinzkaff glich.

Immerhin fand Gilliéron in der Fremde zu einem Seelenfrieden, den er zu Hause in Villeneuve vielleicht nie erlangt hätte. Er war glücklich darüber, dass die autochthonen Athener Bürger ihn bis ans Ende aller Zeiten als Ausländer betrachten und niemals als einen der Ihren aufnehmen würden; also würde er sich auch ihren Initiationsritualen nicht unterwerfen müssen, deren einziger Zweck es bekanntlich in allen Gesellschaften überall auf der Welt war, die jungen Männer zu fesseln und zu knebeln. Da diese Gefahr nun gebannt war, fühlte sich Emile der Verpflichtung enthoben, blaue oder gelbe Jacken zur Empörung der Bürger tragen zu müssen. Auch musste er in Athen nicht die Notabeln vor den Kopf stoßen, sondern konnte ihnen mit derselben reservierten Höflichkeit begegnen, die sie umgekehrt auch ihm als beglaubigten Ausländer und anerkannten Künstler entgegenbrachten.

Alle paar Monate erpresste er von Schliemann eine Gehaltserhöhung, indem er seine unwiderrufliche Abreise ankündigte. Und wie jeder Emigrant schlug er, während die Zeit verging, im Exil gegen seinen Willen Wurzeln. Es begann damit, dass er aus dem »Hotel d'Angleterre« auszog, weil es auf Dauer zu teuer war. Er mietete eine schöne Wohnung mit Stukkatur an den Decken und einer angenehm schattigen Gartenterrasse, und er engagierte eine Haushälterin, die treu auf ihn wartete und ihm die Post hinterher schickte, wenn er mit Schliemann auf den Grabungsfeldern war. Er lernte Griechisch und schloss Freundschaften in der kleinen Bohème Athens, und allmählich erlangte er eine gewisse Berühmtheit auf dem diplomatischen Parkett der Hauptstadt als Schliemanns wichtigster Mann.

Und dann waren da die Frauen, die ihm samtene Blicke zuwarfen. Er war nun ein schöner, ungebundener Mann Anfang dreißig mit guten Manieren, und er hatte Geld in der Tasche. Im siebenten Jahr seines Aufenthalts lernte er eine italienische Kaufmannstochter namens Josephine kennen, die ihn unbändig heiß küsste, ihm ewige Liebe schwor und ihn vom ersten Tag an mit leidenschaftlicher Eifersucht verfolgte. Das war eine ganz neue Erfahrung für Emile Gilliéron. Zu Hause im bedächtig-reformierten Villeneuve hatte er wohl zwei oder drei pragmatische Liebschaften gehabt, und als Kunststudent in Paris hatte er vom süßen Gift kapriziöser Kommilitoninnen gekostet, die unablässig von Liebe,

Leidenschaft und Geschwisterseelen sprechen konnten, in ihren Herzen doch immer die kaltblütig-berechnenden französischen Bürgerstöchter blieben, die sie nun mal waren. Diese Josephine hingegen gab sich ihm hin mit Haut und Haar und ließ keinen Zweifel daran, dass er ihr Abgott sei und sie treu die Seine bleiben werde bis ans Ende ihrer Tage. So viel mediterrane Leidenschaft weckte auch in Emile eine Begeisterung, die er zuvor nicht gekannt hatte, und so heirateten sie im Mai 1884. Elf Monate später, am 14. Juli 1885, kam ihr einziger Sohn zur Welt, den sie auf den Namen Emile junior tauften.

*

Dem Ausländerverzeichnis der Stadt Marseille ist zu entnehmen, dass Laura d'Oriano am 12. Juli 1930 aus Paris zurückkehrte und wieder Wohnsitz bei den Eltern am Quai du Port nahm. Sie war neunzehn Jahre alt. Zweiundzwanzig Monate waren vergangen, seit sie ihren Koffer zum Bahnhof Saint-Charles getragen hatte. Er enthielt nun ganz andere Sachen als damals, die zweiundzwanzig Monate waren eine lange Zeit gewesen. Sie las andere Bücher und rauchte eine andere Zigarettenmarke, ihre Haarbürste war eine andere, das Gesichtspuder war neu und der Lidschatten und das Parfüm auch. Und ihre Kleider waren sowieso ganz andere als jene, welche noch die Mutter für sie gekauft hatte.

Nur ihr Koffer war derselbe geblieben. Es war ein teurer schweinslederner Handkoffer bester Qualität mit Messingbeschlägen und Aufklebern großer Hotels in Kairo, Bagdad und Beirut. Sein Leder war stockfleckig und verschrammt vom vielen Gebrauch, aber dunkel geadelt durch viele Jahre sorgfältiger Pflege, und die Scharniere waren gut geschmiert und das Seidenfutteral vielfach ersetzt worden. Lauras Mutter hatte immer auf erstklassigem Gepäck für die ganze Familie bestanden, weil es auf Reisen nichts Ärgerlicheres gebe als zerborstene Kofferdeckel, abgerissene Griffe oder gebrochene Scharniere. Man könne und müsse unterwegs auf vieles verzichten, pflegte sie zu sagen, aber nicht auf anständiges Handgepäck. Wer so viel unterwegs sei wie die d'Orianos, müsse sich auf seine Koffer verlassen können. Schließlich würden auch die Nomaden Arabiens sich nicht mit zweitklassigen Kamelen in die Wüste wagen, und die Cheyenne-Indianer hätten immer nur die schnellsten und ausdauerndsten Ponys am Leben gelassen, alle anderen aber zu Trockenfleisch verarbeitet.

Laura hatte diesen Koffer seit frühester Kindheit durch die Welt getragen, der Traggriff hatte sich über die Jahre perfekt in ihre Hand geschmiegt. Er duftete außen dezent nach Juchtenfett und innen nach Kölnisch Wasser, und an den hochstaplerischen Effekt, der von ihm ausging, hatte sie sich längst gewöhnt. Vor der Abfahrt aus Paris war es wieder einmal geschehen, dass der Kofferträger das edle Stück in die erste Klasse statt in die dritte trug und von Laura ein Trinkgeld erwartete, das sie nicht aufbringen konnte. Und als der Koffer endlich in der dritten Klasse über ihrem Sitzplatz im Gepäcknetz lag, hatte sie sich vielsagende Blicke von den Mitreisenden gefallen lassen müssen, die das aristokratische Gepäckstück mit dem bescheidenen Äußeren des Mädchens verglichen und aus der Diskrepanz ehrenrührige Schlüsse zogen.

Nach der Ankunft in Marseille hievte sie ihren Koffer aus dem Gepäcknetz und wies alle Träger ab. Sie war allein zum Bahnhof gegangen vor zweiundzwanzig Monaten, jetzt würde sie auch allein an den Hafen zurückkehren. Deswegen hatte sie auch den Eltern den Tag und die Stunde ihrer Rückkehr nicht angekündigt.

Vermutlich bezog sie wieder ihr altes Mädchenzimmer im zweiten Obergeschoss, das einen schönen Ausblick auf das Hafenbecken bot, und besorgte für die Eltern wieder den Abwasch und den Einkauf und half im Laden aus. Es war aber doch nicht alles beim Alten geblieben während ihrer Abwesenheit. Lauras Geschwister waren ausgeflogen. Die Brüder arbeiteten als Bürogehilfen in Cannes und verjubelten sonntags ihre Lehrlingslöhne in Monte Carlo, und die zwei Schwestern besuchten eine Schule für höhere Töchter in Nizza und hielten auf der Strandpromenade Ausschau nach russischen Prinzen. Da der Kinderlärm verstummt war, blieb auch die tägliche Kakophonie elterlicher Ermahnungen, Drohungen und Schimpftiraden aus. In der Stille, die sich im Haus breitmachte, gingen die drei Übriggebliebenen leise und schonungsvoll aneinander vorbei.

Der Vater litt an seinen Leberschmerzen und an der ungewohnten Monotonie des sesshaften Lebens, zu dem ihn die chronische Geldknappheit zwang; er konnte sich nicht daran gewöhnen, jeden Morgen im selben Bett aufzuwachen und vor den immer gleichen Kaffeehäusern des Vieux Port die immer gleichen Plaudereien der immer gleichen Stammgäste anzuhören. Die Mutter ihrerseits war froh, dass das Vagabundieren ein Ende hatte. Aber an den stillen Abenden, wenn die Wanduhr tickte und ihr Gatte mit einem halbvollen Glas Brandy in der Hand eingeschlafen war, wünschte sie sich doch das Lampenfieber zurück und das Gejohle des Publikums, wenn sie ihr Strumpfband herzeigte.

Kam hinzu, dass der Arbeitsalltag in der Musikalienhandlung die Eheleute langweilte; dass das Kaufmannsleben derart eintönig sein würde, hätten sie sich nicht träumen lassen. Sie waren deshalb dankbar, dass die Tochter nach ihrer Rückkehr Verantwortung übernahm. Laura erledigte die Botengänge und putzte das Schaufenster, fegte morgens das Trottoir und bohnerte abends nach Ladenschluss das Parkett, und am Montag der vierten Woche nahm sie beim Frühstück die Ladenschlüssel an sich und sagte den Eltern, sie sollten sich ruhig Zeit lassen mit der Morgentoilette und danach noch auf ein Stündchen zum Zeitunglesen ins Kaffeehaus gehen. Das taten sie denn auch. Am folgenden Morgen gingen sie erneut ins Kaffeehaus und am übernächsten auch, und bald ließen sie sich nur noch spätnachmittags im Laden blicken und überließen das Geschäft ganz der Tochter.

Das war Laura recht. Sie war am liebsten allein, dann konnte sie nach Belieben schalten und walten, und viel Arbeit hatte sie mit dem Laden nicht. Während der stillen Morgenstunden stellte sie sich hinter dem Verkaufstresen in Positur und sang Tonleitern. Nachmittags setzte sie sich mit einem Stuhl neben der Eingangstür aufs sonnenbeschienene Trottoir, rauchte Zigaretten und beobachtete das Treiben am Hafen. Wenn ein Kunde den Laden betrat, folgte sie ihm ins Halbdunkel und suchte die gewünschten Notenblätter hervor. Die meisten Kunden waren Auswanderer, die vor der großen Überfahrt noch rasch ein Stück musikalische Heimat besorgen wollten. Mozart, Schubert, Vivaldi, Chopin, Bach, Beethoven, Mahler. Und manche nahmen noch eine Mundharmonika mit auf die Reise.

Laura konnte ihnen fast jeden Wunsch erfüllen, das Sortiment war breit und das Lager, das die d'Orianos von ihren Vorgängern übernommen hatten, schier unerschöpflich; um

Nachbestellungen würde sie sich erst einmal nicht kümmern müssen. Da keine Einkaufs-, Miet- oder Lohnkosten anfielen, konnte Laura die gesamten Einnahmen als Gewinn verbuchen. Das erleichterte die Buchhaltung erheblich.

Mit ihr verdreifachte sich der Umsatz, Laura war eine gute Verkäuferin. Sie behandelte jeden Kunden mit der gleichen sachlichen Freundlichkeit und konnte sich mit den meisten in ihrer jeweiligen Muttersprache unterhalten. Außerdem kannte sie sich in ihrem Laden aus und zog das Gewünschte mit sicherem Griff hervor. Und wenn der Kunde zufrieden den Laden verließ, schaute sie ihm hinterher, bis er im Strom der Menschen verschwunden war, und stellte sich vor, wie er mit ihren Notenblättern übers Meer fahren und sich in einem Dschungel, einer Savanne oder einem Handelskontor am Ende der Welt niederlassen würde, und wie er tagsüber irgendeine Pflicht erledigen und abends im blakenden Licht der Petrollampe zum nächtlichen Geschrei der Schimpansen schweißüberströmt seinen Mozart, seinen Schubert oder Chopin üben würde, viele hundert Stunden lang, bis er eines Tages schwerkrank, schwerreich oder schwer enttäuscht in die alte Heimat zurückkehren würde.

Auffällig war, dass die meisten Kunden in der Musikalienhandlung ausgesprochen gute Manieren an den Tag legten. Das hatte nichts mit ihrer musikalischen Neigung zu tun – zu allen Zeiten hatte es gerade unter Musikern die größten Rüpel und Kindsköpfe gegeben –, sondern mit ihren Reiseplänen. Lauras Kunden waren deshalb so höflich, weil sie Emigranten waren und ein Ziel vor Augen hatten, das sie nicht durch unnötigen Ärger gefährden wollten. Deshalb bemühten sie sich um Unauffälligkeit und versuchten, nirgends Anstoß zu erregen.

Vor ihrer Abreise aus der Heimat waren sie vielleicht ganz gewöhnliche, durchschnittlich rüpelhafte Dorfschwengel gewesen, die sich in der wohligen Wärme des väterlichen Schweinekobens stark und unverletzbar fühlten und es deshalb nicht nötig hatten, zu ihren Mitmenschen sonderlich höflich zu sein. Aber dann waren sie aus diesem oder jenem Grund von zu Hause weggegangen und hatten für teures Geld eine Schiffskarte gelöst, und bis sie in See stachen, wollten sie tunlichst alles unterlassen, was sie noch daran hindern konnte, an Bord zu gehen.

Sie hielten keine Mittagsschläfchen auf öffentlichen Parkbänken und ersäuften ihren Abschiedsschmerz nicht im Anisschnaps, und wenn ein Zigarettenverkäufer sie ums Wechselgeld betrog, machten sie keinen Aufstand, sondern ließen es gut sein. Wenn sie Lauras Laden betraten, sprachen sie leise und äußerten ihre Wünsche lächelnd in Bittform, und sie versuchten nie zu feilschen und zahlten immer bar. Und niemals wäre es einem von ihnen eingefallen, sein Plätzchen auf dem Auswandererschiff in letzter Minute mit einem Ladendiebstahl aufs Spiel zu setzen.

Nebst den Emigranten gab es auch Stammkunden aus dem Quartier; ein paar Gymnasiasten, eine Klavierlehrerin, zwei oder drei ältere Damen. Gelegentlich kam es aber vor, dass ein Seemann hereinschneite und vorgab, sich für Musik zu interessieren. Dann wusste Laura, dass ihr eine unangenehme Viertelstunde bevorstand. Die Schiffsbesatzungen bestanden nämlich noch immer aus jenen hinkenden, weißbärtigen und zahnlosen Kerlen, die man nach dem Weltkrieg aus den Altersasylen geholt hatte als Ersatz für die ertrunkenen jungen Matrosen.

Die alten Seeleute machten Laura keine Komplimente und

luden sie nicht zu einem Gin Fizz auf die Esplanade ein, wie das die jungen getan hätten, sondern rissen schlüpfrige Witze und ließen sich hundert Notenblätter zeigen, ohne je eines zu kaufen. Sie hetzten Laura von einem Regal zum nächsten und immer wieder das Leiterchen hoch, um ihre Waden und ihr Dekolleté gründlich begutachten zu können und ihren Rock vielleicht doch einmal mit ihren knotigen Fingern zu fassen zu kriegen. Und wenn ihnen das nicht gelang, spuckten sie ihren Kautabaksaft aufs Parkett und machten einen letzten absonderlichen Witz, der vielleicht im vorangegangenen Jahrhundert einmal verständlich gewesen war, bevor sie klackenden Schrittes zum Ausgang hinkten.

Es waren die alten Matrosen und nicht die jungen, vor denen man sich in Acht nehmen musste, das hatte Laura rasch gelernt. Die jungen Matrosen waren harmlos, bei ihnen wusste man immer, was sie im Schilde führten. Die Jungen wollten einfach rudelweise durch die Kneipen ziehen, möglichst viele Stunden lang möglichst viel saufen und zum Abschluss, wenn es sich machen ließ und das Geld noch reichte, irgendwo und irgendwie mit irgendwem noch ein bisschen vögeln.

Gefährlich waren die alten Matrosen, die mit allen Wassern der Weltmeere gewaschen waren und im Laufe eines langen Seemannslebens sämtliche Tücken und Gemeinheiten dieser Welt an eigener Seele erfahren hatten. Die meisten blieben abends an Bord ihrer morschen Holzschiffe und legten sich früh schlafen, um von besseren Zeiten zu träumen, die sie vielleicht nie gekannt hatten. Einige aber rafften sich nach Einbruch der Nacht noch einmal auf, schleppten ihre mürben Knochen über die Gangway hinunter auf den Quai und tauchten ein in die dunklen Gassen des Vieux Port.

Das waren die Getriebenen, die Verstörten, die Unversöhnten – die wirklich gefährlichen Kerle.

Diese alten Matrosen waren niemals im Rudel unterwegs, sondern immer allein. Sie konnten eine alte Dame freundlich grüßen und im Vorbeigehen ihrem Hündchen an der Leine noch rasch den Hals aufschlitzen. Die einfachen Vergnügungen der Jugend genügten ihnen nicht mehr. Wenn sie sich ein Straßenmädchen kauften, so nur aus Lust am Gedanken, ihm gleich die Krankheit anzuhängen, die ihnen seit Jahrzehnten das Wasserlassen zur Qual machte. Und wenn sie durch die Hafenkneipen streunten, wollten sie nicht singen und lachen wie die Jungen, sondern lauerten auf einen Vorwand, wieder mal einem ein Ohr abzuschneiden oder ein Auge auszustechen.

Laura wusste das alles. Es würde noch ein paar Jahre dauern, bis neu erbaute Dampfschiffe junge, gesunde Matrosen nach Marseille bringen würden, und bis dahin würde sie sich vor den alten in Acht nehmen. Bei Anbruch der Abenddämmerung holte sie ihren Stuhl und setzte sich ins Licht der Straßenlaterne, wo man sie von weitherum sehen konnte, und wenn sie nachts noch mal ausging, um Zigaretten zu kaufen oder Laudanum für die Mutter zu besorgen, mied sie die engen Gassen und hielt sich an die Gaslaternen der großen Boulevards.

In Paris hingegen waren es die jungen Männer gewesen und nicht die alten, vor denen Laura sich hatte in Acht nehmen müssen. Wenn man in den Straßen von Paris einen alten Mann sah, konnte man davon ausgehen, dass er kein Neuankömmling war, sondern mehrere Jahrzehnte in der Lichterstadt überlebt hatte. Wenn einer sich so lange hatte über Wasser halten können, bedeutete das, dass er sein Plätzchen in der Welt gefunden hatte. Er hatte eine Rente und eine Wohnung und mit ein bisschen Glück eine Frau, die ihm sein Rindsschnitzel briet und bei Bedarf den Rücken kratzte; und wenn er das alles nicht hatte, so verfügte er doch über ein Schlafplätzchen unter der Brücke und seine eigene Methode, sich täglich Brot, Schinken und Rotwein zu besorgen. Im Übrigen wunderten sich die alten Männer von Paris jeden Tag aufs Neue selber, dass sie überhaupt noch am Leben waren nach all den Kriegen und Krisen und Revolten der vergangenen Jahrzehnte, und deshalb taten sie niemandem etwas zuleide und waren froh, wenn man sie in Ruhe ließ.

So harmlos in Paris die alten Männer waren, so gefährlich waren die Jungen – die Zehntausenden von heimatlosen, mutterlosen und von jedem Trost entblößten Burschen, die nach dem Krieg aus den Schützengräben Europas gekrochen waren, um sich von ihren Phantasmen durch die Stadt treiben zu lassen. Viele hatten auch nach zehn Jahren noch schreckgeweitete Augen, viele stotterten und zitterten noch immer und konnten nachts nicht schlafen, und alle waren sie hungrig und durstig und gierig und kannten kein Morgen und keine Schonung weder für sich selbst noch für sonst irgendwen.

Laura erkannte diese Burschen von weitem, wenn sie ihnen auf der Straße begegnete. Sie lernte, ihre Blicke zu übersehen und ihre geflüsterten Einladungen zu überhören, und sie lernte, nicht auf ihre ad hoc auf dem Trottoir inszenierten Einmann-Dramen hereinzufallen – die Ohnmachtsanfälle, die Liebesschwüre und die vorgetäuschten Brückensprünge –, und kein einziges Mal während der zweiundzwanzig Monate beging sie den Fehler, sich von einem von ihnen in ein Gespräch verwickeln zu lassen.

Nachdem sie die Aufnahmeprüfung am Konservatorium bestanden und die Semestergebühren bezahlt hatte, war sie in ein Mansardenzimmer mit blatternarbigen Tapeten und Fenster zum Hof an der Rue du Bac gezogen, in dem es im Sommer unerträglich heiß und im Winter bitterkalt war. Das Zimmer stand in einer Reihe mit sieben weiteren Zimmern, und gegenüber auf der anderen Seite des Flurs gab es noch mal acht Mansardenzimmer, deren Mietpreis ein wenig höher war, weil die Fenster auf die Rue du Bac hinausgingen. Diese sechzehn Zimmer wurden bewohnt von sechzehn mehr oder weniger jungen Frauen, die alle am Konservatorium immatrikuliert waren und schon leidlich singen konnten, und alle hatten dasselbe Ziel vor Augen: irgendwann im Leben eine große Sängerin zu werden. Manche sahen ein gestochen scharfes Bild von sich selbst, wie sie im Scheinwerferlicht des »Théâtre Capucins«, des »Mathurins«, des »Olympia« oder gar der »Opéra« stehen würden, andere hatten nur dieses große, weite Gefühl in ihrer Brust, dem sie eines Tages Ausdruck zu geben hofften.

In den ersten Tagen hatte Laura sich über die Nachbarschaft zu den fünfzehn Gleichgesinnten gefreut und gehofft, sich mit der einen oder anderen anzufreunden. Aber dann hatte sie zur Kenntnis nehmen müssen, dass diese künftigen Gesangsgöttinnen, wenn man ihnen im Flur begegnete, bestenfalls flüchtige Grüße hauchten und mit flatternden Wimpern an einem vorbeihuschten, als seien sie furchtbar in Eile und müssten, bevor sie zum Diner ins »Ritz« gingen, draußen auf dem Trottoir ein paar Verehrer abwimmeln, unzählige Autogrammkarten unterschreiben und dann noch rasch bei ihrem Agenten, ihrer Schneiderin und ihrem Vermögensverwalter vorbeischauen.

Die Wahrheit aber war, dass keine von ihnen in der großen Stadt eine Menschenseele kannte außer den Lehrern am Konservatorium und der Marktfrau um die Ecke, bei der sie täglich ein Kilogramm Äpfel kauften. Sie hatten kein Geld fürs Kino und kein Geld fürs Theater und kein Geld für schicke Restaurants, kein Mensch kannte ihren Namen und sie hatten nicht die geringste Aussicht auf eine bezahlte Beschäftigung, wenn sie sich nicht darauf einlassen wollten, sich in der Metro von einem Spießbürger aus Passy ansprechen zu lassen und für zwanzig Francs pro Woche dessen Mätresse zu werden. So blieb ihnen als einziger Zeitvertreib der tägliche Spaziergang im Jardin du Luxembourg oder im Jardin des Plantes, wo sie im Farbenspiel der Platanen den Wechsel der Jahreszeiten beobachteten und sich ausmalten, wie in nicht allzu ferner Zukunft ihre Träume wahr werden würden. Und da die hochmütigen Eisentore der Parks nachts mit großen Schlüsseln verschlossen wurden, verbrachten sie ihre Abende allein in ihren Dachkammern.

Die sechzehn Bewohnerinnen der Rue du Bac bildeten eine klösterliche Gemeinschaft. Sie besuchten tagsüber fleißig ihre Gesangsstunden und übten abends brav ihre Tonleitern, und sie achteten auf genügend Schlaf und befolgten die Geheimrezepte, die ihnen die Lehrer oder ältere Kommilitoninnen eingeflüstert hatten. Manche schwörten auf Fencheltee und schwarze Schokolade, weil das die Stimmbänder geschmeidig machte, andere tranken rohe Eier und übten Oktavsprünge im Kopfstand. Wieder andere massierten sich den Solarplexus mit Mandelöl oder legten nachts Lavendelblüten unters Kopfkissen.

Laura gab, weil die Lehrer es befahlen, das Rauchen auf,

was ihr nicht sonderlich schwerfiel; die Zigaretten fehlten ihr nur als Zeitvertreib, wenn sie in ihrem Zimmer zwischen zwei Übungseinheiten durch die dünnen Wände den Stimmen ihrer fünfzehn Konkurrentinnen und ihren immer gleichen und ewig an denselben Stellen stotternden Etüden lauschte. Manche hatten dünne, heisere Mädchenstimmen, andere verfügten über runde, wohlerzogene Frauenstimmen. Dann gab es auch vier oder fünf Stimmen – eine zu Lauras Linker, eine quer über den Flur und zwei oder drei an dessen Ende –, die alle anderen übertönten, beiseiteschoben und niederwalzten mit durchdringender, rückhaltloser und schamloser Leidenschaftlichkeit.

Diese Stimmen waren deshalb so leidenschaftlich, weil ihre Besitzerinnen durch zu viel Leid jede Scham verloren hatten. Man musste ihre Lebensgeschichten nicht kennen, um zu verstehen, dass diese Frauen um ihre Brüder, Väter oder Söhne weinten oder um ihre Kindheit oder um die Unschuld ihrer Schwestern oder um den Untergang ihres Heimatdorfes. Laura lauschte diesen Gesängen, die ein einziges, aus tiefster Seele kommendes Heulen, Schluchzen und Flehen waren, und sie krümmte sich vor Scham für diese Frauen und fragte sich, wie viel Leid eine Singstimme ertragen konnte, bevor sie lächerlich wurde.

Zu ihrer Enttäuschung aber fand Laura auf der ganzen Länge des Flurs keine Stimme, der sie hätte nacheifern wollen. Am wenigsten interessierten sie die heiseren Mädchenstimmen, denn so eine Stimme hatte sie selbst. Die wohlerzogenen Frauenstimmen verachtete sie, weil diese aus eigenem Verschulden unter ihren Möglichkeiten blieben. Am besten gefielen ihr noch die schamlosen Stimmen der Leidgeprüften, auch wenn sie keinen Ton auf Anhieb trafen und nie eine andere Partitur kennen würden als jene ihrer eigenen Seelenqual.

Aber Genie – dieses kleine, nicht erlernbare zusätzliche Etwas, dieses Einzige, worauf es wirklich ankam – hatte keine von ihnen.

Nach einem Monat wusste Laura mit ziemlicher Sicherheit, dass keine Bewohnerin der Rue du Bac, auch sie selber nicht, das Zeug zu etwas Großem hatte. Gewiss waren sie alle zarte und empfindsame Seelen, aber eine große Sängerin – eine wirkliche Künstlerin, die ihr Publikum im innersten Herzen berührte, weil sie ihre ureigene, unerhörte Botschaft hatte, die so wichtig und wahrhaftig war, dass die Menschheit sich auch in hundert Jahren noch an sie erinnern würde –, eine solche Künstlerin würde keine von ihnen werden.

Der einen oder anderen würde es vielleicht zur Chansonneuse reichen in einem Kabarett, die Hübschesten würden mit ein bisschen Glück, wenn sie artig ihr Strumpfband und das Dekolleté herzeigten, mal ein Liedchen in den Follies Bergères oder im Moulin Rouge trällern dürfen; einige würden sich einen Sommer lang als Straßensängerinnen versuchen, und die Mutigsten würden vielleicht als »Danseuses orientales« auf Tournee gehen in die Nachtcafés von Barcelona, Madrid und Rom; über kurz oder lang aber würde jede von ihnen, wenn sie klug war, in ihr Heimatdorf zurückkehren und sich rechtzeitig heiraten lassen von einem Zahnarzt oder einem Notar oder einem Kneipenwirt, den sie seit der Kindheit kannte und der nicht allzu genau würde wissen wollen, was sie in Paris so getrieben hatte.

Und dieses große und weite Gefühl, dem Laura eines Tages Ausdruck zu geben hoffte? Ach, auch das war nichts Besonderes, ihre Kommilitoninnen hüteten ausnahmslos alle genau dasselbe Gefühl in der Brust. Laura erkannte das daran, dass auch die anderen Frauen beim Treppensteigen selbstvergessen mit den Fingerspitzen über die speckige Tapete fuhren und sich zuweilen ohne ersichtlichen Anlass auf den obersten Treppenabsatz setzten, um gedankenverloren in unsichtbare Fernen zu schauen, als könnten sie durch die Wände hindurch die herrlichsten Landschaften sehen. In der Folge wurde ihr bewusst, dass die Tapete nur deshalb so speckig war, weil vor ihnen schon zahllose Generationen von Schülerinnen mit den Fingerspitzen drübergefahren waren. Und nachdem sie damit ihren Frieden gemacht hatte, entdeckte sie, dass auch Metzgergesellen in stillen Augenblicken diesen gedankenverlorenen Fernblick bekamen und sogar Polizisten selbstvergessen an ihren Pistolenhalftern spielten, wenn sie sich unbeobachtet glaubten. Dieses Gefühl nämlich, in das sie so lange ihre Zukunftshoffnungen gesetzt hatte, war nichts weiter als das Betriebsgeräusch der Seele, das jeder lebendige Mensch in sich vernimmt, wenn er im Weltengetümmel mal kurz innehält und ein bisschen auf sich achtgibt.

Aber da war noch etwas anderes. Seit einer Weile hörte Laura nachts in der Stille ihrer Kammer, wenn sie im Bett lag und die Augen geschlossen hielt, eine Art Summen, das nicht aus ihrer Brust, sondern von weit außerhalb ihrer selbst, vielleicht aus den Tiefen des Kosmos zu kommen schien; etwas wie das ferne Echo eines Klangs, der ihr in einfachen Harmonien schlicht und verständlich darlegte, woraus die Welt in ihrem Innersten bestand. Wenn Laura diesen Klang hörte, war sie glücklich und fühlte sich eins mit dem Universum. Wenn sie aber am nächsten Morgen in einem abgeschiedenen Winkel des Jardin des Plantes zaghaft die Stimme erhob und jenen Klang wiederzugeben versuchte, kam keine allumfassende Weltformel heraus, sondern immer nur plattes, seelenloses Gekrächze, das sich in nichts von dem Gekrächze ihrer Nachbarinnen unterschied.

Es war für Laura eine entsetzliche Enttäuschung, dass es ihr nicht gelingen wollte, ihrer Empfindung Ausdruck zu verleihen. Wohl war ihre Stimme am Konservatorium reiner und voller geworden, auch traf sie die Töne jetzt mit größerer Sicherheit – aber das war es nicht, worauf es ankam. Laura machte sich keine Illusionen. Sie war zu sehr Künstlerin, um ihre Augen davor zu verschließen, dass sie keine war. So war es für sie keine Überraschung, als der Gesangslehrer ihr am Ende des dritten Semesters mit gut pariserischer Grausamkeit eröffnete, dass ihre Stimme zwar ganz brauchbar, aber nicht weiter ausbaufähig sei, weshalb es wenig Sinn hätte, sie übers vierte Semester hinaus am Konservatorium zu halten.

An jenem Abend weinte sie in ihrer Dachkammer an der Rue du Bac, und in den benachbarten Kammern weinten all jene, die gleichentags den gleichen Bescheid erhalten hatten. Im Unterschied zu ihnen aber tröstete Laura sich nicht über die Niederlage hinweg, indem sie einer feindlichen Umwelt, der Arglist der Zeit oder der Borniertheit ihrer Lehrer die Schuld gab, sondern stellte sich den Tatsachen. Ihre Stimme war nun mal nicht weiter ausbaufähig, das war schade, aber nicht ungerecht. Auch an den Ballettschulen endeten neunundneunzig von hundert Karrieren wegen zu breiter Hintern und zu kurzer Beine, das war genetisch bedingt und niemandes Schuld. Es konnte auch nicht jeder, der es wollte, Zahnarzt werden. Und so mancher Jüngling, der gern ein gefeierter Fußballheld geworden wäre, musste die väterliche Gemüsehandlung übernehmen.

Während der paar Wochen, die ihr am Konservatorium blieben, besuchte Laura tapfer ihre Stunden und absolvierte abends fleißig ihre Übungen. Aufs Zigarettenrauchen aber verzichtete sie nicht länger. Und immerhin hatte sie noch dieses Gefühl in der Brust. Und das Summen aus dem Weltraum. Und eine ganz brauchbare Stimme.

Immerhin.

Fünftes Kapitel

Dann kam die Zeit, da Felix Bloch seine Experimente abschloss, ans Tageslicht zurückkehrte und feststellte, dass er in der kleinen Welt der Atomphysik zu einiger Bekanntheit gelangt war. Erst hatte es sich in Zürich herumgesprochen, dass im Keller der ETH einer ungewöhnliche Dinge betrieb, dann an den anderen Hochschulen des Landes und schließlich an jenen physikalischen Instituten Europas, an denen Atomphysik betrieben wurde. Er war noch weit von der Niederschrift seiner Dissertation entfernt und erst zweiundzwanzig Jahre alt, als er schon zu Kongressen nach Göttingen, Hamburg und Kopenhagen eingeladen wurde, um vor kleinen Gruppen vorwiegend junger Männer über das Verhalten von Elektronen bei unterschiedlichen Temperaturen zu referieren, und danach musste er sich jeweils der Inquisition übellauniger älterer Professoren stellen, denen das Unschärfegerede und Sowohl-als-auch-Getue der jungen Physiker gegen den Strich ging.

Diese Verhöre überstand Felix Bloch stets schadlos, weil er sich nicht auf Spekulationen über große Zusammenhänge einließ, sondern mit beiden Füßen auf dem relativ festen Grund seiner Eisscholle blieb und einfach vom wechselnden Farbenspiel des Spektrographen berichtete, wie er es erfahren hatte und wie es jedermann mit einer geeigneten Apparatur nachprüfen konnte.

Felix Bloch fühlte sich in der Atomphysik nun ganz zu Hause, seine Professoren und Kommilitonen waren ihm eine zweite Familie geworden; oft blieb er mit ihnen bis tief in die Nacht in der Institutsküche bei Käse, Brot und Rotwein sitzen, um die neuesten Forschungsergebnisse zu diskutieren und unter Gleichgesinnten den Zustand der Welt zu erörtern.

Dabei stellte sich heraus, dass die meisten Studenten Felix' Pazifismus und seine Hoffnung auf eine lichtere Zukunft jenseits kruder Mechanik teilten; in ihrer Abneigung gegen alles Industrielle und Maschinelle gingen manche so weit, dass sie als Wissenschaftler das Urprinzip jeder Maschine – das Gesetz von Ursache und Wirkung – ganz grundsätzlich als Fiktion des menschlichen Geistes ablehnten. Die Älteren hielten solch neoromantischem Existentialismus entgegen, dass empirisch gesehen die Maschine doch offensichtlich funktionierte, wenn sie funktionierte, womit hinreichend bewiesen sei, dass zumindest in der Physik gewisse Dinge eine Ursache und manche eine Wirkung hätten; darauf antworteten wiederum die Jungen, dass die Maschine nur als Ausdruck einer menschlichen Idee funktioniere und stets zu Tod und Vernichtung führe, weil ihr Kausalitätsprinzip erstens menschengemacht und zweitens die Negation alles Lebendigen und Organischen sei, das immer ohne Ursache und Wirkung aus sich selbst und in sich selbst gedeihe; darauf entgegneten die Alten wiederum, dass sich der Mond doch wohl kaum an menschlichen Ideen orientiere, wenn er sich an seine exakt vorhersagbare Umlaufbahn halte, worauf die Jungen antworteten, dass es naiv wäre, Atomphysik als eine Art Astronomie im Kleinen zu betrachten.

Solcherart waren die Gespräche in der Institutsküche. Und irgendwann später am Abend, wenn ein paar Flaschen geleert waren und die älteren Semester sich nach Hause verabschiedet hatten, kam die Rede der Jungen unvermeidlich auf Einsteins pazifistischen »Aufruf an die Europäer« und auf den schändlichen Diensteifer, mit dem manche seiner Kollegen sich zu willigen Handlangern des Kriegs gemacht hatten.

Man sprach zum Beispiel über den Berliner Chemieprofessor Fritz Haber, der am 22. April 1915 vor der belgischen Kleinstadt Ypern den ersten Giftgasangriff der Geschichte geleitet hatte, bei dem auf französischer Seite in wenigen Minuten achtzehntausend Männer verreckten. Oder über dessen schöne und kluge Ehefrau Clara Immerwahr, die selber promovierte Chemikerin war und sich aus Scham über die Tat ihres Mannes mit dessen Dienstwaffe im Garten ihrer Berliner Villa erschoss. Und wieder über Fritz Haber, den der Kaiser persönlich als Belohnung für den Massenmord vom Vizewachtmeister zum Hauptmann beförderte und der noch an Claras Todestag nach Galizien abreiste, um die nächsten Giftgaseinsätze vorzubereiten, weshalb ihr Begräbnis ohne ihn stattfinden musste. Oder über den Nuklearchemiker Otto Hahn, der zusammen mit Fritz Haber im vaterländischen Überschwang die Chlorgasflaschen aufdrehte und dann vom schlechten Gewissen getrieben übers Schlachtfeld rannte, um den sterbenden sibirischen Schützen mit Sauerstoff Linderung für ihre verätzten Lungen zu verschaffen; oder über Hahns und Habers Schildbürgerstreich, als sie mitten im Krieg der Reichswehr den Vorschlag unterbreiteten, bei einer Million Gewehren die Visiere mit radioaktiv leuchtendem Radium zu beschmieren, damit die Soldaten auch bei Nacht schießen konnten; und über den Kriegsminister, der die Idee begeistert aufnahm und alles im Reich verfügbare Radium beschlagnahmen ließ, bis Schießversuche in Bruck an der Leitha zur Erkenntnis führten, dass im Dunkeln doch vorrangig das Ziel beleuchtet sein sollte und nicht das Visier; und über die Tatsache, dass ein Jahr nach Kriegsende ausgerechnet Fritz Haber den Nobelpreis für Chemie erhielt, und dass er danach jahrelang über den Atlantischen Ozean fuhr im vergeblichen Versuch, zwecks Bezahlung der deutschen Reparationsschulden Gold aus dem Meerwasser zu extrahieren, und dass er nun als Reichskommissar für Schädlingsbekämpfung Vergasungsmittel für Nagetiere und Ungeziefer entwickelte. Noch nicht wissen konnten die Physikstudenten in jenem Frühjahr 1927, dass Habers Vergasungsmittel unter dem Namen »Zyklon B« in die Geschichte eingehen sollte.

Felix Bloch nahm die Schicksale Hahns und Habers als Mahnung, aber er wurde wegen ihnen nicht schwankend im Beschluss, sein Berufsleben der physikalischen Forschung zu widmen. Diese Männer hatten der Maschine zugedient, weil sie Söhne ihrer Zeit und ihres Imperiums gewesen waren. Er selber aber gehörte einer anderen Zeit an, und er war kein Deutscher. Sondern Schweizer.

Felix Bloch hatte fast sein gesamtes bisheriges Leben in Zürich verbracht. Nur zum Skifahren war er mit den Eltern ins Engadin gefahren, und später hatte er ausgedehnte Bergtouren in den Glarner Alpen unternommen. Er sprach inzwischen fast akzentfrei Zürcher Dialekt und hatte sich den zwinglianischen, ein wenig verkniffenen Zürcher Humor angeeignet, dem die eigene Lustigkeit ein bisschen peinlich ist. Samstags ging er in den Letzigrund zum Fußballspiel und mittwochs an den Limmatquai zum Bratwurstessen. An der ETH fühlte er sich geschätzt und aufgehoben, und seine Forschungsarbeit hatte einen Sinn, an den zu glauben ihm leichtfiel.

Aber dann wurde er doch von einem Tag auf den anderen heimatlos, als seine Physikerfamilie an der ETH sich gleichsam über Nacht in alle Winde zerstreute. Ende des Sommersemesters 1927 musste er von seinen Wanderkameraden Fritz London und Walter Heitler Abschied nehmen, weil der eine nach München zurückkehrte und der andere mit Professor Schrödinger nach Berlin ging; gleichzeitig folgte Institutsleiter Peter Debye einem Ruf nach Leipzig. In der Küche des Instituts wurde es still, seine Abende verbrachte Felix nun bei den Eltern an der Seehofstraße. Allmählich wurde ihm klar, dass er nach den Sommerferien außer Professor Scherrer in ganz Zürich niemanden mehr haben würde, mit dem er sich über Elektronen würde austauschen können.

Eines Nachmittags suchte er Scherrer in dessen Büro auf und legte ihm die Quarzprismen auf den Tisch. Dieser hob erstaunt die Brauen und wollte wissen, ob Felix seine Arbeit abgeschlossen habe.

Im Gegenteil, erwiderte Felix, genaugenommen habe er noch immer keine Ahnung, ob seine Elektronen nun Hochsprung oder Weitsprung oder sonst etwas Schönes machten.

Scherrer lachte. Und?

Für den Spektrographen habe er vorläufig keine Verwendung mehr, sagte Felix. Wenn er wieder Bedarf nach Prismen haben sollte, werde er Ersatz beschaffen.

Unsinn, sagte der Professor, schob die Prismen über den Schreibtisch zurück und erkundigte sich nach Felix' Plänen.

Eigentlich, sagte dieser und zuckte mit den Schultern, möchte er immer noch herausfinden, weshalb elektrischer Strom in Metallen so unerklärlich rasch vorankomme. Im Übrigen werde er sich im Herbst für die Pädagogik-Übungen einschreiben und aufs Lehramt vorbereiten, am Seefeld-Gymnasium werde nächstes Jahr eine Stelle frei.

Wollen Sie das? fragte der Professor.

Felix nickte.

Lehrer werden? fragte der Professor. Gelangweilte Jünglinge mit den Grundzügen von Mechanik und Wärmelehre traktieren?

Felix nickte.

Lebenslang? Immer wieder aufs Neue, bis ans Ende Ihrer Tage?

Eine ehrbare Aufgabe, sagte Felix.

Aber nicht Ihre, entgegnete der Professor. Ihre Aufgabe ist es, Elektronen beim Hochsprung oder Weitsprung oder sonst etwas Schönem zu beobachten. Den Schuldienst müssen Sie anderen überlassen.

Felix schwieg.

Verstehe, sagte der Professor. Hören Sie zu, Bloch, Sie sollten in die Welt hinausgehen, hier in Zürich wird's in nächster Zeit für Sie ziemlich einsam werden. Gehen Sie nach Göttingen, oder nach Kopenhagen. Oder nach Leipzig, Debye baut dort mit Heisenberg das Institut für theoretische Physik neu auf.

Das kann ich mir nicht leisten, sagte Bloch.

Wenn Sie wollen, rufe ich Heisenberg an. Der sucht, soviel ich weiß, noch einen zweiten Assistenten.

Felix schwieg.

Verstehe, sagte der Professor abermals. Ihr Vater?

Felix nickte. Mein Vater ist nicht sehr empfänglich für den Charme von Elektronen.

Seien Sie ein Mann, sagte der Professor, teilen Sie ihm Ihre Entscheidung mit. Er wird Ihnen seinen Segen schon nicht versagen.

*

Eigentlich war Laura d'Oriano nicht immer nur unglücklich über ihren Rauswurf am Konservatorium und ihre erzwungene Abreise aus Paris. Gewiss war es eine bittere Niederlage gewesen, dass sie als Künstlerin nicht hatte bestehen können, aber der Abschied von der nördlich grauen Lichterstadt, die ihr zweiundzwanzig Monate lang so mitleidlos die kalte Schulter gezeigt hatte, war für ihr mediterranes Gemüt auch eine Erlösung gewesen.

In Marseille fühlte sie sich wohl. Das orientalisch anmutende Gewimmel am Hafen erinnerte sie an unbeschwerte Kindheitstage in Smyrna oder Damaskus, hier hörte sie an einem Tag mehr Gelächter als in Paris während eines Jahres. Zwar war auch hier der Lebenskampf hart, jeden Morgen fuhr das Pferdefuhrwerk der Morgue durchs Quartier und sammelte die Unglücklichen ein, die nachts einsam und ohne Beistand in einem Hinterhof, auf einer Kellertreppe oder hinter irgendwelchen Bretterstapeln am Ende ihres Weges angelangt waren. Aber solange die Unglücklichen noch halbwegs auf den Beinen und kräftig genug gewesen waren, sich auf eigene Faust ihren täglichen Kanten Brot und ein trockenes Schlafplätzchen zu beschaffen, hatte die alte Hafenstadt sie milde geduldet wie alteingesessene Einheimische.

Laura kannte nun alle Bewohner des Viertels und grüßte

nach links und rechts, wenn sie Croissants fürs Frühstück holte; und abends, wenn die Mauern von der Wärme der untergegangenen Sonne glühten, saß sie oft bis lange nach Mitternacht draußen vor dem Laden im Licht der Straßenlaterne, rauchte ihre Zigaretten und freute sich, wenn Freunde aus dem Quartier sich zu ihr setzten. Die Kellner der umliegenden Bistros verbrachten ihre Zigarettenpausen mit ihr, der Austernhändler schenkte ihr im Vorbeigehen ein halbes Dutzend. Manchmal kamen Schulbuben dahergeschlendert und baten sie kühn um Feuer für ihre gestohlenen Zigaretten, und abends setzten sich die Nutten zu ihr, lagerten ihre gemarterten Füße hoch und warnten sie vor den Gefahren dieser Welt, als sei Laura ein ahnungsloses Mädchen vom Land.

Bald hatte es sich herumgesprochen, dass sie eine schöne Stimme hatte. Manchmal wurde sie von ihren Freunden bedrängt, zum Abschluss des Abends ein orientalisches Liebeslied zum Besten zu geben; dann gab sie freudig nach, kletterte auf ihren Stuhl und sang wehmütig in die Nacht hinaus. Wenn die Kellner aber vorschlugen, ihr ein Gastspiel in einem Tanzcafé oder einer Music-Hall zu vermitteln, lehnte sie ab; denn dort, das war ihr klar, hätte sie beim Singen ihr Dekolleté und ihr Strumpfband zu Hilfe nehmen müssen wie vormals ihre Mutter. Und das, so hatte sie sich seit frühester Kindheit geschworen, würde sie niemals tun.

Weil aber Kinderschwüre am Ende der Kindheit verfallen und Laura nun zwanzig Jahre alt war, ging sie in dieser Sache noch einmal mit sich zu Rate. Der Alltag als Verkäuferin war ihr zu fad, sie hatte immer noch Sehnsucht nach der Bühne. Und wenn eine junge Frau auf die Bühne wollte, musste sie als Eintrittspreis ihr Strumpfband herzeigen, das war zu allen Zeiten und in allen Künsten so gewesen.

So nahm Laura im März 1931 schließlich doch ein Engagement an und trat an fünf Abenden hintereinander im »Chat Noir« auf. Der Patron hatte ein Kosakenkostüm mit falschem Hermelinbesatz im Fundus, das ihr wie angegossen saß, also sang sie russische Liebeslieder und tanzte Kasatschok. Das Publikum raste, sie selbst genoss das Rampenlicht und den Applaus; und die fünfzehn Francs, die sie jeweils am Ende des Abends bekam, konnte sie gut gebrauchen. Nach jedem Auftritt wurde sie am Hinterausgang von einem befreundeten Kellner erwartet, der sie vor den Ehrenbezeugungen allzu begeisterter Zuschauer beschützte und ritterlich nach Hause geleitete.

Natürlich war Laura bewusst, dass ihre Darbietung in künstlerischer Hinsicht bescheiden war, auch war ihre Stimme seit der Pariser Zeit ein wenig eingerostet; aber immerhin bereitete sie ihrem Publikum unbestreitbar Freude. Und war es nicht das höchste Ziel jedes Artisten, sein Publikum zu erfreuen? Und wenn sich die Freude des Publikums steigern ließ, indem man ein wenig Dekolleté oder Bein zeigte – wieso sollte man das nicht tun?

Allzu viele Auftritte hatte sie nicht. Marseille war die zweitgrößte Stadt Frankreichs, aber eben doch eine Provinzstadt, die Zahl der Musik-Cafés war beschränkt; und wenn Laura in einem Lokal ihren Auftritt gehabt hatte, musste sie mindestens ein Jahr warten, bis sie ans nächste Gastspiel denken konnte. Vielleicht würde sich später, wenn ihr Name sich herumgesprochen hatte, eine kleine Tournee entlang der Côte d'Azur nach Cannes, Nizza und Monaco ergeben.

Laura schlug in Marseille Wurzeln wie noch nirgends zuvor. Ihre Eltern waren spürbar älter geworden, der Bestand in der Musikalienhandlung war unerschöpflich. Und dann kam jener Nachmittag, an dem schwungvoll die Tür zum Verkaufsraum aufging und ein junger Mann eintrat, der einen weißen Leinenanzug, weiße Gamaschen und einen weißen Borsalino auf dem pomadisierten Haar trug. Er blieb breitbeinig stehen und wiegte sich in den Hüften, dann warf er kurze, scharfe Blicke in jede Ecke, als gehöre er zu jener Sorte junger Männer, die ein gefährliches Leben führen und jederzeit auf der Hut sein müssen vor mächtigen Gegenspielern. Schließlich bedachte er auch Laura mit einem scharfen Blick, schob mit dem Zeigefinger der rechten Hand seinen Borsalino in den Nacken und sagte:

Bonjour, Mademoiselle.

Bonjour, jeune homme, antwortete Laura und beobachtete, wie der Jüngling unter dem Diminutiv zusammenzuckte. Dann schlug sie, um ihm eine Freude zu machen, in gespielter Scheu die Augen nieder.

Ich brauche Notenblätter, sagte er und wippte auf den Zehenspitzen, dass das Leder der Gamaschen knarrte. Man hat mir gesagt, Sie hätten ein reichhaltiges Angebot.

Das ist richtig, Monsieur. Haben Sie einen bestimmten Wunsch?

Ich habe eine ganze Menge Wünsche, und zwar sehr bestimmte Wünsche, sagte er und zog ein mehrfach gefaltetes Blatt aus der Brusttasche. Das Klarinettenkonzert von Mozart, haben Sie das?

Gewiss.

Laura öffnete eine Schublade und lächelte. Dieser pfauenhafte Jüngling, der da den verwegenen Haudegen spielte, um seine Harmlosigkeit zu camouflieren, war ihr eine willkommene Abwechslung zur endlosen Parade unterwürfiger Emigranten und bösartiger alter Matrosen. Gut sah er aus in seinem weißen Anzug, und er hatte einen trotzigen Zug um die Oberlippe, den man hätte wegküssen mögen. Er war leicht auf den Füßen, wahrscheinlich ein guter Tänzer. Und er sprach Französisch mit einem rauhen, aber gleichzeitig sanften und melodiösen, beinahe mädchenhaft hellen Akzent, den Laura nicht verorten konnte.

Dann hätte ich gern Beethovens Mondscheinsonate, sagte der junge Mann.

Das Klarinettenkonzert brauchen Sie also nicht?

Ich brauche beides, das Klarinettenkonzert *und* die Mondscheinsonate.

Dann sog er scharf Luft zwischen den Zähnen ein.

Wie Sie wünschen, sagte Laura und öffnete eine andere Schublade.

Die brauche ich fünfmal.

Fünfmal die Mondscheinsonate?

Und dreimal die Préludes von Chopin.

Laura warf dem jungen Mann einen erstaunten Blick zu, öffnete dann aber eine weitere Schublade.

Weiter brauche ich... die h-Moll-Suite von Johann Sebastian Bach. Einmal.

Die ganze Partitur?

Nur die Querflöte. Dann zweimal die Ungarischen Tänze von Brahms und dreimal Mussorgskis Bilder einer Ausstellung. So, das wär's. Ach nein: Beethovens Elise hätte ich auch noch gern, bitte. Zwölfmal.

Zwölfmal Elise?

Zwölfmal, ich kann's nicht ändern.

Bitte entschuldigen Sie die Frage – treiben Sie Scherze mit mir?

Ich habe Geld, Mademoiselle, ich bezahle bar. Wieviel macht das?

Dann gingen die jungen Leute zur Kasse, und während sie die Rechnung schrieb, stellte er sich vor.

Der junge Mann hieß Emil Fraunholz. Er war fünfundzwanzig Jahre alt und Schweizer, geboren und aufgewachsen in einem Bauerndorf namens Bottighofen am Bodensee. Er war vor zwei oder drei Jahren nach Marseille geflohen, um keinen Militärdienst bei der Schweizer Armee leisten zu müssen, und seither schlug er sich durchs Leben mit allerlei Gelegenheitsarbeiten und Schlaumeiereien, deren oberstes Ziel es war, ihn so weit als möglich vom Militär und von landwirtschaftlicher Maloche fernzuhalten.

Seine einträglichste Schlaumeierei bestand darin, dass er in den Kolonien gegen Gebühr Briefe französischer Fremdenlegionäre durch Mittelsmänner einsammeln und an der Militärzensur vorbei übers Mittelmeer nach Marseille schmuggeln ließ, von wo aus er sie mit gewöhnlicher Post an die Adressaten weiterleitete. Als weitere Dienstleistung besorgte er für die Legionäre gegen Vorauszahlung Herzensdinge, die in Sidi Bel Abbès, Saigon oder Nouméa nicht zu haben waren – die Fotografie dieser oder jener Schauspielerin, eine Dose Crème de Marrons, ein Kilogramm Stockfisch, zehn Gramm Opium oder eben die Mondscheinsonate.

Manchmal quollen seine Taschen über von Geld und manchmal hatte er gar keins, seine Geschäfte waren starken konjunkturellen Schwankungen unterworfen. Am meisten Umsatz machte er, wenn in den Kasernen kampferprobte alte Füchse einquartiert waren, die wussten, wie der Hase lief, und sich nicht scheuten, nötigenfalls einen Wachtposten mit einer Flasche Schnaps zu bestechen oder einen Unbestechlichen mit einem wohldosierten Schlag auf den Hinterkopf außer Gefecht zu setzen; am schlechtesten liefen die Geschäfte, wenn in den Kasernen Frischlinge saßen, denen das Dienstreglement noch heiliges Gesetz war.

Rückschläge erlitt Emil Fraunholz auch, wenn einer seiner Mittelsmänner aufflog, was alle paar Monate vorkam. Dann musste er sich auf Besuch von Militärpolizisten einstellen, die steife weiße Hüte trugen, unangenehme Fragen stellten und ziemlich ruppig werden konnten, wenn man sie anschwindelte. In solchen Fällen hielt Emil es für ratsam, die Geschäfte eine Weile ruhen zu lassen und eine inexistente Tante in Nizza oder Cannes zu besuchen.

Im Mai 1931 aber, als er erstmals Laura d'Orianos Musikalienhandlung betrat, liefen die Geschäfte gut. Und weil er an jenem Nachmittag die Taschen voller Geld hatte und dieses Mädchen hinter dem Tresen ihn bezaubert hatte wie noch keines zuvor, raffte er allen Mut zusammen, legte seine Haudegenmaske ab und fragte sie ganz schüchtern, ob sie bereit wäre, ihn am folgenden Sonntag zu Kaffee und Kuchen auf die Sonnenterrasse des »Hotel Excelsior« zu begleiten.

Von da an verbrachten Laura und Emil alle ihre Sonntage und manchmal auch die Werktage gemeinsam. Einem Mann wie Emil Fraunholz war Laura noch nie begegnet. Sein falsches Haudegentum war in dem Augenblick, da er sie ums erste Rendezvous bat, ganz von ihm abgefallen, und zum Vorschein gekommen war ein freundlicher und zurückhaltender, aber wacher und pfiffiger junger Mann, der ihr aufmerksam zuhörte und sie gern zum Lachen brachte; besonders berührte sie seine unangestrengte Sanftmut, welche er wohl mitgebracht hatte aus seiner friedfertigen Heimat, die seit vielen Generationen von Verheerungen und Katastrophen verschont geblieben war.

Emil quatschte nicht vom Krieg und knirschte nicht mit den Zähnen, auch schützte er keine Selbstmordversuche vor und schlitzte nicht kleinen Hunden die Kehle auf, und er legte nicht ohne Not die Stirn in Denkerfalten, sondern erzählte mit seiner mädchenhaft hellen Stimme freimütig, was für schöne Augen die Kühe in Bottighofen hätten und wie süß der frische Apfelsaft schmecke, wenn man ihn aus dem Fallobst presste, das man auf fremden Weiden gratis aus dem nassen Gras aufheben konnte.

Emil erzählte ihr aber auch, dass er auf dem elterlichen Bauernhof einen schönen Ausblick auf den Bodensee gehabt habe, auf dem majestätisch die Jachten reicher Leute kreuzten, und dass er sich schon in früher Kindheit geschworen habe, irgendwann die Plackerei und den Kuhmist hinter sich zu lassen, um an Bord weißer Jachten in Gesellschaft schöner Frauen Champagner zu trinken. Und wenn Laura ihn lächelnd fragte, ob er sein Ziel in der Zwischenzeit erreicht habe, brachte er zum nächsten Rendezvous eine Flasche Veuve Clicquot mit und führte sie am *Quai des Belges* zu einem weißen Segelboot, das wohl einem Freund oder Geschäftspartner gehörte, der ihm einen Gefallen schuldete.

Und wenn Laura während der Bootsfahrt eine Hand ins Wasser baumeln ließ und die hügelige Schönheit der provenzalischen Küste bewunderte, fuhr er beim nächsten Treffen mit einem Bentley oder Peugeot vor und lud sie zu einer Spritzfahrt ein. Und wenn sie einstieg, fuhr er mit ihr in die Hügel hinauf, und wenn sie Hunger bekam, breitete er an einem hübschen Plätzchen eine Wolldecke aus und holte Leckereien aus dem Korb, von denen er hoffte, dass sie Laura schmecken würden. Und wenn ihr die Zigaretten ausgingen, lag im Handschuhfach eine Packung ihrer Marke für sie bereit, und wenn die Dämmerung hereinbrach, fuhr er sie wieder nach Hause, ohne ihr während des ganzen langen Tages ein einziges Mal ans Knie gegriffen zu haben.

Es war alles schön zwischen Emil und Laura, weil alles einfach, ohne Arg und ohne Absicht geschah. Wenn sie Champagner tranken, tranken sie Champagner, und wenn sie am Strand im Sand lagen, lagen sie im Sand. Er erzählte von seinen Geschäften und Schlaumeiereien und freute sich, wenn Laura über sie lachte, und sie erzählte ihm von ihrem weiten Gefühl in der Brust und vom Summen aus dem Weltraum, obwohl ihr diese Dinge jetzt gar nicht wichtig waren. Und wenn er aufmerksam zuhörte und nichts dazu sagte, freute sie sich.

Und als sie miteinander schliefen, schliefen sie miteinander.

Wenn Laura einen Auftritt in einem Nachtcafé hatte, hielt sie diesen schamhaft vor ihm geheim, und wenn er trotzdem davon Wind bekam, saß er ihr den ganzen Abend mit weit aufgerissenen Augen zu Füßen, küsste ihr hinterher die Hände und schwor, dass er noch niemals im Leben etwas so Schönes habe hören dürfen. Und wenn sie ihn einen Schmeichler nannte, protestierte er und beteuerte, dass er tot umfallen wolle, wenn er nicht die reine Wahrheit sage. Und dann glaubte sie ihm und war glücklich.

Im Spätsommer 1931 aber konnten die beiden nicht länger die Augen vor der Tatsache verschließen, dass Laura schwanger war, und dann wurde alles schwieriger. Laura weinte, weil es mit der Gesangskarriere nun wohl endgültig vorbei war, und Emil nahm sie in den Arm und sagte, dass alles gut werde, weil er jetzt mit den Schlaumeiereien aufhöre und bei Lauras Eltern um ihre Hand anhalte.

Diese waren nicht sehr begeistert über den unverhofft aufgetauchten Brautwerber, denn sie witterten unter dem weißen Leinenanzug den Bauernjungen und bezweifelten, dass dieser die Kraft und die Wendigkeit haben würde, sich auf Dauer an der Seite ihrer eigensinnigen Tochter zu halten. Aber weil die Natur nun mal unbestreitbare Fakten geschaffen hatte, die aus der Welt zu schaffen sie als zartfühlende Menschen Laura nicht vorschlagen konnten, gaben sie dem Paar ihren Segen.

Die Trauung fand am 18. August 1931 in der kleinen Kirche von Sainte Marie-de-la-Charité statt, danach fuhr die Hochzeitsgesellschaft in zwei geliehenen Autos zu einem Landgasthof vor der Stadt. Die Gesellschaft war klein, nebst dem Brautpaar waren nur Lauras Eltern und ihre vier Geschwister anwesend. Trotzdem gelang es ihnen, nach dem Essen ein komplettes Variété-Programm zusammenzustellen. Laura sang eine ägyptische Ballade und Emil führte seine Paradenummer vor, die darin bestand, dass er mit fünf Weingläsern gleichzeitig in der Luft jonglierte. Lauras Brüder zeigten Kartentricks, ließen Münzen verschwinden und zogen sie aus dem Gehörgang der Braut wieder hervor. Alle machten Witze darüber, dass Laura mit der Trauung Schweizer Bürgerin geworden war. Zum Schluss sangen Mutter und Tochter im Duett, was noch nie zuvor geschehen war, und der Vater begleitete sie auf dem Kneipenklavier, das schaurig verstimmt war und eine lückenhafte Tastatur hatte.

Nachdem alle ihre Tränen weggewischt hatten, bestellte man Kaffee und Schnaps. Und als alle betrunken waren, fuhr man zurück in die Stadt.

*

An einem trüben Herbsttag Anfang Oktober stieg Felix Bloch unter der mächtigen Kuppel des Leipziger Hauptbahnhofs aus dem Zug, holte sein Fahrrad aus dem Postwagen und fuhr zum Institut für theoretische Physik, das am Stadtrand zwischen einem Friedhof und einer psychiatrischen Klinik stand. Den Koffer stellte er in einer Assistentenbude unter dem Dach ab, dann machte er seinen Antrittsbesuch bei Heisenberg.

Am neuen Ort fühlte er sich auf Anhieb zu Hause. Seine elektrischen Apparaturen baute er in einem fensterlosen Kellerraum auf, der Spektrograph blieb fürs erste im Karton. Morgens amtete er als Vorlesungsassistent für Heisenberg und hielt Übungen für die Erstsemestrigen ab, nachmittags korrigierte er die Arbeiten der Studenten und ging seinen Experimenten nach.

Die Belegschaft des neu gegründeten Instituts war klein, und die Studenten kannte Felix nach einer Woche alle mit Namen. Noch hatte es sich nicht herumgesprochen, dass hier der jugendliche Werner Heisenberg unterrichtete, der mit seiner Unschärferelation die physikalische Weltordnung erschüttert hatte und sein Institut wie eine Gruppe Wandervögel führte. Die Vorlesungssäle waren viel zu groß. Die Studenten saßen im Kreis auf den Tischen, kochten Tee auf Bunsenbrennern und aßen Kuchen, den Professor Heisenberg aus der Bäckerei um die Ecke mitbrachte.

Es war ein übermütiger Haufen junger Leute, der da zusammengefunden hatte. Im Keller des Instituts hatte Heisenberg einen Pingpongraum einrichten lassen, zu dem alle freien Zugang hatten. Felix Bloch verwaltete das Material. Ein ungarischer Student namens Edward Teller, der in München unter die Straßenbahn geraten und einen Fuß verloren hatte, machte immer Tee für alle. Professor Heisenberg war der unangefochtene Pingpongmeister und galt spätestens nach seiner Vortragsreise durch Ostasien als unschlagbar. Einzig ein Japaner namens Yoshio Nishina besiegte ihn regelmäßig, was Heisenberg schlecht ertrug. Es soll vorgekommen sein, dass er nach einer Niederlage drei Tage von der Bildfläche verschwand.

An den Wochenenden erkundeten Studenten und Dozenten gemeinsam die Stadt, die über die Jahrhunderte reich geworden war mit ihren Kammgarnspinnereien und Wollkämmereien, den Buchdruckereien und Verlagshäusern sowie durch Handel mit Pelzen und Getreide aus Osteuropa. Sie bummelten zu den Karussells und Achterbahnen am Alten Messplatz oder zum Tanzkabarett »Rote Mühle« in der Windmühlenstraße, das wie sein Pariser Vorbild die äußere Form einer roten Mühle hatte; abends besuchten sie die politischen Kabaretts, die nach dem Krieg wie Pilze aus dem Boden geschossen waren, die »Retorte«, den »Bauch« oder die »Litfaßsäule«. Im Sommer ging man ins Freibad Schönefeld oder zum Ipa-Strandbad beim Messegelände, im Winter zur Rodelbahn im Schönefelder Park. Über Ostern lud Heisenberg die engsten Freunde auf seine Skihütte in den bayerischen Alpen ein.

Die späten Abendstunden verbrachte Felix Bloch allein in seiner Bude, las Fachzeitschriften oder schrieb Briefe an die Eltern. Vor dem Lichterlöschen geriet er ins Sinnieren, betrachtete die Glühbirne seiner Leselampe und fragte sich, ob die Elektronen im Inneren des leuchtenden Drahts wirklich das taten, was er sich vorstellte. Wenn er dann im Dunkeln im Bett lag, konnte er durch die dünnen Wände am anderen Ende des Flurs Heisenberg auf dem mahagonibraunen Flügel spielen hören, den dieser sich von der Leipziger Pianofortefabrik Julius Blüthner hatte liefern lassen. In jenem Herbst 1928 war es das Allegro vivace aus Schumanns Klavierkonzert in a-Moll, an dem Heisenberg sich Abend für Abend stundenlang die Zähne ausbiss. Felix lauschte bis zum Einschlafen und wunderte sich, dass Heisenberg sich ausgerechnet dieses schwermütig-romantische Stück ausgesucht hatte, das eine einzige Phantasie über Schumanns Liebeswerben und die Glückseligkeit in der Vereinigung mit Clara war.

Zwischen den beiden jungen Männern entwickelte sich eine zurückhaltende, aber ernsthafte Freundschaft. Kurz vor Weihnachten 1927 nahm Heisenberg Bloch beiseite und fragte ihn, wie er mit seinen Elektronen vorankomme.

Ganz ordentlich, antwortete Felix, die Resultate der Messungen stimmten vollständig mit der Ausgangsthese überein.

Ob es dann nicht an der Zeit wäre, das Ganze als Dissertation niederzuschreiben, fragte Heisenberg und fügte schamhaft lächelnd hinzu, dass er in seiner kurzen Professorenlaufbahn noch keinen eigenen Doktoranden betreut habe und es ihm eine Ehre wäre, wenn Felix der erste wäre.

Die folgenden sechs Monate widmete Felix Bloch seiner Doktorarbeit, die er am 2. Juli 1928 unter dem Titel »Über die Quantenmechanik der Elektronen in Metallgittern« einreichte. Darin behandelte er das bis anhin ungelöste physikalische Rätsel, dass elektrischer Strom auch in sehr langen Metalldrähten sehr schnell fließt. Er erklärte den erstaunlich geringen Widerstand damit, dass die Metall-Ionen in Form eines stabilen Kristallgitters angeordnet seien, was einen Zusammenstoß mit den durchziehenden Elektronen extrem unwahrscheinlich mache; je tiefer zudem die Temperatur, desto stabiler das Gitter und desto unwahrscheinlicher ein Zusammenstoß. Tatsächlich hatten seine Experimente im Keller ergeben, dass die Leitfähigkeit von Metallen mit sinkender Temperatur stieg. Sein Doktorvater Heisenberg sollte den Gittergedanken wenig später aufnehmen und vorschlagen, dass der gesamte Kosmos wie eine große Honigwabe in einem einzigen Gitter organisiert sei.

Als Felix' Doktorarbeit in der Berliner »Zeitschrift für Physik« erschien, erregte sie europaweites Aufsehen, alle wollten den jungen Mann sehen. Im Wintersemester 1928/29 lud ihn Wolfgang Pauli an die ETH Zürich ein, danach ging er zu Niels Bohr nach Kopenhagen, zu Max Planck und Otto Hahn nach Berlin, zu Paul Ehrenfest nach Leiden und zu Max Born nach Göttingen, wo er die Bekanntschaft eines amerikanischen Doktoranden namens Robert Oppenheimer machte, der wie ein Wasserfall über Sanskrit, Dante oder den Zeitbegriff bei Buddha sprechen konnte und in Felix' Leben noch eine schicksalshafte Rolle spielen sollte.

Man wäre gern dabeigewesen, als die jungen Leipziger Quantenmechaniker über Ostern 1932 zur Kopenhagener Frühjahrskonferenz ans Institut von Niels Bohr fuhren. Werner Heisenberg und Felix Bloch unternahmen die vielstündige Bahnfahrt gemeinsam mit ihren Leipziger Doktoranden Carl Friedrich von Weizsäcker und Edward Teller, in Berlin stieß Otto Hahns Assistent Max Delbrück dazu. Unterwegs debattierten die jungen Leute ausführlich über das aufregendste atomphysikalische Thema das Jahres: die Entdeckung des Briten James Chadwick, dass es nebst dem positiv geladenen Atomkern und den negativ geladenen Elektronen auch Neutronen, also Elementarteilchen ohne Ladung gibt. Das eröffnete die Perspektive, dass Atomkerne gar kein unteilbares Ganzes seien, wie man bisher angenommen hatte, sondern aus mehreren Teilen zusammengesetzt sein könnten und sich aufspalten ließen.

Da in jenen Tagen zudem Goethes hundertster Todestag bevorstand, hatte auf dem Weg nach Kopenhagen wohl dieser oder jener Reisende seinen »Faust« im Gepäck; und so kamen Heisenberg, Bloch, Teller, von Weizsäcker und Delbrück unterwegs auf die Idee, die Konferenz mit einer quantenphysikalischen Parodie des »Faust« zu bereichern.

Die Idee wurde sofort in die Tat umgesetzt. Im Zentrum des Stücks stand des Pudels Kern sowie die Frage, was die Welt in ihrem Innersten zusammenhält. Es gelangte am Ostersonntag 1932 unter Mitwirkung zahlreicher Tagungsteilnehmer im großen Hörsaal des Instituts zur Aufführung.

Die Rolle des Faust spielte der Leidener Professor Paul Ehrenfest, jene des Mephistopheles der Belgier Léon Rosenfeld. Felix Bloch spielte den Herrgott persönlich, er thronte auf einem hohen Schemel über dem Experimentiertisch und trug einen Zylinder sowie eine selbstgefertigte Maske, die unverkennbar Niels Bohrs Gesichtszuge trug. Der chorus mysticus wurde von Heisenberg, Oppenheimer und vier weiteren Freiwilligen gebildet.

Das Gelächter war groß, als Faust die Bühne betrat und deklamierte:

Habe nun, ach, Valenzchemie,
Elektrodynamik und Gruppenpest,
Und leider auch Transformationstheorie
Durchaus studiert mit heißem Bemühn;
Da steh' ich nun, ich armer Wicht:
Nichts Gewisses weiß ich nicht!
Heiße Magister, heiße Professor gar,
Und ziehe schon an die dreißig Jahr,
Herauf, herab, und quer und krumm,
Meine Schüler an der Nase rum.
Zwar bin ich gescheiter als die Laffen,
Doktoren, Bonzen und anderen Affen,
Mich plagen alle Skrupel und Zweifel,
Fürcht' mich vor Pauli wie vorm Teufel.
(...)

Ein bewegender Augenblick war der Auftritt der dänischen Studentin Ellen Tvede, die das Gretchen gab. Sie war mit einem großen Plusminus-Zeichen im Gesicht als Neutron verkleidet und sang zu Schuberts Melodie »Gretchen am Spinnrad«:

Meine Ladung ist hin,
Statistik ist schwer,
Ich finde sie nimmer
Und nimmermehr.
Wo du mich nicht hast,
keine Formel passt.
Die ganze Welt
Ist dir vergällt.
Nur mit mir allein
Kann der Betastrahl sein.

Auch der Stickstoffkern
Steht mir nicht ganz fern.
Meine Ladung ist hin,
Statistik ist schwer,
Ich finde sie nimmer
Und nimmermehr.
Mein Dipol drängt
Sich nach ihm hin.
Ach dürft' ich fassen
Und halten ihn.
Es pocht mein Herz,
Es zittert mein Spin.
Ich liebe dich,
O nimm mich hin.
Meine Ladung ist hin,
Statistik ist schwer,
Ich finde sie nimmer
Und nimmermehr.

Sechstes Kapitel

Nach seiner Rückkehr aus Kopenhagen machte Felix Bloch erste Notizen zu einer Arbeit über das Bremsvermögen von Atomen mit mehreren Elektronen. Zur gleichen Zeit unternahm in Marseille Laura d'Oriano erste Versuche, sich an ihre neue Rolle als Ehefrau und werdende Mutter zu gewöhnen. Rein technisch gesehen wäre es wohl möglich gewesen, dass Emil Fraunholz bei den d'Orianos über der Musikalienhandlung eingezogen wäre, auch wäre es angesichts von Wirtschaftskrise und Massenarbeitslosigkeit vernünftig erschienen, die Lebenshaltungskosten für das junge Paar gering zu halten und die Einkünfte zusammenzulegen. Da sie aber alle kluge Menschen waren und wussten, dass daraus auf Dauer nichts Gutes entstehen konnte, machte sich Emil an die Verwirklichung eines Plans, den er sich schon vor einer Weile für den Notfall bereitgelegt hatte. Es hatte ihm nämlich einst ein Legionär, der in seinem früheren Leben Apotheker in Grasse gewesen war und seine alte Existenz aus unbekannten Gründen überstürzt hatte ablegen müssen, die Übernahme seines Geschäfts samt Wohnung zu einem Spottpreis angeboten.

Während Emil Pläne schmiedete, wandte Laura vorsichtig ein, dass erstens Grasse ein Provinznest am Arsch der Welt sei und zweitens Emil selber, wenn sie richtig unterrichtet sei, nicht den Hauch einer Ahnung vom Apothekenwesen habe. Dagegen führte Emil ins Feld, dass erstens die Luft der Alpes Maritimes für das Baby unvergleichlich besser wäre als jene am Hafen von Marseille, und dass zweitens Grasse als Welthauptstadt der Parfümherstellung eine beliebte Destination reicher amerikanischer Touristen sei. Was schließlich drittens den Apothekerberuf betreffe, so sei dieser nun wirklich keine Hexerei; gegen Husten verkaufe man Sirolin und gegen Hühneraugen opiumhaltige Anaxa-Pflaster, bei allen schwierigeren Fällen verweise man an den Hausarzt.

Also packte das junge Ehepaar seine Habseligkeiten und ließ sich von Vater d'Oriano in einem geliehenen Fiat nach Grasse fahren, holte die Hausschlüssel des Legionärs bei dessen Mutter und bezog das neue Heim. Dort machten Laura und Emil die erstaunliche Erfahrung, dass in der Apotheke und in der darüberliegenden Wohnung sämtliche Dinge des täglichen Bedarfs derart ihren Bedürfnissen, ihrem Geschmack und ihren Maßen entsprachen, dass man hätte meinen können, sie selber seien ihre eigenen Vorgänger gewesen. Die Hausschuhe hinter der Wohnungstür passten perfekt an Emils Füße, auch der Bademantel im Schrank hatte exakt seine Größe. Laura entdeckte im Schlafzimmer auf dem Schminktisch einen neuen Kajal-Stift ihrer Marke und ihr bevorzugtes Parfüm, und neben dem Ehebett stand eine Wiege samt Kissen und Daunendecke, die nur auf ihr Baby zu warten schien.

Emil, was soll das, sagte Laura.

Nicht zu fassen, sagte er.

Ist das einer deiner Tricks?

Ich stehe vor einem Rätsel, sagte er. Hand aufs Herz, ich wundere mich genauso wie du.

Das ist nicht lustig, Emil. Ich will jetzt wissen, ob du schon mal hier gewesen bist.

Nie. Ich schwör's.

Dann glaubte Laura ihm, denn sie wusste, dass Emil zwar ein Schlaumeier, aber kein Lügner war. Er war noch nie in Grasse gewesen, und auch den Legionär kannte er nur aus Briefen; dass dieses Haus zu ihnen passte wie angegossen, war tatsächlich der reine Zufall. In der Folge wunderten Laura und Emil sich schon gar nicht mehr, dass sie in der Apotheke zwei perfekt passende weiße Apothekermäntel vorfanden und die Regale staubfrei und bestens aufgefüllt waren, und dass auf dem Tresen ein Bericht des letzten Inventars in zweifacher Ausführung lag.

Emil brauchte nichts weiter zu tun, als am folgenden Montag um acht Uhr morgens den weißen Mantel überzustreifen und die Ladentür aufzusperren. Laura würde den Haushalt besorgen und sich um das Baby kümmern, und vielleicht würde sie gelegentlich, während das Baby schlief, in der Apotheke aushelfen. Wenn das Geschäft gut lief, würden sie ein gebrauchtes Auto kaufen und an den Wochenenden nach Cannes und Nizza fahren, und zu hohen Feiertagen auch mal nach Marseille zu Lauras Eltern und Geschwistern.

Emil rechnete fest damit, dass die Apotheke ihn und seine Familie für die Dauer der Wirtschaftskrise ernähren würde, weil die Menschen zu allen Zeiten krank wurden und immer Medikamente brauchten, an die sie glauben konnten. Aber das war ein Irrtum. Am Tag der Wiedereröffnung hatte er eine einzige Kundin, am zweiten Tag niemanden, am dritten Tag zwei. Wie es sich nämlich herausstellte, hatte die Krise erst den Tourismus zum Erliegen gebracht, die Amerikaner blieben aus; dann war auch der Parfümhandel eingebrochen, die Bürger von Grasse verdienten kein Geld mehr. Und weil sie sich das Krankwerden nicht mehr leisten konnten, blieben sie einfach gesund. Jene aber, die doch krank wurden, ließen sich nichts anmerken, weil sie das bisschen Geld, das sie noch hatten, lieber in die Metzgerei trugen als in die Apotheke. Denn der Mensch kann zur Not auch ohne Hühneraugenpflaster und Opiumtinktur leben, aber nicht ohne Rindsschnitzel.

Tagelang stand Emil allein in der Apotheke, die Klingel über der Eingangstür blieb stumm. Als er abends zusperrte, war die Kasse so leer wie am Morgen. Die Ersparnisse und das Brautgeld gingen zur Neige, Laura fand im Städtchen bald keinen Bäcker und keinen Gemüsehändler mehr, bei dem sie anschreiben lassen konnte. Zweimal schon war sie nach Marseille gefahren und hatte die Eltern um Geld gebeten. Ein drittes Mal wollte sie nicht gehen. Im April kam das Baby zur Welt. Es war ein Mädchen, das sie auf den Namen Renée tauften. Die Händler hatten nun Mitleid und gaben Laura wieder Kredit. Als sie wenige Monate später aber ein zweites Mal schwanger wurde und wieder mit rundem Bauch um Wurst und Brot anstand, machten die Gewerbetreibenden strenge Gesichter und schauten durch Laura hindurch, als ob sie Luft wäre, bis sie ein Einsehen hatte und mit leerer Tasche nach Hause lief.

Im März 1933 kam das zweite Mädchen zur Welt. Sie tauften es Anna. Laura und Emils Lage war verzweifelt, es fehlte ihnen an allem. Nachdem Laura sich einigermaßen von der

Niederkunft erholt hatte, rief sie alle drei Tanzcafés in Cannes an, bat um ein Gastspiel und erniedrigte sich so weit, dass sie zur Probe in den Telefonhörer sang. Und als sie tatsächlich einen Auftritt erbettelt hatte und an einem Freitagabend im Abendkleid mit dem Omnibus wegfuhr, ließ Emil Fraunholz in einem Anfall rasender Eifersucht, die er an sich selbst zuvor nicht gekannt hatte, die beiden schlafenden Töchter allein in der Wohnung zurück, entwendete das Fahrrad eines Nachbarn und pedalte die ganzen zwanzig Kilometer hinunter nach Cannes, um Lauras Auftritt im Dunkeln zu verfolgen und ihr hinterher die schrecklichste Szene zu machen, weil sie im Scheinwerferlicht ihr Strumpfband und ihr Dekolleté hergezeigt hatte.

Dann kam der Sommer, das Leben wurde ein wenig leichter, weil Südfrankreich von Lebensmitteln überquoll. An einem Oktoberabend aber, als man schon wieder Geld für den Kohleofen brauchte, erkundigte sich Emil Fraunholz nach dem Zubettgehen vorsichtig bei seiner Gattin, ob sie sich eventuell vorstellen könnte, die Zelte in Südfrankreich vorübergehend abzubrechen und das Ende der Wirtschaftskrise auf dem Bauernhof seiner Eltern in der Schweiz abzuwarten.

Da müsstest du doch ins Militär, sagte sie schläfrig.

Die wollen mich jetzt nicht mehr, antwortete er. Ich bin verheiratet und habe zwei Kinder, weißt du?

Da setzte Laura sich im Bett auf und schaltete die Nachttischlampe wieder ein.

Emil, schau mich an und hör mir zu.

Ich höre.

Ich bin dir nach Grasse gefolgt, obwohl ich lieber in Marseille geblieben wäre.

Das stimmt.

Ich bleibe treu an deiner Seite in guten wie in schlechten Zeiten, wie wir es dem Pfarrer versprochen haben.

Ich weiß.

Aber was du jetzt von mir verlangst, geht zu weit. Es übersteigt meine Kräfte, hörst du, eher lasse ich mich scheiden oder erschießen wie ein Hund, als dass ich mich in deinem Bauerndorf begraben lasse.

Wie redest du denn, sagte er, das ist nicht mein Bauerndorf. Wir hätten ein Dach über dem Kopf und die Kinder hätten zu essen. Jede Menge Kartoffeln und Äpfel, und frische Milch.

Wie heißt der Ort noch mal? Bottikov?

Bottighofen. Es muss ja nicht für ewig sein. Ein Jahr oder zwei, bis die Krise vorbei ist.

Bottikov, wo liegt das, in Russland? Und was gibt's dort, Kühe? Apfelbäume?

Der Bodensee ist schön, du wirst sehen. Die Touristen kommen von weit her.

Ich bleibe hier.

Auf immer in Südfrankreich?

Was hast du gegen Südfrankreich?

Nichts, sagte Emil.

Du hast etwas gegen Südfrankreich.

Südfrankreich ist schön, sagte Emil.

Aber?

Es gibt auch Schattenseiten, wie überall.

Zum Beispiel?

Lass gut sein.

Zum Beispiel?

Zum Beispiel ist Südfrankreich der Ort, an dem kapriziöse

Kellner jungen Ausländern beibringen, wie man kleine Vögel mit Messer und Gabel isst.

Und deshalb zieht es dich heim nach Bottikov?

Wenn du so willst, jawohl. Wir essen keine kleinen Vögel, dafür haben wir reichlich Kartoffeln und frische Milch.

Laura wollte nichts mehr hören, ein Umzug nach Bottighofen kam für sie nicht in Frage. Sie löschte das Licht und schlief ein, und am nächsten Morgen beim Frühstück schärfte sie Emil noch mal ein, dass er sich jeden Gedanken daran ein für alle Mal aus dem Kopf schlagen solle. Und sie wäre gewiss standhaft geblieben, wenn nicht drei Tage später der Gerichtsvollzieher gekommen wäre und die Ladentür der Apotheke versiegelt hätte.

*

Nach der Rückkehr aus Kopenhagen reichte Felix Bloch seine Habilitationsschrift ein, dann hielt er Vorlesungen über die Allgemeine Relativitätstheorie, die Quantentheorie des Magnetismus und die Absorption hochenergetischer Teilchen durch Materie. 1932 war ein fröhliches Jahr für die Naturwissenschaften, die Entdeckung des Neutrons hatte auf weiten Gebieten neue Horizonte eröffnet. In Deutschland aber neigte sich das annus mirabilis, wie die Physiker es nannten, lang vor dem Herbst dem Ende zu.

Felix Bloch bemerkte es daran, dass in der Leipziger Innenstadt immer mehr Fahnen hingen. Ständig gab es Demonstrationen und Fackelzüge, alle paar Tage floss Blut bei Prügeleien und Schießereien. An der Universität besetzten Wachtposten des Nationalsozialistischen Deutschen Studentenbunds (NSDSTB) Eingänge und Treppen und verprügelten die Zettelverteiler anderer Parteien. In den Hörsälen saßen uniformierte Studenten und machten Krawall, wenn sie den Verdacht hatten, dass der Dozent Jude sein könnte. Ein Professor für Radiophysik namens Erich Marx konnte unter dem Gejohle der Uniformierten überhaupt keine Veranstaltungen mehr abhalten und musste demissionieren. Der NSDSTB forderte die Streichung der Quantenphysik aus den Lehrplänen, weil sie jüdisches Gedankengut verbreite. Die Relativitätstheorie durfte an deutschen Universitäten bald nicht mehr gelehrt, Einsteins Name nicht mehr ausgesprochen werden. Am 10. Dezember stiegen Albert und Elsa Einstein am Berliner Lehrter Bahnhof mit sechs Koffern in den Zug nach Antwerpen, wo sie sich für die Überfahrt nach New York einschifften.

Auch Felix Bloch wurde ausgebuht, kurz vor Weihnachten musste er erstmals eine Vorlesung abbrechen. Es begann vermeintlich harmlos, indem ein uniformierter Student eine Kupfermünze zu Boden fallen ließ. Noch bevor aber das Geklimper verklungen war, fiel eine zweite Münze zu Boden und dann in rascher Folge eine fünfte, eine zehnte und eine zwanzigste, und in das Geklimper hinein klatschte ein Student dröhnend mit der flachen Hand auf den Tisch, worauf hundert Hände im Takt auf die Tische klatschten, dass es klang wie Stiefelgetrampel. Felix Bloch schrieb ungerührt weiter seine Formeln an die Wandtafel. Aber als die ersten Kupfermünzen nach vorne flogen, legte er die Kreide ab und verließ den Saal.

An jenem Tag musste Felix zur Kenntnis nehmen, dass sein Pazifismus ihm keinerlei Schutz bot vor dem blinden Hass der Irregeleiteten. Er war machtlos gegen die bösartige Dummheit und die zügellose Gewalt, die sich nicht nur in den Hörsälen der Universität, sondern auch in den Straßen von Leipzig breitgemacht hatten. Wenn er mit dem Rad in die Innenstadt fuhr, wurde er von Studenten erkannt und angepöbelt, manchmal flogen Steine. Bald nahm er nur noch die Straßenbahn und versteckte sich hinter einer Zeitung.

Der Winter ließ in jenem Jahr lang auf sich warten, es blieb bis nach Silvester zu warm. Viele Hausbesitzer glaubten schon, diesmal mit der Hälfte der üblichen Kohle auszukommen, als Mitte Januar 1933 doch noch die große Kälte Einzug hielt. Die Tauben fielen tot von den Dächern, Bäche, Abwasserkanäle und Wasserleitungen froren zu. Die Fensterscheiben der Straßenbahn waren innen und außen dicht mit Eisblumen bedeckt. Felix verpasste mehrmals sein Ziel, weil der Schaffner die Station nicht ausrief.

Um vor dem ständigen Hassgeschrei zu fliehen, fuhr er sonntags oft zur Eisbahn; die Rodelbahn war wegen Schneemangel noch geschlossen. Abends ging er, weil ihn in seiner Dachkammer fror, ins Kino. In der Alberthalle und im Königspavillon lief »Tarzans Rückkehr« mit Tom Tyler, im Capitol »Blonde Venus« mit Marlene Dietrich.

Am letzten Tag der Kältewelle demonstrierten zwanzigtausend sozialistische Arbeiter auf dem Messplatz, am folgenden Morgen brach um sieben Uhr ein heftiges Wintergewitter über Leipzig herein. Unter Blitz und Donner fielen dreißig Zentimeter Schnee, dann wurde es wärmer. Als am Nachmittag der Nationalsozialistische Studentenbund auf dem Universitätshof seine tägliche Demonstration abhielt, verwandelte sich der Schnee unter den Stiefeln der Uniformierten in grauen Matsch.

Felix Bloch muss damals schon gewusst haben, dass seine Zeit in Leipzig abgelaufen war. Nach der Reichstagswahl vom 5. März erhielt die Universität einen neuen Rektor, der zum

Amtsantritt vor versammelter Belegschaft auf dem Dach seines Instituts eigenhändig die Hakenkreuzfahne aufzog. Neue Veranstaltungen wie »Blut und Boden« und »Volk ohne Raum« wurden in den Lehrplan aufgenommen. Am 21. März marschierte ein Fackelumzug mit dreihunderttausend Menschen vom Messplatz zum Augustusplatz. Schüler, Studenten, Soldaten, Arbeiter, Bürger, Bauern – alle machten mit.

Das Stampfen der Stiefel und die vieltausendstimmigen Gesänge drangen durch die Gassen bis hinaus ans Institut für theoretische Physik, wo Felix Bloch und Werner Heisenberg sie wohl hörten, aber nicht über sie redeten. Die Zeichen waren so offensichtlich und die aufziehende Katastrophe schien so unausweichlich, dass es nichts zu sagen gab. Deshalb schwiegen sie darüber, wenn sie frühmorgens gemeinsam Kaffee tranken und die Geschäfte des Tages besprachen. Sie schwiegen auch, wenn sie abends im Keller Pingpong spielten. Und als Heisenberg und seine Freunde zu Ostern 1933 für eine Woche in die bayrischen Alpen zum Skilaufen fuhren, schwiegen sie ebenfalls.

Es war schon vier Uhr nachmittags, als Heisenberg mit Niels Bohr und dessen Sohn Christian sowie von Weizsäcker und Felix Bloch an der Bahnstation Oberaudorf unweit der österreichischen Grenze aufbrach. Der Aufstieg zur Skihütte, die am Südhang des Großen Traithen auf der Steilen Alm stand, war anstrengend; im Sommer wäre er leicht in zwei oder drei Stunden zu schaffen gewesen, aber weil tags zuvor ein Meter Schnee gefallen war, würde es nun doppelt oder dreimal so lange dauern.

Der Weg führte steil bergan durch tief verschneiten Wald, das Gepäck wog schwer. Während der ersten Rast gab Heisenberg zum Besten, dass jetzt »inversives Bergsteigen« angenehm wäre, wie er es in Amerika am Grand Canyon erlebt habe. Dort komme man im Schlafwagen auf zweitausend Metern Höhe am Rande einer großen Wüstenebene an und könne bequem bis zum Colorado River absteigen, der sich praktisch auf Meeresniveau befinde; allerdings müsse man hernach auf dem Rückweg zum Schlafwagen die zweitausend Meter wieder hochklettern.

Der mühsamste Teil des Aufstiegs stand ihnen nach Anbruch der Nacht bevor, als sie eine Höhe erreichten, in welcher der Schnee keine Festigkeit mehr hatte und besorgniserregend pulvrig war. Heisenberg stapfte schweigend voran, hinter ihm folgten Niels und Christian Bohr und dann Carl Friedrich von Weizsäcker, der den Weg mit einem Windlicht beleuchtete. Den Abschluss bildete Felix Bloch, weil er der erfahrenste und ausdauerndste Berggänger war.

Die Männer keuchten, niemand sprach ein Wort. Der Aufstieg ging langsam voran, weil Bohr, der um zwanzig Jahre der Älteste war, schon ein wenig ermüdete. Kurz nach zehn Uhr hatte Heisenberg, wie er später in »Der Teil und das Ganze« schrieb, plötzlich die sonderbare Empfindung, in der Schwärze der Nacht ins Schwimmen zu geraten. Untereins war er von Schnee umgeben und hatte keine Herrschaft mehr über seine Gliedmaßen, und eine Weile konnte er nicht mehr atmen, obwohl sein Kopf oberhalb der Schneemassen blieb. Dann kam alles zur Ruhe. Heisenberg befreite sich aus dem Schnee und drehte sich nach seinen Freunden um, konnte aber in der Dunkelheit nichts erkennen. Er rief »Niels!« und erhielt keine Antwort. Da erschrak er, weil er annehmen musste, dass seine Freunde von der Lawine mitgerissen worden waren. Unter größter Anstrengung grub er seine Ski aus dem Schnee, spähte noch einmal in die Nacht und entdeckte weit oben am Hang ein Licht – es war von Weizsäckers Windlicht. Da begriff Heisenberg, dass die Lawine nicht die Freunde, sondern ihn mitgenommen hatte, während jene auf dem Pfad stehengeblieben waren. Rasch schnallte er sich die Ski an die Füße und stieg zu den anderen auf. Nachdem sie einander atemlos versichert hatten, dass sie alle wohlauf seien, setzten sie schweigend ihren Weg fort.

Sie erreichten die Skihütte am nächsten Morgen durch blendend weiße Schneemassen unter einem dunkelblauen Himmel. Nach dem Schrecken und den Anstrengungen der Nacht stand ihnen der Sinn noch nicht nach Skifahren, also schaufelten sie das Hüttendach frei und legten sich in die Sonne. Und als sie die Sprache wiedergefunden hatten, sprachen sie nicht etwa über den Leipziger Polizeipräsidenten, der per Dekret die »Leipziger Volkszeitung« verboten hatte, und auch nicht über die SA-Horden, die das jüdische Kaufhaus Held an der Merseburger Straße geschlossen hatten; sie sprachen nicht darüber, dass die Stadt Leipzig wenige Tage zuvor Hitler und Hindenburg das Ehrenbürgerrecht verliehen hatte, und auch nicht darüber, dass an der Universität schon acht Professoren per sofort beurlaubt worden waren.

Über all das sprachen sie nicht, weil sie sich ihrer Ohnmacht schämten, und weil es keine Worte gab, die der Katastrophe angemessen gewesen wären. So diskutierten sie stattdessen vor dem prächtigen Alpenpanorama die Frage, ob es nebst Neutronen und negativ geladenen Elektronen auch positiv geladene Anti-Teilchen geben könne, wie ihre angelsächsischen Kollegen Dirac und Anderson unlängst behauptet hatten. Niels Bohr zog die jüngste Nummer der

»Physical Review« aus dem Rucksack, in der eine Nebelkammerfotografie abgebildet war, die das zu beweisen schien. Zu sehen war der Kondensstreifen eines Teilchens, das in der Nebelkammer eine Bleiplatte durchschlagen und an einem starken Magneten vorbeigeflogen war. Erstaunlich an der Aufnahme war, dass der Kondensstreifen sich nicht zum Magneten hin krümmte, wie er es hätte tun müssen, wenn es sich um ein negativ geladenes Elektron gehandelt hätte, sondern sich im Gegenteil vom Magneten abwandte, was auf eine positive Ladung schließen ließ.

Darüber sprachen die fünf Männer stundenlang. Immer wieder reichten sie einander die Zeitschrift und betrachteten stirnrunzelnd die Fotografie, auf der nebst dem Kondensstreifen nichts weiter zu sehen war als vier Schraubenköpfe und die Bleiplatte in seitlicher Ansicht, und suchten nach Erklärungen für die sonderbar gekrümmte Flugbahn, bis die Sonne hinter den verschneiten Bergspitzen untergegangen war.

Dann gingen sie ins Haus. Heisenberg machte Feuer im Kanonenofen. Sie tranken Grog, pokerten im Schein der Petrollampe um Spielgeld und spielten auf einem alten Grammophon schlechte Schlagerplatten ab, und weil nach Anbruch der Nacht bissige Kälte durch die Ritzen drang, legten sie sich schon bald ohne weitere Worte auf den Strohsäcken des Nachtlagers zur Ruhe.

Am nächsten Morgen unternahmen die Männer, weil die Schneedecke sich unter der Sonne verfestigt hatte, eine Skitour, am Nachmittag vertrieben sie sich die Zeit auf dem Hüttendach mit einer weiteren physikalisch-philosophischen Diskussion; über alles andere schwiegen sie. Heisenberg sprach nicht darüber, dass er nun jede Vorlesung mit dem Hitlergruß zu eröffnen hatte. Carl Friedrich von Weizsäcker behielt für sich, dass er den Judenhass der Nazis zwar primitiv, die wiedergewonnene Hoffnung im deutschen Volk hingegen faszinierend fand; auch gab er nicht zum Besten, dass er in zwei Wochen an der Leipziger 1.-Mai-Feier teilnehmen würde, an welcher der Führer als Redner angekündigt war. Felix Bloch seinerseits schwieg darüber, dass das neue Berufsbeamtengesetz vom 7. April ihn gezwungen hatte, seine jüdischen Großeltern zu deklarieren, und er informierte die Freunde auch nicht über die Tatsache, dass er ab 1. Oktober ein Rockefeller-Stipendium von hundertfünfzig Dollar pro Monat haben und finanziell unabhängig und frei sein würde, irgendwo auf der Welt nach Belieben seine Forschung weiterzutreiben.

So vergingen die Tage. Am Ostermontag, dem 16. April 1933, waren die Ferien vorüber, die fünf schnallten die Ski an die Füße und fuhren mit ihrem Gepäck auf der kürzeren westlichen Abstiegsroute ins Tal zwischen Bayrischzell und Landl. Es war ein warmer und sonniger Tag. Der Schnee war ein bisschen karstig geworden, bot aber eine recht feste Unterlage. Unten im Tal, wo kein Schnee mehr lag, blühten die Leberblümchen zwischen den Bäumen, und die Wiesen waren übersät mit Himmelschlüsseln.

Beim Zipfelwirt ließen die Atomphysiker zwei Pferde anspannen und fuhren im offenen Bauernwagen durch den bayrischen Frühling zur nächsten Station der Oberlandbahn. Und weil sie die ganze Zeit schon kein Wort über die dunkle Nacht gesprochen hatten, die sich über Deutschland und Leipzig, über die Universität und jeden Einzelnen von ihnen gelegt hatte, redeten sie auch während der Bahnfahrt nur übers Wetter und das Aufspalten von Atomkernen und schwiegen über die unausweichliche Tatsache, dass sich ihre Wege im Münchner Hauptbahnhof trennen würden. Niels und Christian Bohr würden, weil sie dänische Staatsbürger waren, zurückkehren nach Dänemark. Heisenberg und von Weizsäcker würden, weil sie ihr Institut nicht im Stich lassen wollten, in den Zug nach Leipzig steigen, um ihre Insel der Kultur über die Zeit der Barbarei hinweg zu retten. Felix Bloch aber würde allein den Zug nach Zürich nehmen und zeitlebens keinen Fuß mehr auf deutschen Boden setzen.

*

So geschah es, dass Emil und Laura mit den zwei Mädchen Ende Oktober 1933 zum Bahnhof gingen und über Cannes, Aix und Lyon nordwärts reisten. Vielleicht wäre alles anders gekommen, wenn sie an einem jener leuchtend klaren Herbsttage in der Schweiz eingetroffen wären, an denen ein warmer Fallwind aus den Schneebergen einen letzten Hauch von Spätsommer in die Täler trägt, die Luft noch einmal voll Insektengewimmel ist und die Frauen ein letztes Mal leichte Röcke tragen. Dann hätte die Bahnreise von Genf an den Bodensee für Emil Fraunholz zur Triumphfahrt werden können, weil er Laura das lodernde Spektakel der herbstlichen Weinberge hätte zeigen können und die Majestät des weißen Alpenbogens, der sich während der gesamten Fahrt im rechten Fenster präsentiert hätte, und vielleicht hätten sie in Zürich einen Zwischenhalt eingelegt und wären über die Bahnhofstraße an den See spaziert, hätten das Opernhaus besichtigt und wären womöglich Felix Bloch über den Weg gelaufen, der in jenen Tagen bei den Eltern an der Seehofstraße wohnte und seine Auswanderung nach Amerika vorbereitete, und natürlich hätten Felix Bloch und Laura d'Oriano einander keinesfalls wiedererkannt und Laura wäre mit Ehemann und Kindern zum Schauspielhaus hinaufspaziert, dann am Kunstmuseum vorbei durchs Niederdorf und zurück zum Bahnhof; vermutlich wären sie dann erst spätabends in Kreuzlingen angekommen, als der letzte Bus nach Bottighofen schon weggefahren war, und dann hätten sie die Nacht im Hotel verbracht und hätten am nächsten Morgen, weil das Wetter immer noch schön war, mit einem schmucken weißen Raddampfer eine Rundfahrt auf dem Bodensee unternommen, bevor sie mit dem Bus nach Bottighofen gefahren wären und ihre Aufwartung bei Emils Eltern gemacht hätten.

Aber so war es nicht. Es regnete während der ganzen Bahnfahrt in Strömen und der Himmel war so schwarz verhangen, dass es mitten am Nachmittag schon dunkel wurde, und dazu klatschte ein eisiger Wind das Regenwasser wie aus Eimern gegen die Fenster, weshalb Emil und Laura beim Umsteigen keinen Gedanken an touristische Lustbarkeiten verschwendeten, sondern nur darauf achtgaben, ihre Koffer und die beiden Kinder trockenzuhalten. Die Busfahrt vom Hauptbahnhof Kreuzlingen zum Postamt Bottighofen in der Abenddämmerung dauerte zwanzig Minuten, der Fußmarsch hinauf zum Hof der Eltern eine Viertelstunde.

Und dann standen sie vor dem Haus im Dunkeln. Die Koffer hatten sie im Gasthof »Zum Bären« abgestellt, auf den Armen trugen sie die schlafenden Kinder. Es hatte aufgehört zu regnen. Emil rief erst den Vater und dann die Mutter. Die Tür ging auf, die Eltern traten in Holzschuhen auf den schlammigen Vorplatz hinaus, die Mutter leuchtete ihnen mit einer Petrollampe entgegen. Es folgten ungelenke Begrüßungen und Umarmungen, die Ankömmlinge wurden ins Haus gebeten.

Die Kinder wurden bewundert und in ihre Betten gelegt, in der guten Stube standen Brot, Wurst und Käse auf dem Tisch, dazu eine Flasche Rotwein und ein Krug Milch. Der Vater hieß Laura mit ein paar französischen Brocken willkommen, die er im Militärdienst aufgeschnappt hatte. Die Mutter lächelte Laura aufmunternd zu, tätschelte ihr den Unterarm und forderte sie mit Gebärden auf, bei Speis' und Trank herzhaft zuzugreifen.

Laura lächelte ebenfalls und ließ über Emil ausrichten, dass sie es bedaure, noch kein Wort Schweizerdeutsch zu verstehen, dann lehnte sie sich zurück und lauschte dem Gespräch der Schwiegereltern mit ihrem Sohn, den sie seit fünf Jahren nicht mehr gesehen hatten. Sie betrachtete ihre gerührten Gesichter und ihre knotigen Hände, und sie sagte sich, dass sie bei guten, friedfertigen und fleißigen Menschen angekommen sei, mit denen eine Weile in Frieden zu leben ihr nicht allzu schwerfallen dürfe.

Nach dem Essen liefen Emil und sein Vater noch einmal hinunter zum »Bären«, um die Koffer zu holen, und Laura ließ sich von der Mutter den Weg zur Toilette und zur Waschküche zeigen. Vor dem Schlafengehen räumte sie die Kleider in den Schrank mit dem festen Vorsatz, sich hier niederzulassen und nicht gleich wieder an Abreise zu denken.

In Bottighofen war es seit alters her Brauch, dass die Bauern in der letzten Oktoberwoche Vorfenster in ihre Fenster hängten und wurstförmige Kissen auf die Fensterbänke legten. Laura verstand, dass der Winter hart und lang werden würde, und dass die Fenster nun fest verriegelt waren und bis zum Frühling nicht mehr geöffnet würden.

Es war die trübste Zeit des Jahres. Die Nächte waren lang und die Tage so kurz, dass die Morgendämmerung direkt in die Abenddämmerung überging. Manchmal fiel ein wenig Schnee. Auf den Weiden standen nasse Kühe unter kahlen Apfelbäumen und ließen die Köpfe hängen. Emil machte sich nützlich, indem er mit dem Vater eine Scheune mit neuen Schindeln deckte. Laura ging der Schwiegermutter in der Küche zur Hand und unternahm, damit die Kinder an die frische Luft kamen, Spaziergänge in die Hügel über dem Dorf.

In der zweiten Woche aber gab die Schwiegermutter Laura mit freundlichen Gebärden zu verstehen, dass es draußen kalt sei und sie die Kleinen ruhig bei ihr in der Küche lassen könne, wenn sie an die frische Luft wolle. Und als Laura dann von einem langen, unbeschwerten Spaziergang zurückkehrte, bei dem sie erstmals seit langer Zeit auf nichts anderes als auf ihre eigenen Schritte hatte aufpassen müssen, fand sie in der Küche die zwei Mädchen und ihre Großmutter in einer Atmosphäre geradezu summenden Glücks vor. Als sie am nächsten Tag wiederum allein aufbrach, nahm das niemand im Haus zur Kenntnis, und so ging sie fortan immer allein spazieren und blieb so lange weg, wie es ihr gefiel.

Es gab oben bei der Ruine Liebburg eine Sitzbank, auf der Laura eine schöne Aussicht auf den Bodensee hatte, der sich bleigrau in der Ferne verlor und am deutschen Ufer mit dem Nebel verschmolz. Dort saß sie jeden Nachmittag, rauchte Zigaretten und übte die schweizerdeutschen Wörter, die ihr die Schwiegermutter mit verschämtem Stolz auf das eigensinnig-bäuerliche Idiom beigebracht hatte: Meassi, Wenziwenzoguezi, Danggenadie, Wotschau, Nüützdangge. Sie behielt die Wörter mit Leichtigkeit im Gedächtnis – und übte die helle, zarte Färbung des Thurgauer Dialekts, der den Frauen so gut stand und auch den Männern eine feminine Note gab, mit dem Fleiß einer Musikerin, die den richtigen Ton schon im Ohr hat und ehrgeizig genug ist, diesen auch präzise zu treffen.

Laura war festen Willens, in möglichst kurzer Zeit möglichst akzentfrei Schweizerdeutsch zu lernen, denn sie war in Bottighofen bei gutmütigen, liebenswerten und großherzigen Menschen angelangt. Bei ihnen wollte sie bleiben, besser konnte es ihr nirgends ergehen.

Und wenn ihr das Herz schwer wurde beim Abstieg auf dem morastigen Feldweg, beim Anblick der geduckten Bauernhäuser und der Krähen, die zwischen den Ackerfurchen umherhüpften und Saatgut herauspickten, so tröstete sie sich mit dem Gedanken, dass nach Weihnachten die Tage wieder länger würden und es dann nicht mehr lange dauern würde, bis die tausend Apfelbäume, die jetzt so schwarz und scheintot an den Hängen Bottighofens standen, aufs Neue weißrosa erblühen würden.

Aber dann kam jener sonnige Morgen, an dem Laura mit einem Korb Wäsche aus der Waschküche trat, die sich einige Schritte neben dem Wohnhaus in einem kleinen Schopf befand. Von den Dächern tropfte das Schmelzwasser, auf dem Fußweg zum Vorplatz stand Emil Fraunholz und legte die linke Hand an die Wange wie einer, der eine zwar nicht sehr bedeutsame, aber unangenehme Nachricht zu überbringen hat. Laura blieb stehen und schaute ihn an.

Alles in Ordnung? fragte er.

Laura nickte.

Gehst du Wäsche aufhängen?

Wie du siehst.

Laura, hör zu. Emil rieb sich den Nacken und warf ihr einen verlegenen Seitenblick zu. Ich habe mich gefragt …

Was?

Ich habe mich gefragt, ob du bitte in Zukunft deine Wäsche nicht mehr im Vorgarten, sondern hinter dem Haus aufhängen könntest. Beim Ziegenstall.

Dort hat's keine Wäscheleine.

Meine Mutter hat gerade eben eine gespannt.

Hinter dem Haus ist es schattig und windstill, sagte Laura. Dort trocknet die Wäsche nie.

Die dicken Sachen trocknen da nicht, da hast du recht, sagte Emil. Aber die dünnen schon.

Ich soll die dicken Sachen vor dem Haus aufhängen und die dünnen dahinter?

Nur die Unterwäsche, sagte Emil. Nur deine Unterwäsche.

Nur *meine* Unterwäsche?

Meine Mutter bittet dich drum.

Deine Mutter hat eine Leine eigens für mich gespannt? Für *meine* Unterwäsche?

Emil nickte.

Was hat sie gegen meine Unterwäsche?

Nichts, versteh das bitte nicht falsch.

Nein?

Es ist nur so, dass die Leute deine Wäsche sehen können, wenn sie im Vorgarten hängt.

Ich trage ganz normale Unterwäsche. Die ist nicht im Geringsten …

Das ist es nicht, sagte Emil.

Was ist es dann?

Die Leute können deine Wäsche sehen, das ist alles. Gib mir bitte den Korb, ich trage ihn für dich.

Laura lachte und wandte sich ab, damit er ihr den Korb nicht wegnehmen konnte.

Und die Unterwäsche deiner Mutter? Ist die etwa unsichtbar?

Das nicht. Aber man sieht ihr nicht von weitem an, wem sie gehört.

Und meiner Unterwäsche sieht man das an?

Sie leuchtet weithin in die Gegend hinaus, sagte Emil.

Das ist lächerlich, sagte Laura. Meine Unterwäsche ist fast so brav wie die deiner Mutter, ich nehme weiß Gott Rücksicht.

Darum geht's nicht. Bitte gib mir jetzt diesen Korb.

Worum geht's dann?

Deiner Unterwäsche sehen die Leute auf den ersten Blick an, dass sie nicht von hier ist. Es ist, als ob dein Name drauf geschrieben stände, verstehst du? Die Unterwäsche meiner Mutter hingegen ist ganz gewöhnliche hiesige Unterwäsche, deshalb sieht ihr niemand an, dass sie meiner Mutter gehört. Sie sieht genau gleich aus wie die Unterwäsche meiner Schwester. Oder die der Nachbarin.

Das stimmt allerdings, sagte Laura. Oder wie die deines Vaters.

Meine Mutter findet deine Unterwäsche übrigens sehr hübsch. Aber die Leute können nun mal sehen, dass sie dir gehört.

Es tut mir leid, dass meine Unterwäsche dir peinlich ist.

Du musst das verstehen, wir sind hier nicht in Marseille. Die Leute schauen sich unsere Wäscheleine an und merken sich genau, was da für Unterwäsche hängt. Und dann verdrehen sie sich sonntags in der Kirche die Hälse und grinsen, weil sie wissen, was du unter dem Rock anhast.

Ist das so?

Es tut mir leid.

Emil und Laura schauten einander an. Der Wäschekorb hing zwischen ihnen. Weitere Worte waren nicht nötig, beide hatten alles gesagt und alles verstanden. Emil breitete die Arme aus und hielt die Handflächen nach oben wie einer, der für eine offensichtliche Tatsache um Verständnis wirbt. Laura nickte bedächtig.

Dann gehe ich jetzt mal hinters Haus.

Am Nachmittag nahm sie ihre trockene Unterwäsche von der Leine, trug sie aufs Zimmer und packte sie in ihren alten, edlen Handkoffer zu ihren Röcken, den Toilettensachen und ihrem Reisepass. Dann trug sie den Koffer leise aus dem Haus und versteckte ihn hinter einem Stapel Brennholz.

Nach dem Abendessen brachte sie die Kinder zu Bett, versorgte den Ofen mit Kohle für die Nacht und ging noch mal aus dem Haus, um wie gewohnt im Apfelhain ein paar Schritte zu gehen und die letzte Zigarette des Tages zu rauchen. Und als sie am Brennholzstapel vorbeikam, packte sie in einer einzigen fließenden Bewegung ihren Koffer und ging ohne Hast ans Ende des Apfelhains, kletterte über den Zaun und lief am Stichbach entlang bis zur Mühle und dann hügelan. Oben bei der Ruine Liebburg angekommen, setzte sie sich auf ihre Bank, schaute zum Abschied hinunter aufs nächtlich dunkle Bottighofen und weinte um ihre zwei Töchter und um Emil Fraunholz. Sie nahm ein Taschentuch und trocknete ihre Tränen, stand auf und ging entschlossen weiter südwärts, dem nächsten Bahnhof entgegen.

Siebentes Kapitel

Je länger Emile Gilliéron in Griechenland blieb, desto mehr füllten sich seine Taschen mit Geld – nicht nur mit griechischen Drachmen, sondern auch mit französischen Goldfrancs, britischen Pfund Sterling sowie Goldmark und US-Dollar. Nach zehn Jahren in Schliemanns Diensten war er längst wohlhabend genug, sein Haus am Genfersee bauen zu lassen, auch hätte er es schön ausstatten und eine ganze Weile ohne Erwerbseinkommen in süßem Nichtstun leben können. Trotzdem verschob er die Heimreise immer wieder von einem Jahr zum nächsten. Alle paar Monate bekam er einen Brief von seiner Mutter, in dem sie sich erkundigte, ob er in Griechenland auch ordentlich zu essen bekomme und warm angezogen sei, und ob er denn überhaupt kein Heimweh habe. Dann antwortete er ihr jedes Mal, dass er am liebsten sofort heimkehren würde, aber als verheirateter Mann die wichtigen Entscheide des Lebens nicht mehr alleine fällen könne.

Das war wohl wahr. Seine Gattin hatte ihm zu wiederholten Gelegenheiten aufs deutlichste zu verstehen gegeben, dass sie als gebürtige Athenerin sich nur schwer mit dem Gedanken würde anfreunden können, den Rest ihres Lebens in einem verschneiten Hochgebirgstal in Gesellschaft frei lebender Wölfe und Bären zu verbringen. Zudem müsste man ihre verwitwete Mutter und die ledig gebliebene Schwester mitnehmen und ebenso Sohn Emile junior, der doch als Athener Gassenjunge rundum glücklich heranwachse.

All das hinderte Emile Gilliéron tatsächlich an der Rückkehr nach Villeneuve. Das wichtigste Hemmnis aber, das er der Mutter schamhaft verschwieg, war das Geld. Die Geschäfte liefen zu gut, als dass er sie hätte aufgeben können. Denn bei aller Liebe zur Bohème war er tief in seinem Inneren doch ein bäuerlich geprägter Lehrersohn geblieben, der nicht anders konnte, als die Äpfel zu pflücken, wenn sie reif waren. Und weil seine Äpfel nun wirklich reif waren und ein Ende der Erntezeit nicht abzusehen war, schob er die Heimkehr ein Jahr ums andere hinaus und wurde gegen seinen Willen sesshaft und wohlhabend.

Das Geld floss reichlich nach Athen zu jener Zeit. Heinrich Schliemann hatte mit seinen trojanischen Entdeckungen im gesamten Abendland eine nie gekannte Griechenland-Begeisterung ausgelöst; wenn er der Welt verkündete, dass er den Schatz des Priamos gehoben habe, wollte alle Welt diesen Schatz besichtigen. Weil aber der Schatz des Priamos nicht gleichzeitig in sämtlichen Museen von Berlin, Paris, London und Boston ausgestellt werden konnte, verlangten die unterlegenen Bewerber wenigstens originalgetreue Kopien – und zwar um jeden Preis.

Diese Kopien wiederum besorgte ihnen Emile Gilliéron, der genau der richtige Mann für diese Aufgabe war. Erstens war er an den Ausgrabungsstätten vor Ort, wenn die kostbaren Stücke nach Jahrtausenden wieder ans Tageslicht kamen, zweitens hatte er das künstlerische Auge, ihren Wert einzuschätzen. Drittens war er der erste, der die Funde reinigte und aneinanderfügte, wenn sie zerbrochen waren. Und zerbrochen waren sie fast alle, denn es hatte jahrtausendelang tonnenschweres Erdreich auf ihnen gelegen.

Es war für Emile Gilliéron ein großes Vergnügen, die Puzzleteile zusammenzusetzen, das Spiel mit den Möglichkeiten, das er Schliemann bei ihrer ersten Zusammenkunft so eindrücklich demonstriert hatte, beherrschte er virtuos; wenn ihm ein wichtiges Puzzleteil fehlte, zum Beispiel der linke Arm einer goldenen Statuette, stieg er persönlich in die Grube und suchte nach ihm. Wenn der Arm aber partout nicht zu finden war, erstellte er von ihm eine Skizze, wie er nach der Logik der Dinge ausgesehen haben musste, und ließ ihn in Athen beim Goldschmied seines Vertrauens anfertigen. Und wenn eine Vase derart zerstört war, dass sie beim besten Willen nicht mehr gerettet werden konnte, ließ er eine neue Vase töpfern und bemalte sie eigenhändig mit den Motiven, die er auf den Scherben vorgefunden hatte. Sagte ihm das Resultat zu, ließ er drei oder vier Kopien anfertigen, manchmal gleich zehn. Und bevor er seine Nachbildungen in die Welt hinaus versandte, fertigte er von ihnen Aquarelle und Tuschzeichnungen an, die er für gutes Geld an wissenschaftliche Zeitschriften, Lexika und Damenmagazine verkaufte.

So vergingen die Jahre. Sein Sohn Emile junior wuchs heran, die Wohnung wurde eng. Zudem wurde die Schwiegermutter alt, man musste sie zu sich nehmen, und mit ihr das Dienstmädchen und die ledig gebliebene Schwägerin. Also ließ Gilliéron eine großzügige Villa für seine griechische Familie auf einem Hügel am nördlichen Stadtrand bauen, wo noch Schafe weideten und die Grundstücke billig waren. Dafür musste er zwar seine gesamten Ersparnisse hergeben, aber er hatte einen schönen Ausblick auf die Akropolis und das Geld war gut angelegt, denn die Stadt wuchs schnell und würde das freie Feld bald geschluckt haben. Hingegen war die Kasse nun wieder leer. Emile Gilliéron, der eben noch ein wohlhabender junger Mann mit blendenden Zukunftsaussichten gewesen war, fand sich plötzlich als Familienoberhaupt mit großer Verantwortung und vielfachen finanziellen Verbindlichkeiten wieder. Es stand außer Frage, dass er noch lange Zeit in Schliemanns Diensten bleiben würde.

Als sein Sohn fünf Jahre alt war, wurde das Wunder offenbar, dass er die Begabung des Vaters geerbt hatte. Sobald Emile junior Bleistift und Papier zu fassen kriegte, zeichnete er alles, was ihn umgab – seine Eltern und die kleinen Geschwister, die Früchteschale auf dem Esstisch, die alte Holzhändlerin an der Straßenecke – und zwar unglaublich scharf, unglaublich klar und detailgetreu, und mit derselben Gleichgültigkeit gegenüber der eigenen Begabung, die schon seinem Vater in der Jugend eigen gewesen war. Dieser beobachtete mit gemischten Gefühlen, wie der Sohn vor den Augen der Touristen in Windeseile sehr brauchbare Skizzen der Akropolis anfertigte und diese auch gleich für gutes Geld verkaufte. Einerseits freute er sich, dass seine Fähigkeiten auf den Jungen übergegangen waren, und dass er beim Verkauf seiner Werke kaufmännisches Geschick an den Tag legte. Andererseits fühlte er sich in seinen persönlichen Verdiensten zurückgesetzt, wenn sein Künstlertum nichts weiter als eine Auswirkung der Mendelschen Vererbungslehre war. Weil der Senior aber die geschäftlichen Perspektiven erkannte, die sich einem gemeinsamen Unternehmen von Vater und Sohn eröffnen würden, nahm er den Junior schon bald auf die Ausgrabungsfelder mit und unterrichtete ihn in allen Bereichen bildnerischen Gestaltens, soweit er es vermochte.

Doch kurz nach Weihnachten 1890 starb Heinrich Schliemann unter entsetzlichen Qualen an einer eitrigen Zwiebelgeschwulst im Mittelohr, die seine deutschen Ärzte vergeblich zu operieren versucht hatten. Seine junge Witwe verkündete der Welt zwar umgehend, dass sie das archäologische Werk ihres Gatten in dessen Geiste fortzuführen gedenke; unter vier Augen aber empfahl sie Emile Gilliéron, sich rasch einen neuen Broterwerb zu suchen, weil sie nicht im Sinn habe, ihr Vermögen weiterhin für homerische Phantastereien aus dem Fenster zu werfen.

Das fiel Emile Gilliéron leicht, über die Jahre hatte er sich eine komfortable Position als der beste, berühmteste und bestbezahlte Antikenzeichner Griechenlands erarbeitet. Zwar zerrann ihm das Geld zwischen den Fingern, denn seine große Familie hatte sich an eine gewisse Lebensart gewöhnt. Aber das französische Institut für Archäologie engagierte ihn regelmäßig als wissenschaftlichen Berater und Zeichner und schätzte seine Dienste, weil er, wenn man es von ihm verlangte, alle Schliemannschen Träumereien ablegen und handwerkliches Geschick mit größter akademischer Präzision und Gewissenhaftigkeit verbinden konnte. Nebenher erteilte er den Kindern des griechischen Königshauses Malunterricht und ging so oft im Palast ein und aus, dass die königlichen Hunde nicht mehr bellten, wenn er die Abkürzung durch den Schlossgarten nahm; im zweiten Jahr erteilte ihm die Königin die Erlaubnis, seine

Hausschuhe im Vestibül zu lassen. Und als 1896 in Athen die ersten Olympischen Spiele der Neuzeit stattfanden, beauftragte ihn Prinz Nikolaos im Namen des Olympischen Komitees, eine Briefmarkenserie für die griechische Post zu zeichnen.

Sein wichtigster Erwerbszweig aber war seit Schliemanns Tod die Anfertigung originalgetreuer Nachbildungen für den internationalen Markt. Es war deshalb ein schwerer Schlag, als das griechische Parlament 1899 ein Gesetz verabschiedete, das den Export antiker Artefakte sowie die Herstellung und den Verkauf von Imitaten bei Strafen von bis zu fünf Jahren Gefängnis untersagte. Zwar bereitete es Emile Gilliéron keine Schwierigkeiten, eine diskrete Produktion in unauffälligen Hinterhöfen aufrechtzuerhalten und die Ware auf klandestinen Wegen außer Landes zu schaffen; die Bestellungen aber gingen dramatisch zurück, weil große Museen wie das British Museum und der Louvre es sich nicht leisten konnten, Exponate mit unklarer Herkunftsbezeichnung in ihren Beständen zu führen.

Die Einkünfte schwanden, aber der Geldbedarf blieb hoch. Emile war kein junger Mann mehr, er ging aufs fünfzigste Lebensjahr zu und hatte sich einen kräftigen Spitzbart wachsen lassen, der nun allmählich weiß wurde, und er hatte sich an gewisse Annehmlichkeiten gewöhnt. Auch die Ehefrau, die Schwiegermutter und die Schwägerin hatten feste Ausgaben für den Haushalt und ihre persönlichen Belange, und Emile junior, der nun fünfzehn Jahre alt war und anfing, blaue Jacken zu tragen, besuchte das französische Gymnasium und ergab sich in der Freizeit den kostspieligen Vergnügungen der lokalen Jeunesse dorée.

Es war deshalb für Emile Gilliéron eine Erlösung, als Anfang April 1900 ein Brief aus Kreta eintraf, in dem er dringend um Hilfe bei Ausgrabungen gebeten wurde. Absender war ein englischer Privatier namens Arthur Evans, den Gilléron in den achtziger Jahren auf den Grabungsfeldern von Tiryns und Mykene kennengelernt hatte. Emile wusste von Evans, dass er als Sohn eines erfolgreichen Papierfabrikanten eine großzügige Rente in Pfund Sterling bezog, die ihm in den bettelarmen Mittelmeerländern praktisch grenzenlosen Reichtum sicherte. Seit seine Ehefrau Margareth in Alassio an Tuberkulose gestorben war, trug er ausschließlich schwarze Krawatten, benutzte Schreibpapier mit Trauerrand und streifte als einsamer, archäologisch interessierter Witwer über die Gestade des Mittelmeers.

Evans war extrem kurzsichtig und auf Armeslänge praktisch blind, weigerte sich aber aus Eitelkeit, eine Brille zu tragen. Wenn er eine Ausgrabungsstätte besuchte, tastete er sich, weil er den Boden nicht sehen konnte, mithilfe eines Stocks voran. Aus der Nähe hingegen sahen seine blauen Augen die Dinge in großer Schärfe und er erkannte oft Einzelheiten, die anderen entgingen.

Arthur Evans war ein kluger, feinsinniger und geduldiger Mensch. Seit den Schliemannschen Ausgrabungen war er vom Wunsch getrieben gewesen, seinem bis anhin so müßig verlaufenen Leben mit einer Entdeckung ähnlicher Tragweite die Größe zu verschaffen, die ihm bisher fehlte. Nach dem Tod seiner Frau war er nach Kreta gegangen und hatte südlich der Hauptstadt Candia auf dem malariaverseuchten Hügel von Kephala, wo schon lange die bronzezeitliche Siedlung Knossos vermutet wurde, mit List und Tücke in sechsjähriger Kleinarbeit sämtliche Schafweiden und Olivenhaine zusammengekauft.

Und als dann endlich alle Grabungsbewilligungen vorlagen, war er am Morgen des Freitag, 23. März 1900, mit seinem Esel aus der Stadt hinausgeritten bis zu jener Taverne, vor der mehrere hundert Frauen und Männer jeden Alters auf ihn warteten, und hatte zweiunddreißig von ihnen als Ausgräber, Schaufler, Lastenträger und Wäscherinnen engagiert. Dann hatte er sie mit Grab- und Waschwerkzeugen ausgestattet und in die Olivenhaine geführt mit dem ausdrücklichen Ziel, dort eine alte europäische Hochkultur zu entdecken, die sich mit jenen der Pharaonen und Sumerer würde messen können.

Und weil Evans so genau wusste, was er suchte, fand er es auch.

Nach ein paar Tagen nicht sehr ergiebiger Probegrabungen dirigierte er die Arbeiter zuoberst auf den kleinen Hügel, der sich in der Mitte aus der Ebene erhob. Dort kam ein Gewimmel prähistorischer Mauern zum Vorschein, die sich dicht an dicht in verwirrender Anordnung parallel und rechtwinklig zueinander über mehrere Hektaren hinzogen. Arthur Evans erkannte sofort, was er vor sich hatte: das Labyrinth des König Minos, des leiblichen Sohnes des Zeus und der Europa, in dem Theseus den menschenfressenden Minotaurus erschlagen und dank Prinzessin Ariadnes rotem Wollfadenknäuel zum Ausgang zurückgefunden hatte. Als dann am Fuß einer Mauer ein Wasserbecken auftauchte, identifizierte Evans es als die Badewanne der Ariadne. Und als in einer Kammer ein in Stein gehauener Sessel mit hoher, in die Mauer eingelassener Rückenlehne gefunden wurde, war Arthur Evans überzeugt, den Thron des König Minos vor sich zu haben.

Das war natürlich Unfug in reinster Schliemannscher Tradition, denn bei Lichte betrachtet war der Thron einfach ein viertausend Jahre alter Steinsessel und das Wasserbecken ein altes Wasserbecken, und auch von den Mauern ließ sich aufrichtigerweise nicht viel mehr sagen, als dass sie aus grob behauenem Gestein bestanden und in ihrer Gesamtheit ein Gewimmel von tausend kleinen Kammern bildeten, die bis zu ihrer Zerstörung durch ein Erdbeben vor viertausend Jahren einem unbekannten Volk zu irgendeinem unbekannten Zweck gedient haben mochten.

Aber die Funde, welche die Arbeiter im Erdreich zwischen den Mauern zutage förderten, übertrafen alle Erwartungen: exquisite Töpferwaren blieben in den Sieben hängen in großer Zahl, ebenso Schmuck und fein gearbeitete Siegelsteine, Wasserbecken aus Stein und Kupfer sowie zart geschnitzte Elfenbeinfiguren, außerdem Hunderte von kleinen, in bisher unbekannter Sprache beschriebenen Tontafeln, die Evans als die ersten Gesetzestexte auf europäischem Boden deutete. Die wichtigste von allen Entdeckungen aber war, dass die Gemäuer von Knossos über und über mit bunten Fresken bemalt gewesen waren, in denen eine reiche und sinnenfrohe Kultur – Evans nannte sie die minoische – Zeugnis ihrer selbst abgelegt hatte.

Einige Fragmente des bemalten Kalkputzes hielten noch am Gemäuer fest, Hunderte und Tausende von Bruchstücken aber waren abgefallen und lagen leuchtend bunt im Erdreich, von wo die Arbeiter sie mit ihren Schaufeln ans Tageslicht und in die Siebe beförderten. Auf manchen Fragmenten waren menschliche Arme, Beine und Ohren zu sehen oder geometrisch angeordnete Lilien, Rosen und Farnwedel, auf anderen Stierhörner, Pfauen und Fasane, Affenschwänze, Hunde, Ölbäume oder Segelschiffe. Manche waren groß wie Suppenteller und andere klein wie Fingernägel, und sie lagen weitherum verstreut und waren, da sie nun ausgegraben waren, ungeschützt der Witterung, den Stiefeln der Arbeiter und den Hufen der Ziegen ausgesetzt. Wenn die Fragmente nicht zu Staub zerfallen sollten, mussten sie sofort geborgen, gereinigt und zusammengefügt werden. Und für diese Aufgabe, das wusste Arthur Evans, war niemand so geeignet wie Emile Gilliéron.

Es scheint, dass Gilliéron in Athen alles stehen und liegen ließ, als ihn die Einladung des reichen Engländers erreichte. Die Überfahrt mit dem Postdampfer von Piräus nach Candia dauerte bei gutem Wetter anderthalb Tage, der Ritt im Holzsattel auf einem Maulesel vom Hafen hinauf nach Knossos anderthalb Stunden. Arthur Evans vermerkte in seinem Notizbuch unter dem 10. April 1900, dass Gilliéron auf dem Grabungsfeld eingetroffen sei und sofort begonnen habe, die Bruchstücke zu sortieren.

Da wäre man gern dabeigewesen. In jenen Tagen blies der Notos, jener sanfte, warme Südwind, der Sand von der Wüste Libyens übers Meer weht, dabei viel Feuchtigkeit aufnimmt und dem Himmel über Kreta eine schlimme gelbe Färbung gibt. Man kann sich die beiden Männer im Olivenhain vorstellen, wie sie schwitzend im Schatten eines weißen Zeltdachs an einem großen Tisch standen und eifrig wie Schulbuben beim Puzzlespiel viertausendjährige Fragmente hin und her schoben, die himmelblauen Stücke zu den himmelblauen legten und die scharlachroten zu den scharlachroten, und wie sie einander triumphierend die Hände schüttelten, wenn ein Stück nahtlos zum anderen passte. Solche Erfolge aber blieben selten, kleine zusammenhängende Partien waren immer umgeben von weiten Flächen gähnender

Leere. Und weil der Mensch nun mal so beschaffen ist, dass er die Leere gedanklich nicht aushält, dauerte es nicht lange, bis Evans und Gilliéron Mutmaßungen darüber anzustellen begannen, was in den Lücken zwischen den Teilen, wo nur das Holz des Tischs zu sehen war, einst gewesen sein mochte.

Wir werden es nie wissen, sagte Gilliéron, der Gespräche dieser Art schon oft geführt hatte und nun die Gelegenheit beim Schopf packte, die Seelenmechanik seines neuen Arbeitgebers zu ergründen.

Natürlich nicht, sagte Evans. Aber wenn wir uns einfach mit den Bruchstücken zufriedengeben, wie wir sie hier vor uns haben, ist das doch zu armselig. Es sagt fast gar nichts aus, finden Sie nicht?

Das ist leider so, sagte Gilliéron.

Dabei braucht es doch nicht so furchtbar viel Phantasie, sich da und dort ein bisschen vorzustellen, wie die Zeichnung früher mal weiterging.

Gewiss.

Wo beispielsweise ein Knie ist, wird ja wohl ein Unterschenkel die Fortsetzung gebildet haben und dann wiederum ein Fuß, nicht wahr. Und am entgegengesetzten Ende des Beins wird sich mit einiger Wahrscheinlichkeit, Verzeihung, der Hintern befunden haben. Und wenn im Hintergrund acht Palmen stehen, ist es doch nicht abwegig, die Reihe bei Bedarf um eine neunte und eine zehnte Palme zu verlängern. Meinen Sie nicht?

Ich verstehe sehr gut, sagte Gilliéron. Ein bisschen was ausmalen kann man immer, schließlich hat die Welt ihre Logik. Ich gebe nur zu bedenken, dass rein wissenschaftlich nicht dasein darf, was nicht da ist. In der Wissenschaft zählen, wie Sie wissen, nur Fakten.

Ach, die Wissenschaft mit ihren Fakten, sagte Evans. Die ist auch voller Lücken.

Gewiss, sagte Gilliéron. Aber sie hat die Pflicht, diese Lücken zu deklarieren und mit ihnen zu leben, solange sie bestehen.

Im Gegenteil! rief Evans aus. Die Wissenschaftler sind doch die ersten, die ihr lückenhaftes Wissen mit Träumereien anreichern – anreichern *müssen*! Gerade Archäologen und Geschichtsschreiber hätten doch überhaupt rein gar nichts zu erzählen, wenn sie sich streng an ihre empirischen Daten halten würden. Alle Wissenschaft ist Erzählung und überspringt von Faktum zu Faktum eine Wissenslücke nach der anderen. Die Fakten sind die unteilbaren kleinsten Teile der Wissenschaft, und zwischen ihnen klaffen Universen gähnender Leere. Oder kennen Sie einen einzigen Wissenschaftler, der bei der Deutung seiner Fakten ohne Metaphysik auskäme?

Keinen, bestätigte Gilliéron.

Wissen Sie, was von der Wissenschaft übrigbleibt, wenn sie sich streng an ihre Fakten hält und sich nichts ausmalt?

Nicht viel.

Gar nichts. Faktenhuberei. Nichts als öde, tote Faktenhuberei.

Da haben Sie wohl recht, sagte Gilliéron.

Sehen Sie, und darum sind wir verpflichtet, die Lücken zu füllen. Des Menschen Wissen ist immer lückenhaft, das ist unser Schicksal. Nur deshalb tragen wir letztlich Glaube, Liebe und Hoffnung in unseren Herzen – damit wir die Bruchstücke unseres Wissens in Beziehung zueinander bringen und daran glauben können, dass das alles hienieden einen Sinn hat. Meinen Sie nicht?

Ich bin ganz Ihrer Meinung, sagte Emile Gilliéron, der seinen neuen Arbeitgeber nun verstanden hatte und nur noch in Erfahrung bringen wollte, welcher Art die Bilder waren, die Arthur Evans in seiner Seele trug.

Sie glauben also, fragte er vorsichtig, dass wir hier den wirklichen Palast des Königs Minos vor uns haben?

Lassen Sie mich das ausführen, sagte Evans. Mir scheint offensichtlich, dass wir hier den größten und schönsten je auf Kreta erbauten Palast vor uns haben. Stimmen Sie mir zu?

Es sieht so aus, sagte Gilliéron.

Nun stellt sich die Frage nach der Bauherrschaft. Wer hat den größten und schönsten Palast auf Kreta gebaut? Die Antwort kann man bei Homer, Hesiod und Herodot nachlesen, die sind sich nämlich einig. Was sagen Sie, wer hat den größten und schönsten Palast auf Kreta gebaut?

König Minos, sagte Gilliéron und verbarg seine Ungeduld darüber, dass Evans ihn vorführte wie einen Schuljungen.

Sehen Sie. Und an welchem Ort auf Kreta könnte der Palast des Minos gestanden haben, wenn nicht hier? Hat man irgendwo auf dieser Insel eine Anlage von ähnlicher Pracht und Größe gefunden? Oder umgekehrt gefragt: Wer könnte diesen gewaltigen Palast hier sonst gebaut haben, wenn nicht König Minos?

Nachdem das geklärt war, machten sie sich an die Arbeit. Der große Tisch unter dem weißen Zeltdach war fortan Emile Gilliérons Arbeitsort, die Arbeiter brachten sämtliche Fragmente, die im Sieb hängen blieben, zu ihm. Arthur Evans erhöhte die Zahl der Arbeiter erst auf hundert und dann auf hundertvierzig. Für sich selbst ließ er ein Militärzelt am Rand des Grabungsfelds aufstellen und hisste davor den Union Jack.

Evans und Gilliéron waren vor Sonnenaufgang die ersten auf dem Grabungsfeld und abends in der Dämmerung die letzten. Die beiden Männer, die bis auf wenige Monate gleich alt waren, arbeiteten zusammen wie ein ungleiches Ehepaar. Was der kurzsichtige Evans im Detail entdeckte, setzte Gilliéron in die großen Zusammenhänge, die sie zuvor gemeinsam erträumt hatten. Der Boden war noch immer schwer und feucht von den winterlichen Regenfällen, die Anopheles-Mücken vermehrten sich prächtig. Gilliéron blieb von der Malaria verschont, aber Evans erkrankte heftig. Wenn er sich nicht mehr auf den Beinen halten konnte, legte er sich vors Militärzelt, und die Arbeiter mussten ihm sämtliche Fundstücke für eine erste Begutachtung ans Feldbett bringen.

Trotz Schüttelfrost und Diarrhö verbrachte Evans auf Knossos in jenem Frühjahr 1900 die glücklichsten Tage seines Lebens. Die Funde übertrafen seine kühnsten Hoffnungen. Er hatte tatsächlich eine alte, zuvor unbekannte Hochkultur gefunden, die in ihrer Lebendigkeit und Verfeinerung Schliemanns Entdeckungen übertraf. Nicht nur hatten die Minoer schriftliche Zeugnisse hinterlassen – wonach Schliemann in Troja, Tiryns und Mykene vergeblich gesucht hatte –, auch zeugte ihre Bildsprache von einer Lust am Spontanen und Improvisierten, von einem Sinn für die flüchtige Schönheit des gelebten Augenblicks, gegen den alle Kunst der alten Ägypter, Sumerer und Griechen starr und maskenhaft erscheinen musste.

Kam hinzu, dass das minoische Inselreich Arthur Evans, den gebürtigen Engländer, in vielem an seine viktorianische

Heimat erinnerte. Für ihn war offensichtlich, dass Knossos ganz wie London seinen Reichtum unmöglich den kargen Böden seines Umlands hatte abringen können. Daraus folgerte er, dass die Minoer wie die Briten ein Volk von Seefahrern und Handeltreibenden gewesen sein mussten, die ihr weltumspannendes Kolonialreich mit einer starken Militärmacht schützten. Und offensichtlich hatte das Reich des Königs Minos kurz vor dem Untergang, der ja dem viktorianischen Empire ebenfalls bevorstand, seine letzte und höchste Blüte erreicht – »ein Kleinod in die Silbersee gefasst, die ihm den Dienst von einer Mauer leistet«, wie es bei Shakespeare heißt.

Das größte Vergnügen bereitete Evans, dass alle Funde sich nahtlos in das Bild fügten, das er sich nach Homers Beschreibung vom Palast des Minos gemacht hatte. Das Labyrinth, die Freitreppe, der Thron – alles war da. Fehlte nur noch der Tanzsaal aus Alabaster, den Dädalus für Prinzessin Ariadne gebaut hatte, bevor er mit seinem Sohn Ikarus auf selbstgefertigten Flügeln durch die Luft entflohen war.

Die Aufregung war deshalb groß, als die Arbeiter am 3. und 4. Mai 1900 in einem frisch geöffneten Raum acht Fragmente eines Freskos fanden, die zusammengefügt einen zarten Torso von blauer Hautfarbe zeigten, der in gebeugter Haltung Arme und Beine eigentümlich verrenkte. Arthur Evans war auf den ersten Blick überzeugt, die Abbildung eines tanzenden Mädchens vor sich zu haben, also musste es sich bei dem Raum um Ariadnes Tanzsaal handeln; dies umso mehr, als der Boden aus weißem Alabaster bestand. Evans hielt diesen Befund in seinem Notizbuch fest, dann bat er Gilliéron um dessen Meinung. Dieser war es zwar längst gewohnt, seinem jeweiligen Brotherrn in allem den

Willen zu lassen, empfahl aber doch, die Fragmente erst gründlich reinigen zu lassen. Nachdem dies geschehen war, musste Evans zugeben, dass die kopflose Gestalt weitaus zu kräftig und schmalhüftig war, um als Mädchen durchzugehen, und dass der blaue Junge, wie er fortan genannt wurde, keineswegs tanzte, sondern in einem Blütenfeld Safran pflückte. Also strich er das tanzende Mädchen in seinem Notizbuch durch und vermerkte die neuen Erkenntnisse, während Emile Gilliéron Gips, Mörtel und Pigmentfarben anrührte, die blaue Figur mit einem menschlichen Antlitz versah und den Hintergrund zu einem lückenlosen Safranfeld vervollständigte.

Dieses Bildnis ging unter dem Namen »Blue Boy« in die Kunstgeschichte ein als anrührendes Beispiel für die Leichtigkeit und Menschenfreundlichkeit minoischer Kunst – und es behielt diesen Platz auch dann noch, als viele Jahre später zusätzliche Puzzleteile offenbarten, dass es sich beim Blue Boy keineswegs um einen Jungen, sondern um einen Safran pflückenden Affen handelte, dessen langen, geringelten Schwanz Gilliéron nicht als solchen erkannt und weitab vom Affen in die Blumenwiese eingefügt hatte.

So ging die Arbeit voran. Am 16. Mai 1900 entdeckten die Arbeiter eine Kammer, deren Wände mit Abbildungen von Stieren und Kampfszenen geschmückt gewesen waren. Arthur Evans schloss daraus, dass er im Herzen des minoischen Labyrinths angelangt war – in der wirklichen Kammer des Minotaurus, in der alle neun Jahre sieben athenische Jünglinge und Jungfrauen ihr trauriges Ende gefunden hatten.

Emile Gilliéron seinerseits verstand, dass es für Arthur Evans eine Herzensangelegenheit sein würde, der Weltöffentlichkeit aussagekräftige und repräsentative Stierkampfszenen präsentieren zu können. Die Schwierigkeit war aber die, dass die Fragmente in Struktur, Einfärbung und Dicke sehr verschieden waren, weil sie als Bestandteile unterschiedlicher Fresken verschiedene Wände geschmückt hatten. Da die meisten von ihnen für sich allein nicht viel mehr als braune Flecken darstellten und kaum mehr aussagten als die Erdknollen auf der Ziegenweide, fügte Emile sie zusammen und schob sie so lange auf dem Tisch umher, bis sie unbesehen ihrer unterschiedlichen Herkunft gemeinsam eine hübsche, durchkomponierte Stierkampfszene ergaben – das heißt, bis sich die Puzzlestücke in die Stierkampfszene einfügten, die Gilliéron sich vorgängig ausgedacht hatte.

Das Ergebnis war ein prächtiger Bulle in gestrecktem Galopp, auf dessen Rücken ein Jüngling den Handstand machte, links und rechts umrahmt von zwei jungen Frauen, von denen eine den Bullen an den Hörnern gepackt hielt, während die andere vor dessen Hinterläufen stand und die Arme ausstreckte, als wolle sie dem Jüngling beim Absteigen helfen. Das widersprach zwar jedem gesunden Menschenverstand, denn noch nie hatte auf Erden ein Mensch auch nur daran denken können, einen ausgewachsenen galoppierenden Bullen an den Hörnern festzuhalten, auch war es ein Ding absoluter Unmöglichkeit, auf dem Rücken eines Rindviehs bei dreißig Kilometern pro Stunde den Handstand zu vollführen; und was schließlich die junge Frau betraf, die vor den Hinterläufen des Paarhufers Aufstellung genommen hatte, so konnte sie dies nicht anders als in suizidaler Absicht getan haben.

Arthur Evans aber war begeistert.

Phantastisch! sagte er zu Gilliéron. Zweifellos ein rituelles Menschenopfer für den Stiergott der Minoer, meinen Sie nicht?

Schon möglich, sagte Gilliéron und wunderte sich einmal mehr, dass alle Archäologen, die er in seinem Leben kennengelernt hatte, bei Abbildungen junger Menschen reflexartig Phantasien von rituellem Abschlachten entwickelten. Es könnte sich aber auch, fügte er vorsichtig hinzu, um einen sportlichen Wettkampf oder irgendeine Spielerei handeln.

Ein rituelles Menschenopfer, beharrte Evans. Der Fall scheint mir klar.

Ich bitte zu bedenken, dass die Faktenlage extrem dünn war, sagte Gilliéron. Ich habe mir viele Freiheiten herausnehmen müssen.

Ich verstehe, sagte Evans. Was zählt, ist das Ergebnis.

Es ist immer ein Risiko, sagte Gilliéron. Man begibt sich aufs Glatteis.

Aber es hat sich gelohnt, rief Evans aus, ein herrlicher Stierkampf! Was hätten wir ohne Ihr Wagnis – die paar braunen Flecken hier?

Also fuhr Emile Gilliéron mit seiner Arbeit in dieser Weise fort.

Unmittelbar nördlich des Thronraums legten die Arbeiter einen Raum frei, dessen Wände mit zahlreichen Abbildungen weiblicher Gestalten geschmückt gewesen waren. Von manchen waren nur die Füße und die Rocksäume erhalten geblieben und von anderen nur die Augen oder eine nackte Schulter, aber Emile Gilliéron stattete sie, weil ja auch dem weiblichen Körper seine Logik innewohnt, mit vollkommenen Gestalten aus. Als er mit seiner Arbeit fertig war, strahlten die Fresken in einer lückenlosen Frische, als hätten die minoischen Frauen gestern erst Modell gestanden; manche steckten die Köpfe zusammen, als würden sie den jüngsten minoischen Klatsch untereinander austauschen, andere stießen mit Weinkelchen an, und zwölf saßen erstaunlicherweise auf einer Art Campingstühlen mit schmalen Metallbeinen, und alle hatten langes, schwarzes Haar, und manche ließ eine kokette Locke in die Stirn fallen. Sie hatten riesige Mandelaugen und sinnliche, grellrot geschminkte Münder, manche trugen absatzlose Turnschuhe, kurze Röcke und halsfreie Blusen, als kämen sie vom Tennisspiel, andere waren in knappe Boleros gekleidet und reckten dem Betrachter stolz ihren nackten Busen entgegen, während wieder andere transparente Hemden trugen, bunte Bänder ins Haar geflochten hatten und selbstbewusst das Kinn reckten, als wollten sie sagen: Folgen Sie mir, junger Mann.

Arthur Evans war wiederum begeistert, und die Fachwelt geriet, nachdem Gilliérons Bilder in die Welt hinausgegangen waren, in Aufruhr. Für das technikmüde Europa war es eine Wohltat, seine kulturellen Wurzeln in einer derart verfeinerten, fröhlichen und lebenslustigen Zivilisation wiederzufinden, der die Strenge des klassischen Griechenlands so fremd war. Zudem erinnerte die minoische Kultur mit ihren blumigen Ornamenten manche Betrachter an den Jugendstil, der in jenen Jahren von München über Paris, Brüssel und London bis nach New York en vogue war.

Einige waren allerdings auch irritiert, dass die Fresken auf Knossos so modern erschienen und alles Archaische vermissen ließen. »Mais, ce sont des Parisiennes!«, rief der durchreisende Archäologe und Kunsthistoriker Edmond Pottier beim Anblick von Gilliérons Campingstuhl-Schönheiten, und der britische Schriftsteller Evelyn Waugh sagte, er wolle sich ein Urteil über die minoische Kunst nicht anmaßen, da die ausgestellten Fresken höchstens zu einem Zehntel älter als zwanzig Jahre seien; übers Ganze könne man sich jedenfalls des Eindrucks nicht erwehren, dass der Restaurator seine handwerkliche Sorgfaltspflicht aus Begeisterung für Vogue-Titelbilder vernachlässigt habe.

Achtes Kapitel

Nach einem Fußmarsch von anderthalb Stunden über nächtlich verschneite Wiesen und Felder muss Laura d'Oriano mit ihrem Koffer in Weinfelden eingetroffen sein, wo um 22 Uhr 48 der letzte fahrplanmäßige Personenzug abging. Falls sie diesen erreicht hat, müsste sie um 23 Minuten nach Mitternacht am Hauptbahnhof Zürich angekommen sein und dort, weil der nächste Zug nach Genf erst um 06 Uhr 34 fuhr, die Nacht im Wartesaal zweiter Klasse auf einer Holzbank verbracht haben. Eine neuerliche Begegnung mit Felix Bloch kann in jener Nacht nicht stattgefunden haben, weil er sich Ende März 1934 schon nicht mehr in Zürich befand, sondern auf der anderen Seite der Welt, wo es heller Tag war.

Felix hatte seine Flucht nach Amerika nicht geplant, sie war über ihn gekommen wie das Erweckungserlebnis, das ihn von der Gussschachtdeckelproduktion zur Atomphysik getrieben hatte. Nach seinem letzten Skiurlaub mit Heisenberg war er zu den Eltern an die Zürcher Seehofstraße zurückgekehrt, um dort kostenfrei den Sommer zu verbringen und abzuwarten, bis im Oktober die monatlichen Zahlungen der Rockefeller-Stiftung einsetzen würden. Er nahm die Gewohnheiten seiner Jugend wieder auf, ging im Zürichsee schwimmen und unternahm Bergtouren in die Glarner Alpen. Samstags ging er in den Letzigrund zum Fußball. Gut möglich, dass er einmal mit dem Rad nach Küsnacht fuhr und sich in Fritz Christens Gießerei auf den neuesten Stand in Sachen Gussschachtdeckelproduktion bringen ließ. Montags besuchte er das Kolloquium des Instituts für theoretische Physik, wo hauptsächlich vom neu entdeckten Neutron die Rede war. Abends las er Fachzeitschriften, in denen ebenfalls viel vom Neutron die Rede war.

Alle Welt sprach vom Neutron in jenem Sommer 1933, es war die aufregendste physikalische Entdeckung seit langem und die größte Hoffnung für die experimentelle Forschung. Das Neutron hatte nichts Ungefähres und nichts Unscharfes, und vor allem konnte man es gut als Projektil verwenden, weil es sich nicht von positiv oder negativ geladenen Teilen ablenken ließ, sondern immer schön geradeaus flog. Felix Bloch ahnte, dass sich mit ihm im Labor einiges würde anstellen lassen – einiges mehr als mit den Elektronen, von denen man noch immer nicht so recht wusste, ob sie nun Hochsprung oder Weitsprung oder sonst etwas Schönes machten.

Deshalb beschloss er, während seines Rockefeller-Stipendiums eine atomphysikalische Europareise zu unternehmen und sich auf den neuesten Stand der Neutronenforschung zu bringen. Als erstes würde er Enrico Fermi in Rom besuchen, der sich in den Kopf gesetzt hatte, sämtliche Elemente des Periodensystems eins nach dem anderen mit Neutronen zu beschießen und zu beobachten, was dabei herauskam. Dann würde er bei Niels Bohr in Kopenhagen vorbeischauen und ihm seine Idee unterbreiten, dass Neutronen, wenn sie auch elektrisch neutral waren, doch eine magnetische Ladung haben könnten. Und dann würde er für ein paar Monate nach Cambridge zu James Chadwick gehen, der als erster überhaupt die Existenz des Neutrons experimentell nachgewiesen hatte.

Das war sein Plan, aber so geschah es nicht. Je länger nämlich der Sommer 1933 dauerte, desto offensichtlicher wurde, dass es in Europa mit unschuldigen Bildungsreisen bald für lange Zeit vorbei sein würde. In Zürich hingen massenhaft Fahnen und Flaggen, in der Wandelhalle der Universität patrouillierten grau uniformierte Schutzstaffeln der Nationalen Front. Seine Studienfreunde Fritz London und Walter Heitler waren nach Großbritannien geflohen, seine Lehrmeister Erwin Schrödinger und Hans Bethe auch. Albert Einstein hatte in Amerika öffentlich kundgetan, dass er auf absehbare Zeit nicht nach Europa zurückkehren werde. Sogar Fritz Haber, der deutsche Patriot und Giftgasveteran des Ersten Weltkriegs, hatte aus Protest gegen die nationalsozialistischen Greuel seine Ämter in Berlin niedergelegt und eine Professur in Cambridge angenommen.

Es war in jenem Sommer 1933 unübersehbar, dass die Kriegsmaschine ihre Räder wieder in Schwung versetzt hatte und über kurz oder lang außer Rand und Band geraten würde. Jeden Morgen las Felix in der Zeitung von überfüllten Konzentrationslagern und Schlägereien in Parlamentssälen, von Bücherverbrennungen an deutschen Universitäten und summarischen Erschießungen von Kulaken in der Sowjetunion, von Stapelläufen riesiger Kriegsschiffe und von Kohleknappheit, verschärften Visabestimmungen, Massenarbeitslosigkeit, Gleichschaltung, Pogromen, Wiederaufrüstung und Hungerrevolten.

So war die Lage, als ihn ein Telegramm erreichte, in dem ihm der Dekan der Universität Stanford eine Professur für theoretische Physik anbot. Felix hatte nicht die leiseste Ahnung, wo auf Gottes weitem Erdenrund Stanford sich befinden mochte; weil aber das angebotene Salär in US-Dollar angeführt war, tippte er auf Amerika.

Die zehntägige Überfahrt über den winterlich rauhen Atlantik war die erste Seereise seines Lebens; es dauerte acht Tage, bis sein Magen sich an das Stampfen und Rollen gewöhnt hatte. Und als er dann endlich im Hafen von New York an Land durfte, machte er die interessante Erfahrung, dass ihm wiederum schlecht wurde, weil sein Magen auf die plötzliche Ruhe der Terra firma mit einer Art inversiver Seekrankheit reagierte.

Da er bis zur Weiterreise zwanzig Stunden totschlagen musste, wankte er durch Manhattan und schaute sich alles an – die hohen Häuser, die breiten Straßen, die großen Autos –, empfand aber zu seiner eigenen Enttäuschung keine Begeisterung. Zwar waren die Häuser tatsächlich sehr hoch und die Straßen bemerkenswert breit – breiter wohl, als manche Zürcher Altstadtgasse lang war –, und die Autos waren riesengroß und glitzerten wie Weihnachtsbäume, während auf den Gehsteigen ein dichter, nicht abreißender Menschenstrom dahinzog.

Vielleicht lag es an Felix Blochs geschwächtem Zustand, dass er diese allumfassende Enormität zwar beeindruckend, aber nicht sonderlich interessant fand. In seinen Augen waren die Häuser Manhattans, auch wenn sie noch so hoch in den Himmel ragten, doch nur zweckdienliche Häuser mit Fenstern und Türen, durch die Menschen ein und aus gingen. Die Straßen waren bei aller Sechs- und Achtspurigkeit doch nichts weiter als Straßen, auf denen Autos und Lastwagen fuhren. Die Autos hatten unter Chrom und Lack und zentimeterdickem Karosserieblech auch nur vier Räder wie alle Autos überall auf der Welt. Und was schließlich die Menschen betraf, so waren sie einfach Menschen. Manche mochten sich in Haut-, Haar- oder Augenfarbe unterscheiden, und alle waren sie Felix Bloch unbekannt, aber fremd waren sie ihm deswegen nicht. Die Leute waren Leute. Kein Grund zur Aufregung.

Am nächsten Morgen ging er zur Grand Central Station, wo schon der Zug bereitstand, der ihn quer über den Kontinent ans entgegengesetzte Ende Amerikas bringen würde. Als er unter der Kuppel der großen, makellos weißen und hell erleuchteten Bahnhofshalle stand, die in ihrer Großartigkeit jedes menschliche Maß, jede Vernunft und jede Zweckdienlichkeit so gänzlich vermissen ließ, hatte er erstmals Heimweh nach dem alten, trüben Europa.

Die Bahnreise dauerte vier Tage und vier Nächte. Felix fuhr durch die Vorstädte Chicagos und über die endlosen Brücken, die in schwindelerregender Höhe den Mississippi und den Missouri River überquerten. Er fuhr durch die Rocky Mountains und folgte dem Colorado River durch orangefarbene, gelb-weiß gestreifte und violette Canyons; durchs Fenster seines Eisenbahnabteils sah er grasende Elche, fliehende Hirsche und kreisende Adler. Der Zug hielt in Salt Lake City, Reno und Virginia City, und er quälte sich über die Sierra Nevada hinunter in die fruchtbaren Täler Kaliforniens, wo die Bauern die Äpfel dreimal jährlich von den Bäumen pflückten und die Goldnuggets offen in den Ackerfurchen zutage lagen. Am Ende des vierten Tages kam im rechten Fenster die Golden Gate Bridge in Sicht, und dann blieb der Zug endlich im recht bescheidenen Bahnhof von San Francisco stehen.

Während jener vier Tage und vier Nächte hatte Felix Bloch viele Stunden aus dem Fenster geschaut, und am Ende der Reise hatte er eine Lektion gelernt: dass er ein Auto brauchen würde in diesem Land. Zwar fand er überhaupt nicht, dass die amerikanische Landschaft wesentlich größer sei als die europäische, denn nach seiner Beobachtung war auch in Amerika ein Berg ein Berg und ein Fluss ein Fluss. Ein Kilometer maß auch hier nicht mehr als tausend Meter, und die Entfernung zwischen New York und San Francisco war objektiv betrachtet deutlich geringer als jene zwischen Lissabon und Moskau. Zudem lebten die amerikanischen Menschen, soweit Felix Bloch das durchs Zugfenster beurteilen konnte, abseits der Metropolen durchwegs in Kleinstädten europäischen Zuschnitts, die ein paar tausend Einwohner, ein paar Kneipen und eine Dorfkirche hatten.

Der Unterschied war nur der, dass diese Kleinstädte nicht in Sichtweite zueinander standen, sondern durch endlose Weiten voneinander getrennt waren, in denen jeweils der ganze Schwarzwald, der halbe Alpenbogen oder die gesamte Toscana Platz gehabt hätten, und dass ein Familienvater, der sonntags nach der Frühmesse frisches Brot fürs Frühstück besorgen wollte, auf dem Weg von der Kirche zur Bäckerei drei Canyons und eine Prärie mit zehntausend grasenden Büffeln durchqueren musste.

Felix Bloch würde in diesem Land ein Auto brauchen, das war ihm am Ende der Reise klar, als er mit seinem Koffer aus dem Bahnhof von San Francisco trat. Also winkte er ein Taxi herbei und ließ sich zum nächsten Gebrauchtwagenhändler fahren, wo er sich in Minutenschnelle für einen nahezu rostfreien 1928er Chevrolet Sportster mit hölzernen Speichenrädern und bordeauxrot lackierter Motorhaube entschied, dessen Motor, dem Geräusch nach zu urteilen, ziemlich rund zu laufen schien. Der Händler musste ihm, da er noch nie an einem Lenkrad gesessen hatte, die Funktionsweise des Fahrzeugs erklären und mit ihm ein paar Runden auf dem Firmengelände drehen, und dann fuhr Felix ruckelnd und holpernd aus der Stadt hinaus, dreißig Meilen südwärts durch den ewigen Frühling dieses gesegneten Landes.

Die Fahrt auf dem brandneu asphaltierten, vierspurigen Bayshore Highway dauerte eine knappe Stunde. Wenn er rechts aus dem Fenster schaute, sah er sanft geschwungene Hügel, die ihn an den Schweizer Jura erinnerten. Im linken Fenster sah er storchenbeinige Vögel, die im grauen Brackwasser der Bucht von San Francisco umherstelzten. Die Straße war staubfrei, eben und hart. Wenn er geradeaus schaute, sah er beidseits des schwarzen Asphaltbands Telegraphenstangen, riesige Reklametafeln und Garagen sowie Benzinstationen und Lunchbuden in den abenteuerlichsten Verkleidungen; manche kamen als indische Tempel, riesige Zitronen, übergroße Hexenknusperhäuschen oder Indianerwigwams daher. Vor und hinter ihm fuhren schimmernde Luxuskarossen, in denen einsame Menschen allein oder zu zweit saßen, gefolgt von Autobussen, die groß waren wie Kathedralen, und oft auch klapprige Fords, deren hohlwangige Insaßen allerlei Kochtöpfe, Zeltstangen und Koffer mit Stricken aufs Dach und auf die Trittbretter gebunden hatten.

In Palo Alto bog er rechts ab. Hinter der Bahnstation erreichte er eine kilometerlange Palmenallee, die in einem lichten Park mit exotischem Baumbestand zur Universität Stanford führte. Er stellte seinen Wagen ab, ging unter einem romanischen, reich mit Reliefs geschmückten Torbogen hindurch und fand sich vor einer gedrungenen, in neo-byzantinischem Heimatstil gehaltenen Kirche wieder, an die sich roh behauene Sandsteinarkaden anschlossen, die im Rechteck angeordnet waren und mit ihren Terrakotta-Ziegeldächern an eine mexikanische Hazienda, ein mittelalterlich-romanisches Kloster oder an die Stein gewordene Historienphantasie eines entwurzelten Eisenbahnmagnaten erinnerten.

Wenn Felix Bloch in späteren Jahren von Journalisten über seine Ankunft in Stanford befragt wurde, erinnerte er sich an freundliche Gesichter, den kräftigen Händedruck des Dekans und die angenehme Empfindung, mit offenen Armen empfangen zu werden und wirklich willkommen zu sein. Er erinnerte sich an eine spontane Party, die die Dozenten ihm zu Ehren gegeben hatten, und an seine Fassungslosigkeit beim Anblick der braungebrannten und augenscheinlich fröhlichen Studentinnen und Studenten, die alle aussahen, als seien sie eben vom Strand zurückgekehrt und müssten gleich weiter zu einem Barbecue.

Tatsächlich ähnelte Stanford in jenem April 1934 einem Country Club für reiche junge Leute. Auf dem Campus stand ihnen ein weitläufiger 24-Loch-Golfplatz zur Verfügung, der als der schönste der gesamten Pazifikküste galt, daneben gab es zwei künstliche Seen, auf denen Segelturns und Ruderregatten stattfanden, zudem ein Polofeld und ein Footballstadion für neunzigtausend Zuschauer sowie eine unübersichtliche Anzahl vorzüglich ausgestatteter Gymnastik-, Turn- und Sporthallen in klassizistischem Stil aus weißem Marmor mit integrierten Hallenbädern, Handballfeldern und Bowlingbahnen.

Damals studierten in Stanford fünftausend Studenten und tausend Studentinnen; dem Namenregister im Jahrbuch 1934 nach zu urteilen, waren fast alle angelsächsischer, skandinavischer oder deutscher Herkunft. Die meisten trieben Sport und hatten kräftige Schultern, starke Beine und eine gesunde Hautfarbe. Die Männer trugen Kordhosen und Holzfällerhemden, die Frauen gerade geschnittene Röcke und Tennisschuhe; der förmliche Dresscode der Ivy-League-Universitäten an der Ostküste war ihnen fremd. Auch gab es hier keine elitären Geheimbünde, deren Mitglieder sich um einen britischen Akzent bemühten und hinter efeuumrankten Geheimtüren alberne Initiationsrituale mit Totenschädeln und blutigen Masken abhielten; Stanford-Studenten gingen am Wochenende hinaus in die Foothills, um Forellen zu fischen und Kaninchen zu jagen, oder sie fuhren in überfüllten Autos nach San Francisco zum Tanzen im »Mark Hopkins« oder im »St. Francis Hotel«, das sie »The Frantic« nannten.

Mehr als die Hälfte von ihnen verfügte in jenem Jahr, welches das fünfte der Großen Depression war, über ein eigenes Auto, manche hatten ein eigenes Flugzeug. Und alle lebten in der ruhigen Gewissheit, dass Amerika unangreifbar stark war und sie selber dank ihres von den Eltern ererbten Reichtums bis ans Ende ihrer Tage gefeit sein würden vor Hunger, Krankheit, Armut und jeder anderen Form von Unglück.

Felix Bloch verstand, dass er auf der Sonnenseite des Lebens angelangt war, die Düsternis der Welt lag hinter ihm.

Ein Institut für theoretische Physik aber gab es in Stanford nicht. Seine Aufgabe war es, ein solches aufzubauen.

Die erste Veranstaltung, die Felix Bloch in Stanford anbot, war ein Seminar über Enrico Fermis Theorie zu Betastrahlung. Im Vorlesungssaal fand er ein Dutzend wohlgenährte Studenten mit rosigen Gesichtern vor, die ihn neugierig musterten und ihre scharf gespitzten Bleistifte erwartungsvoll auf der ersten Seite ihrer brandneuen Notizhefte angesetzt hatten. Als er aber zu sprechen begann, flogen die Bleistiftspitzen nicht übers leere Papier, sondern blieben links oben stehen, weil die Studenten kein Wort von dem begriffen, was er sagte. Felix Bloch erkannte, dass er es mit Frischlingen zu tun hatte, die zehn Jahre jünger als er und noch keine zwanzig Jahre alt waren, und dass ihnen die Grundlagen fehlten, um die Voraussetzungen für eine Einführung in die Quantenphysik zu verstehen. Also legte er seine Notizen beiseite und improvisierte ein neues Vorlesungsprogramm, bei dem er sich darum bemühte, keinerlei Vorkenntnisse oder Fachbegriffe als bekannt vorauszusetzen. Als erstes würde er seinen Studenten erklären, wieso der Apfel vom Zweig zu Boden fällt, der Mond hingegen oben am Himmel bleibt; dann würde er erörtern, warum der Dampf im Teekessel pfeift und Eisberge zwar schmelzen, aber nicht sinken; und am Ende des Studienjahres würde er, wenn die Zeit noch reichte, darüber sprechen, weshalb der Blitz stets in die höchsten Tannenwipfel einschlägt, das niedere Gewächs hingegen nach Möglichkeit verschont.

Felix Bloch war sich zwar darüber im Klaren gewesen, dass Atomphysik im Westen der USA ein unbeackertes Feld war, auch hatte er gewusst, dass Stanford eine praktisch orientierte Hochschule war, an der man sich für Theorie vor allem im Hinblick auf ihre konkrete Anwendbarkeit interessierte. Aber dass er im Umkreis von zweitausend Meilen beinahe der Einzige war, der sich jemals mit Quantenmechanik befasst hatte – dass es seine Aufgabe sein würde, in dieser Weltgegend das quantenmechanische Evangelium zu verkünden –, erschütterte ihn doch.

Als Physiker fühlte sich Felix Bloch in Stanford wie ein Schiffbrüchiger, und auch in der Freizeit fiel es ihm schwer, an den gesellschaftlichen Ritualen, die auf dem Campus üblich waren, mit der gebotenen Begeisterung teilzunehmen. Wenn er am Freitag Abend zu einem der traditionellen Trinkgelage unter Junggesellen gehen sollte, fühlte er sich unbehaglich, und beim Forellenfischen am nächsten Morgen langweilte er sich. Das Karnickelschießen fand er banal und abstoßend, und zeitlebens sollte es ihm ein Rätsel bleiben, wie Sonntag für Sonntag neunzigtausend Menschen im Baseballstadion in religiösen Taumel verfallen konnten. Es war deshalb ein großes Glück für ihn, dass sich ein paar Jahre zuvor ganz in der Nähe ein zweiter quantenmechanischer Apostel niedergelassen hatte. Robert Oppenheimer, sein Bekannter aus Göttinger Studentenzeiten, hatte an der Universität Berkeley eine Professur übernommen und den Lehrstuhl für theoretische Physik aufgebaut. Da Felix dringend einen Gesprächspartner brauchte, mit dem er seine halbfertige Theorie vom Magnetismus des Neutrons besprechen konnte, fuhr er nach Berkeley – auf dem Bayshore Highway hinauf nach San Francisco, dann mit der Fähre hinüber nach Oakland.

Die Begegnung der zwei so gegensätzlichen Männer hätte gründlich misslingen können. Felix Bloch war ein freundlicher, zurückhaltender junger Mann, der sich hauptsächlich für Physik interessierte und in seiner Freizeit am liebsten Bergwanderungen unternahm; den anderthalb Jahre älteren Robert Oppenheimer hatte er in Göttingen als kapriziösen Dandy aus reichem New Yorker Elternhaus kennengelernt, der pausenlos Chesterfield rauchte und die Rede anderer Leute mit rhythmischem »Ja … ja, ja … ja, ja … ja« begleitete, um ihnen bei der ersten Gelegenheit ins Wort zu fallen und ihre Gedanken zu Ende zu führen, weil er besser als die anderen zu wissen glaubte, was diese sagen wollten.

Die Wahrheit war aber auch, dass Oppenheimer die Gedanken anderer Leute tatsächlich oft besser und rascher verstand als diese selber, und dass er eine ausgeprägte Gabe besaß, neue Ideen in seine eigene Gedankenwelt zu integrieren. Und wahr war ebenfalls, dass Bloch und Oppenheimer gleichermaßen froh waren, in der quantenmechanischen Einsamkeit Kaliforniens einen Gefährten gefunden zu haben. Als Felix seine Theorie über den Magnetismus des Neutrons skizzierte, hörte Oppenheimer ihm begierig zu, fixierte ihn mit seinen hellblauen Augen und machte »Ja … ja, ja … ja … ja«. Und dann unterbrach er ihn und führte die Idee aus dem Stegreif in genau jener Richtung fort, die Felix sich von ihm erhofft hatte.

Fortan hielten die beiden jeden Montag ein gemeinsames quantenmechanisches Doktorandenseminar ab – mal in Stanford, mal in Berkeley –, das sie »The Monday Evening Journal Club« nannten. Meist begann es damit, dass Felix Bloch den Studenten einen neuen quantenphysikalischen Aufsatz aus der »Physical Review« oder dem »New Scientist« vorstellte, bis Oppenheimer ihn unterbrach und den Aufsatz auf seinen tatsächlichen Erkenntnisgehalt hinterfragte. Und dann suchten sie gemeinsam mit den Studenten nach Möglichkeiten, die Forschung auf diesem Gebiet weiterzutreiben mit eigenen Experimenten und theoretischen Arbeiten.

Die Studenten waren begeistert. Ihre jugendlichen Professoren leierten nicht auswendig gelernte akademische Gewissheiten herunter, sondern konzentrierten sich auf ungelöste Probleme und gaben ihnen so das Gefühl, mit der physikalischen Avantgarde über die Grenzen menschlichen Wissens hinauszugehen. Im »Monday Evening Club« stoben die Funken, Bloch und Oppenheimer verteilten ihre Ideen großzügig an alle, die sie aufzunehmen in der Lage waren. Wenn einer ein Forschungsthema für seine Doktorarbeit brauchte, erhielt er jeden Montag eine reiche Auswahl vorgelegt.

Auch für Felix Bloch waren die Diskussionen mit Oppenheimer eine Bereicherung, aber er ahnte schon bald, dass dessen Brillanz gleichzeitig Ursache und Folge einer sonderbaren seelischen Schwäche war. Oppenheimer war neugierig auf alles, er verstand jede neue Idee auf Anhieb und behielt stets alles im Gedächtnis, was er jemals verstanden hatte. Weil für ihn alles einfach war, hatte er eine Vorliebe für die schwierigsten Dinge. Wenn ihm der Sinn nach Lyrik stand, befasste er sich nicht mit Emerson oder Yeats oder Rilke, sondern mit französischer Poesie des Mittelalters. Wenn er für sich den Hinduismus entdeckte, lernte er Sanskrit, um die heiligen Schriften im Original lesen zu können. Und wenn er mit dem Teleskop ins Weltall schaute, hielt er sich nicht mit den Namen der Himmelskörper auf, sondern vergnügte sich mit quantenmechanischen Spekulationen über Kernreaktionen im Innern von Sternen.

Zur theoretischen Physik war er nicht aus Neigung gekommen, sondern weil es ihm als Chemiestudent im Labor an Beharrlichkeit und Sorgfalt gefehlt hatte. Und auf die Quantenmechanik hatte er sich spezialisiert, weil sie die abstrakteste und schwerstverständliche Theorie war, welche die Menschen je ersonnen hatten.

Aber gerade weil er alles so leicht und rasch verstand, worüber andere sich jahrelang den Kopf zerbrechen mussten, war es ihm auch ein Leichtes, bei jeder Wahrheit beliebig viele alternative Wahrheiten zu denken. Weil er in jeder Theorie sofort den schwachen Punkt entdeckte, fand er nie zu ruhigem Glauben an einen Gedanken, sondern blieb stets misstrauisch auch seinen eigenen Ideen gegenüber und fand in keiner Sache zu der zuversichtlichen Beharrlichkeit, die für das Erreichen großer Ziele nötig ist. Und letztlich bereitete ihm wissenschaftliches Denken nicht um der Erkenntnis willen Vergnügen, sondern bloß als Nahrung für die eigene Eitelkeit.

Weil er zu tiefem Empfinden nicht fähig war, benötigte er starke Reize. Seine Wohnung war ausstaffiert mit Navajo-Teppichen aus New Mexico und Statuetten indischer Gottheiten, die Fenster hielt er Sommer und Winter geöffnet. Wenn er für seine Studenten kochte, bereitete er teuflisch scharfes Nasigoreng zu, das diese, weil sie unter gegenseitiger Beobachtung standen, essen zu müssen glaubten. Am Steuer seines Chrysler lieferte er sich Rennen mit nebenherfahrenden Eisenbahnzügen, und wenn er dabei den Wagen zu Schrott fuhr und seine Beifahrerin verletzt wurde, schenkte er ihr zur Wiedergutmachung einen kleinen Cézanne aus der Sammlung seines Vaters.

Die Studenten verehrten ihn. Sie nannten ihn Oppie und

ahmten ihn in allem nach. Sie rauchten pausenlos Chesterfield-Zigaretten wie er und trugen wie er breitkrempige Hüte, und sie konnten Tschaikowski nicht ausstehen, weil Oppie Tschaikowski nicht ausstehen konnte. Sie machten »ja ... ja, ja ... ja«, wenn jemand anderes als Oppenheimer sprach, und sie boten wie ihr Meister mit einem Schwung aus dem Handgelenk ihre Feuerzeuge an, wenn jemand eine Zigarette hervornahm.

Nach dem Seminar fuhr Oppenheimer mit ausgewählten Studenten jeweils nach San Francisco zu »Frank's«, einem der schicken Fischrestaurants unten am Hafen. Dort zeigte er ihnen, wie man französischen Rotwein dekantierte, Austern öffnete und Kokosnüsse aufschlug, und dazu rezitierte er mit seiner samtenen Stimme Platon auf Altgriechisch und plauderte über Navajo-Teppiche und Hegels Dialektik. Und als die Rechnung kam, nahm er sie immer an sich.

Anfangs ging Felix Bloch mit zu diesen Abendgesellschaften, später dann seltener, weil er ausreichend übers Dekantieren französischen Rotweins unterrichtet zu sein glaubte. Seine Abende verbrachte er fortan allein. Er hatte Heimweh nach Zürich und nach Leipzig, nach Heisenberg und seinen Eltern. Es verging kein Tag, an dem er nicht im Lesesaal der Universitätsbibliothek die »Neue Zürcher Zeitung« las.

An den Wochenenden fuhr er in die Hügel, stellte den Chevrolet am Windy Hill oder am Palo Alto Foothills Park ab und lief allein in mannshohem Farn zwischen tausendjährigen, gotisch himmelan strebenden Mammutbäumen durch die menschenleeren Hügel, bis der Pazifische Ozean in Sicht kam. Dann packte er sein Käsebrot aus seinem alten Rucksack, den er aus Europa mitgebracht hatte, setzte sich auf einen Stein in Gesellschaft von saphirblauen Hähern, grellbunten Spechten und neugierigen Streifenhörnchen, schaute hinaus aufs Meer und betrachtete lange das Rollen der Wellen und die Schatten der ziehenden Wolken.

Neuntes Kapitel

Laura d'Oriano traf zur Zeit der Mandelblüte in Südfrankreich ein. Über den Dächern von Marseille kreisten die Schwalben, in den Straßen stellten die Cafébesitzer Tische und Stühle aufs Trottoir, aus den offenen Fenstern der Mietskasernen strömte der Duft von Javelwasser und frisch gewaschenen Gardinen. Ihre Eltern waren überrascht, aber nicht sehr verwundert, als die Tochter allein und ohne Familie mit ihrem alten Koffer am Vieux Port auftauchte. Sie schlossen Laura in die Arme, ohne allzu viele Fragen zu stellen, und gaben ihr wieder das Mädchenzimmer, das sie am Hochzeitstag hinter sich gelassen hatte. Sie zog ihren Ehering aus und legte ihn in eine leere Puderdose, die sie in der hinteren linken Ecke der obersten Schublade ihrer Kommode verstaute. Und dann war ihr für einen Augenblick beinahe, als wäre sie nie fort gewesen.

Aber natürlich war das nicht so. Kaum war sie in ihrem Zimmer allein und zur Ruhe gekommen, weinte sie bitterlich um ihre beiden Töchter, die sie am Abend zuvor noch zu Bett gebracht hatte, und um Emil Fraunholz, mit dem sie drei Jahre Nacht für Nacht das Bett geteilt hatte und der es mit seiner männlichen Sanftmut immer wieder zustande gebracht hatte, dass sie sich zu Hause fühlte in der Welt. Und dann quälte sie sich durch die Nacht mit der Frage, ob sie wirklich aus Bottighofen hatte fortgehen müssen, ob sie das Recht dazu gehabt hatte und ob es wirklich keinen anderen Weg gegeben hätte.

Im Morgengrauen beschloss sie schließlich, dass es keinen anderen Weg gegeben haben konnte, weil sie diesen ja sonst gegangen wäre, und dass es an der Zeit war, ihr Leben wieder an die Hand zu nehmen. Klar war, dass sie nun ihren Unterhalt selbst verdienen musste, denn die Eltern lebten kärglich von ihren Ersparnissen. Am liebsten hätte sie wieder die Musikalienhandlung übernommen, aber die Eltern hatten das Geschäft nach Lauras Hochzeit an einen polnischen Juden verkauft, der in Marseille hängengeblieben war, weil die USA polnischen Juden keine Visa mehr ausstellten.

Also ging Laura zur Anzeigenabteilung der »Liberté« und gab ein Kleininserat auf, in dem sie ihre Dienste als Schreibkraft anbot und darauf hinwies, dass sie Französisch, Italienisch, Türkisch, Griechisch und Russisch in Wort und Schrift beherrschte. Dann klapperte sie die Nachtcafés ab und bot sich als Sängerin mit reichhaltigem Repertoire an.

Als sie zurückkam, machte sie vor der Musikalienhandlung die Bekanntschaft des Polen, der ein schweigsamer Mann mittleren Alters war, gern arabischen Mokka trank und wie Laura die Angewohnheit hatte, während der stillen Stunden draußen vor der Ladentür in der Nachmittagssonne auf Kundschaft zu warten. Laura holte sich einen Stuhl und setzte sich zu ihm, und im Lauf der folgenden Stunden stellte sie fest, dass der Pole sich mit den gleichen Quartierbewohnern angefreundet hatte wie sie selber damals – mit den Schulbuben und den Nutten, den Austernhändlern und den

Kellnern von nebenan. Laura rauchte, trank mit dem Polen Mokka und war froh, wieder zu Hause zu sein.

Manchmal ging sie am Hafen spazieren. Die morschen alten Holzschiffe aus der Vorkriegszeit waren verschwunden, an den Piers lagen jetzt brandneue, silbern schimmernde Kolosse aus Stahl. Auch die bösen alten Matrosen mit ihren Klappmessern und Unterleibskrankheiten waren nicht mehr da, vermutlich gestorben oder in die Altersasyle zurückgekehrt. Auf den neuen Stahlschiffen taten nun blutjunge, pausbäckige Matrosen in makellos weißen Uniformen Dienst, die beim Landgang nicht einzeln, sondern rudelweise durch die Gassen zogen und nichts Schlimmeres im Schilde führten, als einen Abend lang möglichst viel zu saufen und möglichst viel Spaß zu haben.

Jeden Morgen ging Laura nach dem Aufstehen zum Briefkasten in der Hoffnung auf ein Stellenangebot, aber es traf nie eins ein. Mitte der zweiten Woche aber ließ der Patron des »Chat noir« sie rufen und bot ihr ein einwöchiges Gastspiel als Kosakensängerin an.

Es gab nun im »Chat noir« neben der Eingangstür einen beleuchteten Schaukasten, in dem Fotografien der auftretenden Künstlerinnen hingen. Da Laura keine geeigneten Bilder von sich besaß, drückte ihr der Patron das Kosakenkostüm und die Adresse eines fotografischen Ateliers in die Hand. Und als sie zögerte, sagte er, sie solle sich nicht so anstellen, er werde den Fotografen aus seiner Tasche bezahlen; zudem könne sie die Bilder hinterher behalten, falls sie damit auf Tournee gehen wolle. Und das alte Kostüm, wenn er es sich so überlege, eigentlich auch.

Also schlüpfte sie in das Kosakenkostüm, warf ihren Mantel darüber und ging hin. Im Atelier war es warm, der

Fotograf nahm ihr mit routinierter Höflichkeit den Mantel ab. Er schminkte ihr Gesicht und richtete ihr Haar, gab ihr einen Operettensäbel in die Hand und bat sie, sich beidhändig darauf abzustützen wie auf einen Spazierstock und dazu in die Kamera zu lächeln. Dann sollte sie den Säbel schultern wie ein Gewehr, den Kopf in den Nacken werfen und das linke Bein anwinkeln, sich auf die Zehenspitzen stellen, die Brust vorstrecken und den Bauch einziehen, lächeln, versonnen himmelwärts schauen, ein ellenlanges Mundstück mit rauchender Zigarette zwischen Zeige- und Mittelfinger halten, sich auf den Bauch legen, beide Ellbogen aufstützen und das Kinn in die gefalteten Hände betten.

Unangenehm war das alles nicht. Und es ging schnell. Der Fotograf war weit weg und beinahe unsichtbar unter seinem schwarzen Tuch, nur seine sanfte, leise Stimme war zu hören, wenn er Anweisungen gab. Schließlich kam er wieder unter dem Tuch hervor, half Laura in den Mantel und hielt ihr die Tür auf, und dann stand sie schon wieder draußen auf der Straße und war auf dem Heimweg.

Drei Tage später aber erschrak sie dann doch, als die Fotos tatsächlich im Schaukasten des »Chat noir« hingen und darüber in fetten, pseudo-kyrillischen Lettern »Anuschka, die Nachtigall aus Kiew« stand. Laura betrachtete die Bilder. Sie erkannte sich selbst nicht wieder, die Gestalt in der Kosakenuniform war eine Fremde, und doch seltsam vertraut. Es dauerte einen Augenblick, bis Laura sich eingestehen konnte, dass es ihre Mutter war, die ihr aus den Fotografien entgegenblickte. Die Unschuld der runden Stirn, die unbewusste Koketterie der nach hinten gezogenen Schultern, die ungelenke Grazie ihres Spielbeins – sie sah aus wie ihre

Mutter auf den Bildern, die sie vor zwanzig Jahren für ihre Orient-Tournee hatte anfertigen lassen.

Bald kam der Abend des ersten Auftritts. Das Kosakenkostüm mit dem falschen Hermelinbesatz saß Laura wieder wie angegossen, sie hatte nach den zwei Schwangerschaften ihre Figur wiedergefunden. Das Lampenfieber fuhr ihr schlimmer in die Knochen denn je, aber als ihr der Barpianist endlich das verabredete Zeichen gab und sie hinter dem Vorhang hervorstürzte, ihren Kasatschok tanzte und ein russisches Liebeslied anstimmte, war sie schon fast wieder glücklich. Das Publikum raste, die jungen Matrosen von den silbernen Metallschiffen lagen ihr zu Füßen. Es war alles wie damals, nur das Wichtigste – ihr Gesang – war nicht mehr derselbe.

Erstaunt hörte Laura sich selbst beim Singen zu und fand, dass ihre Stimme nun nicht mehr dünn und heiser klang, sondern getragen wurde von einer durchdringenden, rückhaltlosen Wehmut, die ihr geradezu peinlich war. Sie versuchte sich zu mäßigen und achtete auf ihre Atemtechnik, versuchte das Metrum zu halten und gab sich Mühe, exakt zu intonieren und alle Vokale und Konsonanten sauber auszuformen; aber sosehr sie sich selber zum Pianissimo anhielt und um eine wohlerzogene Frauenstimme bemühte, sang sie doch immer nur Fortissimo und lag bei jedem Ton und jedem Takt aus vollem Herzen daneben.

Aber den Männern im Publikum schien es zu gefallen, und der Barpianist hieb vergnügt in die Tasten, als wär's sein eigener Polterabend. Also tanzte sie weiter bis zur Erschöpfung und brüllte Kosakenlieder in die Nacht hinaus, und als sie zum Abschluss ein Wiegenlied sang und dabei in Tränen ausbrach, weinten auch die Matrosen und grölten aus voller Kehle »Bajuschki Baju«.

Auch der Patron des »Chat noir« war zufrieden und brachte ihr persönlich ein Glas Champagner in die Garderobe. Er brummte, sie habe ja mächtig Fortschritte gemacht seit dem letzten Mal, und legte zur verabredeten Gage ein paar Scheine hinzu. Laura steckte sie in die Manteltasche und nahm sich vor, sie gleich am nächsten Morgen nach Bottighofen zu schicken.

Am Ende des Abends erwartete sie am Hinterausgang ein befreundeter Kellner, der sie wie früher vor allzu begeisterten Verehrern beschützte und nach Hause geleitete. Als sie aber vor der Musikalienhandlung angelangt waren und Laura die Haustür schon aufgestoßen hatte, dachte sie an das leere Zimmer im Obergeschoss und die schlaflosen Stunden, die sie dort erwarteten. Da zog sie die Tür wieder zu und hakte sich beim Kellner unter, zog ihn an sich und sagte: Du hast doch nichts mehr vor? Lass uns noch ein wenig spazieren gehen, die Nacht ist so schön.

*

Mit dem Palast des Königs Minos wurden Arthur Evans und Emile Gilliéron in jenem Frühling 1900 berühmt. Wie eine lang ersehnte Wohltat verbreitete sich in Berlin, Paris und London die Nachricht, dass zur Zeit, da die alten Ägypter schon mit dem Kompass navigiert und die Chinesen sich in Papiertaschentücher geschneuzt hatten, auch die Europäer nicht mehr ganz ausnahmslos alle in Bärenfell gekleidete Höhlenbewohner gewesen waren.

Gilliéron und Evans arbeiteten rund um die Uhr. Tagsüber waren sie auf dem Grabungsfeld, nachts katalogisierten sie Funde, zeichneten und schrieben Artikel für archäologische Zeitschriften. Nach zwei Monaten aber mussten sie die

Grabungsarbeiten einstellen, weil die Sonne zu heiß vom Himmel brannte und über hundert Arbeiter an Malaria erkrankt waren. Am 2. Juni 1900 reiste Evans nach England, um Vorträge zu halten und Geldgeber für weitere Grabungen zu suchen. Einen Tag später nahm Emile Gilliéron die Fähre nach Athen, zog sich ins Atelier auf dem Dach seiner Villa zurück und begann mit der Anfertigung von Reproduktionen für den internationalen Markt.

Vom Stierkampf-Fresko machte er eine Kaltnadelradierung, die er auf Bestellung dutzendfach an Tageszeitungen und Fachzeitschriften verschickte. Die Campingstuhl-Schönheiten versandte er als vierfarbigen Siebdruck an Museen und vermögende Privatiers. Den Safranpflücker malte er fünfmal in Öl. Ein Exemplar schenkte er dem griechischen König, eines dem griechischen Staatsmuseum und eines Arthur Evans, und eines hängte er bei sich im Wohnzimmer auf; das letzte überließ er seinem Sohn Emile junior und gab ihm den Auftrag, zehn identische Kopien herzustellen.

Als Gilliéron im Februar 1901 nach Kreta zurückkehrte, nahm er seinen Erstgeborenen mit und stellte ihn auf der Fähre Arthur Evans als seinen persönlichen Mitarbeiter vor. Dieser war zuerst nicht sonderlich begeistert vom dandyhaften Jüngling, der beim gemeinsamen Mittagessen melancholisch aufs graue Meer hinausschaute und sich zu keinem Zeitpunkt am Gespräch der Erwachsenen beteiligte. Zwischen Suppe und Hauptgang aber bemerkte Evans trotz seiner Kurzsichtigkeit, dass der Junge unablässig mit der rechten Hand neben seinem Teller übers Papiertischtuch fuhr. Als Evans sich vorbeugte und die Augen zusammenkniff, um besser sehen zu können, was Emile junior da trieb, steckte dieser verlegen seinen Bleistift weg, legte die Serviette neben den

Teller und schaute wieder hinaus aufs Meer. Also wartete Evans das Ende der Mahlzeit ab und blieb sitzen, bis Vater und Sohn Gilliéron sich in ihre Kabine zurückgezogen hatten und der Kellner das Geschirr abtrug. Dann klemmte er sein Monokel vors Auge und beugte sich über den Tisch bis zur Stelle, an der Emile juniors Teller gestanden hatte. Dort konnte er sehen, dass das Papier übersät war mit meisterhaften Bleistiftminiaturen minoischer Stierkämpfer, Schlangenpriesterinnen und Campingstuhl-Schönheiten, die von so spielerisch leichter Hand gefertigt waren, als hätte sie nicht der Fünfzehnjährige, sondern dessen Vater gemacht. Arthur Evans ging um den Tisch herum und ließ sich an Emile juniors Platz nieder, um sich alles aus nächster Nähe anzuschauen. Dann musste er lächeln. Die Zeichnungen waren liebevoll mit Rotwein, Spinat, Eigelb, Tomatensauce und Kaffee koloriert.

Die Ankunft auf Knossos war dann ein Schock, das Grabungsfeld war während der subtropischen Winterregen zu einem einzigen Sumpf verkommen. Die mühsam ausgehobenen Gräben waren verschüttet, überall staksten Ziegen umher und zerstampften mit ihren Hufen das kostbare, jahrtausendealte Geröll; da und dort klafften Lücken im Gemäuer, weil die Bauern mit Ochsengespannen hergefahren waren und sich die schönen Kalksteinquader als Ecksteine für ihre Ziegenställe geholt hatten. Der Alabasterboden des Thronraums war aufgequollen, der Thron des Königs Minos und das Waschbecken der Ariadne waren mit Ziegenkot verschmiert. Die kostbaren Mörtelreste an den Ruinen hatten sich im Dauerregen aufgelöst und waren ins Erdreich gesunken, und viele Mauern, die jahrtausendelang im Schutz des Erdreichs geruht hatten, waren ausgewaschen, unterspült und zum Einsturz gebracht worden.

Arthur Evans und Emile Gilliéron sahen ihr Werk von der Zerstörung bedroht. Sie mussten handeln, den Palast so rasch als möglich mit einem Dach schützen. In aller Eile ließ Evans die verkohlten Überreste der viertausend Jahre alten hölzernen Stützpfeiler durch neue Tragsäulen aus Holz und Gips ersetzen, an den Eckpunkten ließ er auf die alten Fundamente moderne Pfeiler aus Backstein mauern, auf die ein modernes Flachdach aus Beton zu liegen kam. Und als das erledigt war, ließ er einen Schlosser aus Candia herbeirufen, der die ganze Anlage mit einem jener schmiedeeisernen Gitter umfasste, wie sie auf Kreta bei muslimischen Schreinen üblich waren.

Der Thronraum war nun zweckmäßig vor Unwettern, Paarhufern und Bauern geschützt, aber unter dem nackten Betondach wurde es bei Sonnenschein höllisch heiß. Kam hinzu, dass der Palast des Königs Minos in seiner erneuerten Gestalt – mit dem muslimischen Gitter, den Backsteinpfeilern und dem Flachdach – nicht die geringste Ähnlichkeit hatte mit einer minoischen Palastanlage, wie Arthur Evans sie sich vorstellte.

Um die Hitze fernzuhalten, ließ er im vierten Jahr, als schon der größte Teil des Palasts ausgegraben war, auf dem Flachdach ein erheblich größeres Satteldach aus roten Ziegeln und importierten Stahlträgern erstellen. So entstand über dem Thronraum ein Obergeschoss, das während der Ausgrabungsmonate zur Lagerung neuer Funde und gleichzeitig als provisorischer Museumsraum diente. In einer Ecke stellte Emile junior seinen Zeichentisch auf und fertigte nach Skizzen des Vaters für Arthur Evans minoische Aquarelle und Tuschzeichnungen an.

In seiner Erscheinung aber glich das Satteldach eher einem

nordeuropäischen Heuschober als einer neolithisch-mediterranen Königsresidenz. Man kann sich vorstellen, wie Arthur Evans an einem Sommerabend mit Vater und Sohn Gilliéron bei einer Flasche Wein unter einem Olivenbaum am Tisch saß und unzufrieden das Bauwerk betrachtete.

Ich kann den Palast von Knossos nicht sehen, sagte Evans. Sehen Sie ihn?

Er steht vor uns, sagte Emile Gilliéron senior.

Aber ich sehe ihn nicht, sagte Evans, ich sehe nur ein Ziegeldach. Unsere Anlage ist ein Witz. Wir verstecken alles Minoische unter einem weithin sichtbaren Dach, das nichts Minoisches hat. Wieso haben wir kein minoisches Dach gebaut?

Weil wir keine Ahnung haben, wie minoische Dächer ausgesehen haben, sagte Vater Gilliéron. Wir haben auf der gesamten Anlage kein minoisches Dach ausgegraben, übrigens auch kein Obergeschoss und kein Erdgeschoss. Nur Grundmauern.

Immerhin sind die Grundmauern dick, sagte Evans. Wir können mit ziemlicher Sicherheit davon ausgehen, dass der Palast drei oder vier Stockwerke hatte.

Aber wir wissen nicht, wie diese Stockwerke aussahen, sagte Gilliéron. Von den Dächern ganz zu schweigen. Neben dem Thronsaal könnte es eine breite überdachte Freitreppe gegeben haben, darauf weisen die steil ansteigenden Fundamente hin. Das ist aber auch alles, mehr können wir nicht wissen.

Emile junior, der unterdessen zwanzig Jahre alt geworden war, saß still daneben und hörte den Männern zu. Arthur Evans sah, dass er mit der rechten Hand aufs Papiertischtuch zeichnete.

Wir sind aber doch nicht ganz ahnungslos, sagte Evans. Wir haben Abbildungen von minoischen Bauwerken. Auf Fresken. Auf Vasen. Auf Münzen.

Und ich habe hier einen amerikanischen Eindollarschein, sagte Gilliéron. Muss ich deshalb davon ausgehen, dass zur Zeit Abraham Lincolns alle Amerikaner unter säulengestützten Marmorkuppeln wohnten?

Dieses Ziegeldach erzählt keine Geschichte, sagte Evans. Noch nicht mal die falsche.

Keine Geschichte ist aus wissenschaftlicher Sicht besser als eine falsche Geschichte, sagte Gilliéron.

Wie Sie wissen, bin ich gegenteiliger Ansicht, sagte Evans. Wie beim Stierkampf-Fresko.

Das lässt sich nicht vergleichen, sagte Gilliéron. Ein bisschen Flunkerei bei einem Fresko ist eine Sache. Eine ganz andere Sache ist es, mit dem Betonmischer aufzufahren und viertausendjährige Mauern als Fundamente für moderne Phantasiebauten zu benutzen.

Auch Architektur ist Metaphysik, sagte Evans. Ohne Metaphysik ist alles nichts.

Niemand kann wissen, ob sich dieses Gespräch genau so zugetragen hat, und es gibt keinen Beweis dafür, dass Emile junior die ganze Zeit geschwiegen hat. Aber man kann sich vorstellen, dass der junge Mann zum Zeitvertreib mit dem Bleistift aufs Papiertischtuch kritzelte, und dass Arthur Evans später am Abend, als Vater und Sohn Gilliéron sich in ihre Zimmer zurückgezogen hatten, das Papiertischtuch an sich nahm, um es drinnen im Licht der Petrollampe zu studieren. Dann wäre es möglich, dass Evans an jenem Abend auf jenem Papier erstmals den Palast von Knossos zu sehen bekam, wie er ihn in all seiner Herrlichkeit seit vielen Jahren erträumt hatte – mit seinen Freitreppen und Zimmerfluchten und den charakteristischen rot-schwarzen, sich nach unten verjüngenden Säulen.

Historisch gesichert hingegen ist, dass in den folgenden Jahren, da Gilliéron senior noch das Sagen hatte und der Junior gehorchen musste, auf den Fundamenten von Knossos nichts gebaut wurde mit Ausnahme der großen Freitreppe neben dem Thronsaal. Und wahr ist auch, dass nur ein halbes Jahr nach des Seniors plötzlichem Herztod, der ihn wie eingangs erwähnt kurz vor dem dreiundsiebzigsten Geburtstag in einem Athener Restaurant ereilte, auf Knossos die Betonmischer auffuhren. Und wahr ist schließlich auch, dass in der Folge unter Anleitung von Emile Gilliéron junior der Palast des Minos auferstand, wie Evans ihn sich erträumt hatte – mit allen Freitreppen und Zimmerfluchten und den rot-schwarzen, sich nach unten verjüngenden Säulen. Das alte Ziegeldach auf dem Thronsaal wurde durch zwei lichtdurchflutete, säulenbewehrte Obergeschosse ersetzt. Im Süden strebte eine Halle himmelan, die Evans als das Zollhaus bezeichnete, im Westen entstand ein Bollwerk, deren Inneres Gilliéron junior mit einem Stier-Fresko schmückte. Und einen Steinwurf entfernt ließ Evans ein hübsches Landhaus als Unterkunft für sich und seine Gäste errichten, das er »Villa Ariadne« taufte.

So wuchs über die Jahre in Stahl und Beton Arthur Evans' Traum vom Palast des König Minos aus der Ebene, und je höher und bunter er himmelan ragte, desto mehr Besucher strömten herbei, um sich eine Vorstellung von der Wiege der europäischen Kultur zu machen.

Heute ist der Palast von Knossos nach der Akropolis die meistbesuchte archäologische Stätte des östlichen Mittelmeers. Einige Touristen wundern sich, dass die Fresken an den Jugendstil der ausgehenden Belle Époque erinnern, während das Bauwerk selber mit seinen eleganten Formen und kräftigen Farben als typisches Beispiel des Art déco der späten zwanziger und frühen dreißiger Jahre gelten könnte. Und manche einheimischen Fremdenführer weisen stolz darauf hin, dass der Palast das älteste in Stahlbeton erstellte Bauwerk Kretas ist.

Über die Jahrzehnte hat der Zahn der Zeit an Arthur Evans' Werk genagt, da und dort platzt der Beton und treten rostige Stahlträger und Armierungseisen hervor. Auch Emile Gilliérons Fresken haben unter dem feuchtwarmen Klima gelitten, an manchen Stellen hat sich der Mörtel von der Wand gelöst; die heutigen Restaurateure stehen vor dem Dilemma, sich in ihrer wissenschaftlichen Treue zwischen den neolithischen Fragmenten und Gilliérons Werk entscheiden zu müssen.

*

Dann erreichten Felix Bloch im kalifornischen Exil die ersten Briefe aus der Heimat. Er erkannte die europäischen Umschläge auf den ersten Blick, wenn sie zwischen Fachzeitschriften und Zeitungen in seinem Postfach lagen, weil sie von anderer Farbe und anderem Format waren als die amerikanischen Couverts.

Alle drei oder vier Tage erhielt er einen Brief von seiner Mutter, die es nur schwer ertrug, dass ihr einziges am Leben gebliebenes Kind so weit weg war. Sie berichtete ihm von ihrem friedlichen Zürcher Alltag und vermied rücksichtsvoll jede Frage nach der Qualität seiner Unterkunft, Ernährung und Gesundheit, und meist fügte der Vater unter dem Abschiedsgruß der Mutter ein paar zärtlich-dürre Zeilen hinzu.

Wie alle Emigranten litt Felix darunter, dass er die Nachrichten von zu Hause mit entfernungsbedingter Verzögerung erhielt. Wenn er beispielsweise in einem Brief der Mutter las, dass sie sich beim Zwiebelschneiden in den Finger geschnitten habe, so hätte er gern sofort erfahren, ob die Wunde ordentlich verheilt war; wenn aber die Mutter in ihren nächsten Briefen nichts über den Finger verlauten ließ und Felix sich danach erkundigen musste, dauerte es einen Monat, bis die Auskunft eintraf.

Einmal schrieb Heisenberg aus Leipzig, einmal Niels Bohr aus Kopenhagen. Immer häufiger aber trafen Briefe von Verwandten ein, die nach Amerika auswandern wollten und sich von Felix Rat erbaten. Seine Großmutter mütterlicherseits schrieb ihm aus Wien und wollte wissen, ob man zwei siebzehnjährige Mädchen ohne Englischkenntnisse allein auf Transatlantikfahrt schicken könne. Ein Onkel aus Pilsen erkundigte sich, ob in den kalifornischen Plantagen schon Honig in großem Stil produziert werde. Ein Cousin aus Erfurt bat um Vermittlung einer Stelle als Deutschlehrer an einer Highschool. Die meisten dieser Briefe waren in durchaus sachlichem und heiterem Ton gehalten, jeder einzelne hätte für sich genommen keinen Anlass zur Sorge gegeben – wenn nicht in allen derselbe grauenvolle Ton bemühter Ironie, flapsigen Witzes und angestrengter Hemdsärmeligkeit angeklungen hätte, der nackter Todesangst entsprang.

Je mehr solche Briefe bei ihm eintrafen, je höher sie sich stapelten auf dem kleinen Regal am Kopfende seines Bettes, desto stärker empfand Felix Bloch das unausgesprochene Grauen, das ihnen entströmte. Es war das Grauen über schon begangene oder noch bevorstehende Verbrechen; über uniformierte Schulbuben, die ungestraft mit Eisenstangen durch die Innenstädte zogen und Schaufenster einschlugen, über Stiefelgetrappel und berstende Wohnungstüren mitten in der Nacht, über Gewehrkolben, die auf die Köpfe von Großmüttern und Säuglingen niedergingen, über Plünderungen und Schreibmaschinen, die aus Fenstern flogen; über ausgerissene Bärte und brennende Synagogen und über Benzinrechnungen, die man den Rabbis nach begangener Brandstiftung überreichte; das Grauen über zersplitterte Brillen und Glasscherben, die tief in Augäpfel eindrangen, und über die Verzweifelten, die sich mit Veronal vergifteten, aus dem Fenster stürzten oder in die elektrisch geladenen Stacheldrahtverhaue gingen.

Dieses Grauen verfolgte Felix Bloch in den Schlaf und erwartete ihn morgens wieder beim Frühstück, und es quälte ihn umso mehr, als er sich selber in Sicherheit wusste. Für die Dauer des Unterrichts konnte er dieses Grauen vergessen, aber wenn er mittags am Steuer seines Chevrolet Sportster durch den kalifornischen Frühling nach Berkeley fuhr und lässig den linken Arm aus dem offenen Seitenfenster baumeln ließ, saß es ihm wieder im Nacken. Am meisten quälte es ihn, wenn er am Wochenende in die Berge fuhr, um zwischen den Mammutbäumen spazieren zu gehen.

Dann dachte er an die Unglücklichen, die man zur Strafe für erfundene Vergehen mit gefesselten Handgelenken an Baumäste hängte, dass die Armgelenke auskugelten und sie unter furchtbaren Schmerzen ohnmächtig wurden. Er dachte an jene, die kopfüber an Bäume gefesselt wurden, bis ihnen buchstäblich das Hirn im Schädel platzte, und an die tagelangen, kilometerweit hörbaren Schreie jener, die man mit dem Rücken gegen den Baum gefesselt hatte, dass die Zehenspitzen gerade eben den Boden berührten. Er dachte an jene, die paarweise an den Händen um Bäume gebunden wurden, sodass jede Schwäche des einen die Qualen des anderen verdoppelte, und an jene, die durch den Wald hatten fliehen können, bis sie im Unterholz von den Hunden eingeholt und zerbissen worden waren, worauf junge uniformierte Kerle sie an den Beinen zurück ins Lager geschleppt und in eine inwendig mit Stacheldraht ausgekleidete Kiste geworfen hatten, die sie mit Brettern zunagelten und unter brütender Sonne und in nächtlicher Kälte stehen ließen, bis die Gemarterten nach zwei oder drei Tagen endlich hatten sterben dürfen.

Die meisten Bäume in den Palo Alto Hills waren Kiefern der Gattung Sequoia sempervirens. Es kam so weit, dass Felix Bloch den Anblick ihrer rauhen, rotbraunen Rinde nicht mehr ertrug. Es gelang ihm nicht, sich einzureden, dass diese Bäume in einer anderen Welt ständen als die Bäume von Dachau; je tiefer er in den Wald ging und je länger er allein war, desto stärker empfand er im Gegenteil, dass alles Gleichzeitige ebenso gegenwärtig war wie das Vergangene und das Zukünftige.

Also hielt er sich von Bäumen fern. Um sich abzulenken und nicht allein sein zu müssen, blieb er an den Wochenenden auf dem Campus und nahm sogar an den Besäufnissen der Junggesellen teil. Und wenn er doch allein war, setzte er sich an den Schreibtisch und versuchte Berechnungen über den Magnetismus der Neutronen anzustellen. Er vergaß aber nie, dass seine Eltern in Zürich, seine Großmutter in Wien und die ganze weitläufige Verwandtschaft in Gefahr schwebten, während er in der sicheren Entfernung von achttausend Kilometern Grapefruit und aufgepuffte Weizenkörner aß.

Anderthalb Jahre hielt er das aus. Als aber im Sommer 1935 wieder die großen Sommerferien anbrachen und es auf dem Campus einsam wurde, weil die Studenten für drei Monate heim zu ihren Eltern fuhren, reiste auch Felix Bloch in den eigenen Fußstapfen nach Hause – erst mit dem Zug nach New York, dann mit dem Schiff über den Atlantischen Ozean.

In jenem Sommer waren die Auswandererschiffe nach Amerika voll mit jüdischen Flüchtlingen, hingegen fuhren nur sehr wenige wie Felix Bloch in umgekehrter Richtung. Es war die Zeit der Nürnberger Rassengesetze und der Fronteninitiative, mit der die Faschisten auch in der Schweiz die Macht anstrebten; die Zeit auch, da die Gestapo jüdische Flüchtlinge aus der Schweiz zurück nach Deutschland entführte.

Als er in Zürich ankam, herrschte schönstes Spätsommerwetter. Auf der Limmat kreuzten die Jungschwäne, auf dem See die Segelboote. Am Bellevueplatz vor der Oper hielt der Oberländer Bauernverband eine Viehschau ab, am Horizont grüßte freundlich der Gipfelkranz der Glarner Alpen. Felix Bloch ließ sich von der Mutter herzen und ging mit dem Vater am See spazieren, und er versuchte beide in stundenlangen Gesprächen zu überzeugen, dass es höchste Zeit war, aus Europa zu flüchten und mit ihm nach Amerika zu gehen.

Ansonsten kehrte er zu den Gewohnheiten seiner Jugend zurück, ging zum Fußball in den Letzigrund und zum Schwimmen in den See. Ende September besuchte er die Großmutter in Wien und versuchte auch sie von der Dringlichkeit sofortiger Emigration zu überzeugen. Anfang Oktober fuhr er über Antwerpen nach Kopenhagen zur Feier zu Niels Bohrs fünfzigstem Geburtstag. Werner Heisenberg und von Weizsäcker reisten aus Leipzig an, Otto Hahn aus Berlin. Es war eine schöne Feier unter Freunden und Physikern, über Politik sprach man wieder nicht. Felix Bloch erzählte von seinem amerikanischen Alltag, in einem ruhigen Augenblick berichtete er Niels Bohr von seiner Arbeit zum Magnetismus des Neutrons. Dieser empfahl ihm, sich nicht länger mit theoretischen Erwägungen den Kopf zu zerbrechen, sondern ins Labor zurückzukehren und Experimente anzustellen. »Wenn man mit Neutronen arbeiten will, braucht man Neutronen«, sagte Bohr. »Bauen Sie eine Maschine, die Neutronen macht. Dann werden Sie sehen, was man mit ihnen anstellen kann.«

Als das Fest vorüber war, fuhr Felix Bloch heim nach Zürich. Die Rückreise nach Kalifornien rückte näher, seine Studenten erwarteten ihn. Zudem hatte er Pläne, was das Neutron betraf. In den ersten Tagen des Jahres 1936 versuchte er die Eltern ein letztes Mal davon zu überzeugen, dass die Schweiz kein sicherer Hafen mehr sei. Dann kam der Tag, an dem er mit seinem Koffer der Limmat entlang zum Hauptbahnhof lief und mit der Eisenbahn über Basel und Brüssel nach Antwerpen fuhr. Und als sein Schiff die halbe Strecke nach New York zurückgelegt hatte, wurde in Davos der Schweizer NSDAP-Führer Wilhelm Gustloff von einem jüdischen Medizinstudenten erschossen.

Zehntes Kapitel

Laura d'Oriano machte Furore mit ihrer Kosakennummer, immer zahlreicher strömten die Matrosen von den Stahlschiffen ins »Chat noir«. Am dritten Abend verfiel sie auf die Idee, ihr Französisch bei den Ansagen mit einem russischen Akzent zu würzen. Am vierten Abend schminkte sie sich erstmals slawisch hohe Wangenknochen ins Gesicht. So gefiel sie den Matrosen noch besser.

Am Samstagnachmittag, als der sechste und letzte Auftritt bevorstand, schlug ihr der Patron vor, das Gastspiel um eine Woche zu verlängern. Gleichentags berichtete die »Liberté« zweispaltig über die Nachtigall von Kiew und schrieb ihr eine tragische Biographie auf den Leib, in der ein ukrainisches Landgut und eine Familie von altem Adel eine wichtige Rolle spielten; des Weiteren eine Horde blutrünstiger Rotarmisten und ein Massaker im Pferdestall sowie ein treuer Diener namens Pavlev, der die kleine Anuschka in ein Bärenfell gewickelt und auf einem Hundeschlitten über die gefrorene Wolga westwärts in Sicherheit gebracht hatte.

Der Zeitungsbericht hatte zur Folge, dass in der zweiten Woche noch mehr Besucher ins »Chat noir« strömten und der Patron noch mal um eine Verlängerung bat; zudem setzte er ungefragt ihre Gage um die Hälfte hinauf. Laura d'Oriano nahm den Erfolg stirnrunzelnd, aber auch schulterzuckend entgegen; die Frage, ob er verdient sei oder nicht, stellte sich ihr nicht, sie brauchte einfach das Geld. Was die Lehrer von der Pariser Musikakademie zu ihrem Vortrag gesagt hätten und ob das Publikum sie wegen ihres Gesangs liebte oder wegen ihres Strumpfbands oder wegen ihrer sagenhaften Vita, war unerheblich; Tatsache war, dass jeden Abend Dutzende von Männern in Tränen ausbrachen, wenn sie »Bajuschki Baju« anstimmte, und dass es bei den letzten Strophen Geldscheine auf die Bühne regnete, die der Pianist dienstfertig für Laura aufhob.

Und was war mit dem großen und weiten Gefühl in ihrer Brust, dem Laura vor langer Zeit hatte Ausdruck verleihen wollen? Was mit dem kosmischen Summen? Nun, das interessierte sie nicht mehr, in ihrem Gesang verschaffte sich jetzt eine ganz andere Empfindung Gehör, ob Laura das wollte oder nicht. Diese Empfindung war zwar womöglich nicht so groß und bedeutsam wie jene von damals, dafür aber real. Und stark. Und sie gehörte ihr allein.

Aber natürlich konnte sie ihr Gastspiel im »Chat noir« nicht endlos verlängern, nach drei Wochen war Schluss; schließlich durfte im Publikum nicht ruchbar werden, dass die Nachtigall von Kiew in Wirklichkeit eine geschiedene Krämerstochter aus Marseille war, die ihre zwei Töchter im Stich gelassen hatte und am Vieux Port bei den Eltern in ihrem alten Kinderzimmer wohnte. Weil der Patron des »Chat noir« aber ein paar Lokalbesitzer kannte, die bei derselben Mafiafamilie wie er Schutzgeld bezahlten, bekam Laura nach ein paar Monaten eine Einladung nach Cannes. Wiederum einige Monate später hatte sie ein Gastspiel in Sète und dann eines in Nizza, und später sogar in Barcelona.

Ihr Ruf eilte ihr voraus, überall waren die Häuser voll. Überall saßen zur Hauptsache Matrosen im Publikum, und überall brachen sie in Tränen aus, wenn Laura »Bajuschki Baju« sang. Laura hatte längst verstanden, dass diese harten Burschen, die auf stählernen Schiffen schweren Dienst leisteten, in einem früheren Leben die Söhne ihrer Mütter, die Brüder ihrer Schwestern und die Enkel ihrer Großmütter gewesen waren. Und wenn am Ende des Abends das große Deckenlicht anging, konnte Laura sehen, wie jung sie alle noch waren – die meisten jünger als sie, und viele sogar jünger als ihre Brüder Umberto und Vittorio, die sie nur mehr zu Weihnachten und Ostern sah.

Gelegentlich kam es vor, dass einer der Matrosen am Hinterausgang auf sie wartete. Die Forschesten, die gleich ein Taxi mit laufendem Motor herbestellt hatten, ließ sie stehen; an den allzu Zaghaften, die ihr aus dunklen Hauseingängen schmachtende Blicke zuwarfen, ging sie ebenfalls vorbei. Hin und wieder aber lehnte an der Straßenlaterne einer, der seine Matrosenmütze in die Hosentasche gestopft hatte, sich eine Zigarette drehte und ihr, wenn sie an ihm vorüberging, ein Kompliment machte. Und wenn er ihr erst mal nicht hinterherlief, sondern bei der Laterne stehenblieb und wartete, ob sie ihm ein Zeichen gebe, so kam es vor, dass sie sich nach ihm umdrehte und ihn genauer anschaute. Und wenn er ihr gefiel und ein nettes Lächeln und polierte Schuhe hatte, konnte es geschehen – nicht oft, aber gelegentlich, ab und zu –, dass sie ihm das Zeichen gab.

Laura genoss diese Stunden, weil sie wusste, dass die Matrosen im Morgengrauen wieder auf ihren Schiffen sein mussten und keiner auf die Idee verfallen konnte, sie heiraten zu wollen und nach Bottighofen zu verschleppen. Auch hatte sie keine Angst, mit ihnen allein zu sein, weil sie wusste, dass Prügel, Vergewaltigung und Totschlag allen Frauen überall auf der Welt hauptsächlich zu Hause im Kreis der eigenen Familie drohten, und dass aus Sicht der Kriminalstatistik jene Mädchen das sicherste Leben führten, die sich vom Vater, den Brüdern und deren Freunden fernhielten und niemals heirateten, sondern jeden Abend aus dem Haus gingen und sich unter möglichst fremden Menschen einen Liebhaber für eine Nacht aussuchten, von dem sie spätestens am nächsten Morgen auf Nimmerwiedersehen Abschied nahmen.

Übrigens ähnelten die Matrosen einander alle, so sehr unterscheiden sich die Menschen ja nicht. Alle waren zu Laura ein bisschen keck und ein bisschen schüchtern, als wäre sie eine Schulkameradin oder die beste Freundin ihrer großen Schwester, und alle waren gutmütig, jung und dufteten gesund nach Kernseife. Zwar waren die meisten ein wenig ungelenk und hatte keiner von ihnen die männliche Selbstgewissheit, mit der Emil Fraunholz sie genommen hatte, und hernach schafften es nur wenige, sie durch die Nacht richtig warm zu halten; aber dafür hatten sie den Zauber des Neuen und den Reiz des Fremden, und wenn sie geschickt genug waren oder sich willig genug anleiten ließen, gelangten sie meistens beide ans Ziel.

So vergingen Monate und Jahre. Laura d'Oriano war zufrieden mit ihrem Leben. Zwar war sie alles andere als die große Künstlerin, die sie hatte werden wollen, und sie litt wegen ihrer Töchter unter Gewissensbissen, die sie zu lindern versuchte, indem sie Geld nach Bottighofen schickte. Aber immerhin sang sie ihr Lied und tanzte ihren Tanz, und ihr Bild stand in der Zeitung und die Männer drehten sich nach ihr um, während andere Frauen ihres Alters schon vom Fleisch fielen und anfingen, sich der Erde entgegenzubeugen.

Weil zwischen ihren Gastspielen jeweils mehrere Monate vergingen, reichte das Geld nicht, sie lag den Eltern auf der Tasche, die doch selber knapp bei Kasse waren; zudem hatte die Nachtigall von Kiew allmählich ihre Auftrittsmöglichkeiten an der Côte d'Azur ausgeschöpft und musste daran denken, die endgültige Heimreise in die Ukraine anzutreten. Laura zog in Erwägung, als »Svenja, die Lilie von Kopenhagen« auf Tournee zu gehen oder als »Carmen, die Rose von Sevilla«, und später vielleicht als »Aisha, die Königin von Tripolis«.

Auf jeden Fall aber brauchte sie ein regelmäßiges Einkommen. Da sie auf ihr Stellengesuch keine Antwort erhalten hatte, plazierte sie weitere Inserate, in denen sie sich als Kindermädchen, Putzfrau und Kellnerin bewarb. Es war dann aber einer von ihren Kellnerfreunden, der ihr eine Stelle vermittelte bei seiner ledig gebliebenen Tante, die ein Fachgeschäft für Damen- und Herrenhüte an der Avenue du 12 Mars führte und eine sprachgewandte Verkäuferin für ihre internationale Kundschaft suchte.

Die Tante hieß Maria Juarez und war eine emsige, kurzbeinige und breithüftige Frau mittleren Alters von unverkennbar iberischer Herkunft mit schwarzen Augen und olivbraunem Teint. Sie fasste in dem Augenblick, da Laura d'Oriano ihren Laden betrat, eine herzliche Feindschaft gegen dieses blauäugige Ding, das so unverschämt französisch aussah und wahrscheinlich noch nicht mal zu fasten brauchte, um so gertenschlank zu sein, wie sie ungerechterweise war. Weil die Tante aber seit langem jemanden mit genau

Lauras Qualitäten suchte – präsentabel, weltgewandt, vielsprachig –, stellte sie Laura für drei Monate zur Probe ein.

Das Geschäft war vom Schaufenster bis zum Verkaufstresen in zwei Hälften geteilt; die linke war voller Herrenhüte, die rechte voller Damenhüte. Hinter dem Tresen führte eine kleine Tür ins Atelier, in dem drei graue, alterslose Arbeitsbienen von morgens bis abends lautlos Hüte anfertigten, sich von ihrer Herrin duzen ließen und jeden ihrer Befehle mit »Oui, Madame« quittierten.

Lauras Arbeitsplatz befand sich am linken Ende des Tresens, so weit als möglich von der Registrierkasse entfernt. Ihre Aufgabe war es, fremdsprachige Korrespondenz zu erledigen. Wenn französische Kundschaft den Laden betrat, um die sich grundsätzlich die Chefin kümmerte, hatte sie nett zu lächeln und sich möglichst unsichtbar zu machen; am besten war's, wenn sie nach hinten ins Atelier verschwand. Wenn aber ein Amerikaner, eine Italienerin oder ein Ägypter eintrat, zog sich die Chefin ins Atelier zurück und überließ Laura das Feld.

Laura verrichtete ihre Arbeit gut, sie behandelte alle Kunden mit zurückhaltend-vertraulicher Freundlichkeit, wie sie es in der Musikalienhandlung gelernt hatte. Hinter der kleinen Tür lauschte die Chefin Lauras fremdländischem Geplauder und dem beifälligen Brummen und Gluckern der Kunden, wenn sie den richtigen Hut gefunden zu haben glaubten. Sie hatte allen Grund, mit ihrer neuen Angestellten zufrieden zu sein, kaum ein Kunde verließ das Geschäft, ohne mindestens einen Hut gekauft zu haben; trotzdem misstraute sie Laura – gerade wegen ihrer Qualitäten. Dass jemand fünf Sprachen beherrschte, war für sie, die ihre Geburtsstadt zeitlebens kaum verlassen und nie einen Fuß über die französischen Staatsgrenzen hinausgesetzt hatte, an sich schon verdächtig, mochte aber noch angehen. Aber wie konnte es sein, dass ein und dieselbe Person mit augenscheinlich gleicher Fachkenntnis über Mozartkugeln, den Londoner Nebel und den Reisanbau im Nildelta plaudern konnte?

In ruhigen Augenblicken musterte die Chefin Laura nachdenklich und blähte die Nüstern, als würde sie Witterung aufnehmen – als hätte sie Witterung aufgenommen und ahnte, dass dort hinter ihrem Tresen nicht nur die sprachgewandte Schreibkraft Laura d'Oriano saß, die sie auf drei Monate zur Probe angestellt hatte, sondern auch Anuschka, die Nachtigall von Kiew. Und Svenja. Und Carmen. Und Aisha.

*

Am Samstag, den 26. Juni 1926, um 21 Uhr 45 erschütterte ein kurzes, heftiges Erdbeben den östlichen Mittelmeerraum. Über der Ausgrabungsstätte von Knossos stand der Vollmond, am westlichen Horizont glimmte letztes Tageslicht. In der Villa Ariadne lag Arthur Evans im Bett und las in einem Buch, Emile Gilliéron junior saß mit einer Flasche Armagnac auf der Veranda. Mit dem ersten scharfen Erdstoß fing das massive Steinhaus an zu ächzen und zu kreischen, dann schwankte es wie ein Schiff auf hoher See; Arthur Evans berichtete drei Monate später in der Londoner »Times«, er sei von der heftigen Bewegung richtiggehend seekrank geworden. Aus dem Erdreich stieg während der fünfundsiebzig Sekunden, die das Beben dauerte, ein dumpfes Brüllen wie von einem wütenden Stier, in der Nähe war das Krachen einstürzender Hausdächer zu hören, dazwischen Frauengekreisch und Kinderweinen. Aus der Stadt drang eine Art inversives Glockengeläut herüber von der Kathedrale, die sich mitsamt ihren Türmen und Glockenkörpern hin und her bewegte, während die Klöppel in den Glocken frei hängend stillhielten. Und als das Beben vorbei war, erhob sich eine Staubwolke himmelan und bedeckte den Vollmond.

Den Rest der Nacht verbrachten Arthur Evans und Emile Gilliéron im Garten und warteten auf weitere Erdstöße. Nachdem diese ausgeblieben waren, besichtigten sie in der Morgendämmerung die Palastanlage. Die neue Stahlbetonkonstruktion über dem Thronsaal hatte dem Beben standgehalten, ebenso das Zollhaus und das Bollwerk; aber fünfzig große Tonkrüge waren zerschlagen und zwei Schlangengöttinnen entzweigebrochen, und auch die Fresken hatten erheblichen Schaden genommen. Das von Emile Gilliéron senior mehr imaginierte als restaurierte Juwelenfresko, auf dem eine Pariserin einer anderen Pariserin mit spitzen, rotlackierten Fingernägeln an die Halskette fasste, war pulverisiert worden; auch die Reproduktion des Safran pflückenden Blue Boy war beschädigt.

Emile Gilliéron stand nun vor der Aufgabe, die von seinem Vater restaurierten Fresken wieder instand zu stellen. Anderthalb Jahre war es her, dass er dessen Asche im Hafen von Villeneuve dem Genfersee übergeben hatte. Er war nun nicht mehr der Junior, sondern Oberhaupt und Ernährer einer großen, kostspieligen Familie. Er hatte vom Vater, als dessen Kräfte nachzulassen begannen, nacheinander die Professur an der königlichen Kunstakademie, die Anstellung am Französischen Archäologischen Institut und die künstlerische Leitung auf Knossos übernommen. Für die griechische Nationalbank hatte er eine Serie neuer Münzen gestaltet, auf denen die Schutzgöttin Athene, die Jahreszahl 1926 und der Namenszug »Gilliéron fils« zu sehen war; nebenher führte er die Werkstatt seines Vaters weiter, in der eine Gruppe von Goldschmieden, Töpfern und Steinmetzen auf Bestellung Nachbildungen von Statuetten, Vasen, Goldschmuck und Kampfschwertern anfertigte.

Den letzten Schritt in die Welt der Erwachsenen hatte er dann getan, als er eine seiner Kunstschülerinnen heiratete. Sie hieß Ernesta Rossi und war die Tochter des königlichen Kutschenbauers, und sie war ihm anfangs vor allem dadurch aufgefallen, dass sie immer nur die Akropolis in Öl malen wollte und sich für nichts interessierte, was er der Klasse sonst noch beizubringen versuchte – weder fürs Aktzeichnen mit dem Rötelstift noch für Portraits in Kohle oder für Stillleben in Wasserfarben. Nach der Hochzeit hatte sie ihre Staffelei auf der Dachterrasse des Gilliéronschen Hauses aufgestellt und weiter die Akropolis in Öl gemalt – die Akropolis bei Sonnenaufgang und die Akropolis bei Sonnenuntergang, die Akropolis bei Nacht und in der Mittagsglut, die Akropolis unter Schnee und die Akropolis im strömenden Regen – und Emile Gilliéron hatte sie gewähren lassen im Wissen, dass Selbstbeschränkung für jeden Künstler zwar die größte Niederlage, aber gleichzeitig auch die wichtigste Tugend ist.

Nach dem Erdbeben auf Knossos machte Emile Gilliéron die unangenehme Erfahrung, dass die Fähigkeiten, für die man ihn und seinen Vater lange Zeit hoch gelobt und reich bezahlt hatte, immer weniger gefragt waren. Die kühne Rekonstruktion, die gewagte Ausschmückung bis hin zur freien Imagination – sie galten nichts mehr bei einer neuen Generation von Archäologen, die an den Universitäten von London, Paris und Berlin eine eher naturwissenschaftliche als künstlerische oder altphilologische Ausbildung erhalten hatte. Diese jungen Faktenhuber arbeiteten nüchtern, methodisch und empirisch, Schliemannsche Geniestreiche und Evanssche Phantastereien waren ihnen suspekt; auch Gilliérons prähistorischen Pariserinnen mit ihren Campingstühlen und Tennisschuhen standen sie äußerst kritisch gegenüber.

Das nahm Emile Gilliéron schulterzuckend zur Kenntnis; wenn der Kunde es wünschte, war er zu jeder wissenschaftlichen Akkuratesse bereit. Bedauerlich war einzig, dass diese brave, methodische Knochenarbeit deutlich schlechter bezahlt wurde, weil zu ihrer Verrichtung keinerlei Genie und nicht mal Talent, sondern nur ein wenig Fleiß und Gewissenhaftigkeit nötig waren.

Als Gilliéron sich aber daranmachte, das Blue-Boy-Fresko nach dem jüngsten Stand der Forschung wiederherzustellen –, nämlich nicht in der Gestalt eines Safran pflückenden Jungen, sondern als blauen Affen in einem Blumenfeld –, stieß er mit der neuen Version nicht nur bei Arthur Evans, sondern bei der ganzen Grabungsequipe und allen Touristen auf einhellige Ablehnung. Der »Blue Boy« war schon zu berühmt, als dass er sich noch hätte aus der Welt schaffen lassen; so sehr hatte er sich in der kollektiven Bilderwelt der Menschheit als die gültige Ikone minoischer Kunst festgesetzt, dass das Bildnis eines blauen Affen immer nur als Fälschung wahrgenommen worden wäre.

Der neue Wille zur Authentizität hatte zur Folge, dass Gilliérons Geschäft mit den Replika immer schlechter lief. Die Aufträge für die Werkstatt blieben aus, weil die großen Museen der Welt nun von Akademikern geführt wurden, die sich nicht mehr bunt-romantischer Träumerei, sondern bruchstückhaft-korrekter Wissenschaftlichkeit verpflichtet fühlten. Das British Museum und der Louvre stellten ihre Bestellungen minoischer Nachbildungen Ende der zwanziger Jahre ein, und das Metropolitan Museum of Fine Arts in New York, das ein Vierteljahrhundert lang zu den treuesten Abnehmern gehört hatte, gab letztmals 1931 eine Bestellung auf. Die Gilliéronschen Nachbildungen waren aus der Mode geraten, schamhaft entfernten die Museumskuratoren sie aus den Ausstellungsvitrinen und lagerten sie in den Kellermagazinen ein, aus denen sie nie wiederauftauchen sollten.

Emile Gilliérons Werkstatt aber produzierte weiter, die Steinmetze, Goldschmiede und Töpfer hatten zu tun. Gelegentlich wurden Vorwürfe laut, er stelle nicht nur Nachbildungen, sondern auch Fälschungen her. Beweisen aber konnte das niemand, weil Emile sein Geschäft ganz offen betrieb und man seine Nachbildungen nur dann als Fälschungen hätte bezeichnen können, wenn er sie als Originale ausgegeben hätte.

Das tat er aber nicht. Solange die guten Stücke sich in Gilliérons Werkstatt befanden, galten sie selbstverständlich als Nachbildungen und wäre kein Mensch auf die Idee verfallen, sie für Originale zu halten. Wenn sie dann aber erst ein mal verkauft und in die weite Welt hinausgegangen waren, und wenn irgendwo auf den verschlungenen Wegen des internationalen Antiquitätenhandels ein Zwischenhändler zu erwähnen vergaß, dass es sich beim zum Verkauf stehenden Objekt nicht um ein jahrtausendealtes Fundstück, sondern um eine originalgetreue Kopie handelte – wenn so etwas in Paris oder New York oder sonst irgendwo Tausende von Kilometern abseits von Knossos geschah, lag es außerhalb von

Gilliérons Einflussbereich und konnte ihm schwerlich zur Last gelegt werden.

Trotzdem kam es gelegentlich zu polizeilichen Durchsuchungen im Beisein von Sachverständigen. Aus ihren Schilderungen weiß man, dass die Werkstatt ein phantastisches Sammelsurium prähistorischer Fundgegenstände in allen Stadien der Fertigung und des Alterungsprozesses war. Bemalte Tonkrüge lagen neben rohen Scherben, rollenweise Silberdraht neben fertigem Goldschmuck, Seifendosen voller gravierter und unbehandelter Halbedelsteine neben ungebrannten Tonklumpen und frisch geschmiedeten Lanzenspitzen, Doppeläxten und Kampfdolchen.

Ein besonders lohnender Produktionszweig war über viele Jahre die Anfertigung von zehn bis dreißig Zentimeter hohen Frauengestalten, die in jeder Faust eine Schlange hielten und dem Betrachter ihre baren Brüste entgegenstreckten; diese sogenannten Schlangengöttinnen oder -priesterinnen galten bei Museumskuratoren und privaten Sammlern als besonders repräsentative Sinnbilder für die minoische Gesellschaft, die sich Arthur Evans seit jeher als eine matriarchalische gedacht hatte. Waren die ersten Schlangengöttinnen, die zu Beginn der Grabungen auf Knossos 1903 gefunden wurden, noch schlicht gearbeitete Figuren aus Terrakotta oder Alabaster gewesen, so tauchten im Lauf des Ersten Weltkriegs aus dunklen Quellen immer kostbarer gearbeitete Statuetten aus Elfenbein und Gold auf, für welche die Museen trotz ihrer unklaren Herkunft fast zwanzig Jahre lang hohe Summen bezahlten.

In Gilliérons Werkstatt gab es Schlangengöttinnen in allen Stufen der Fertigung, vom rohen Elfenbein bis zur auslieferungsbereiten und künstlich gealterten Göttin. Da der neue

Publikumsgeschmack es so wollte, verlieh man den frisch geschnitzten und goldgeschmückten Figuren die Patina vergangener Jahrtausende, indem man sie ins Säurebad legte, wo sich die weichen Bestandteile des Elfenbeins auflösten, als hätten die Schlangengöttinnen seit prähistorischen Zeiten im sauren Erdreich gelegen; einen Unterschied zu echt gealtertem Elfenbein konnte selbst Arthur Evans nicht ausmachen. Eine einfachere und kostengünstigere Methode bestand darin, die Schlangengöttinnen im Garten an einer bestimmten Stelle zu vergraben und alle Mitglieder des Haushalts anzuweisen, ihr Wasser bis auf weiteres dort abzuschlagen.

In einem letzten Arbeitsschritt wurde der künstliche Alterungsprozess vollendet, indem man den allzu makellosen Schlangengöttinnen mit gezielten Hammerschlägen kleine Schäden zufügte. Meist wurde ein Arm abgeschlagen oder ein Unterschenkel zertrümmert. Schläge gegen den Kopf hingegen versuchte man zu vermeiden, weil Schlangengöttinnen mit fehlendem Kopf oder zerstörtem Gesicht schlechte Preise erzielten. Wenn aber doch einmal eine Figur mit zerstörtem Gesicht auf dem Markt auftauchte, galt dies unter Fachleuten als sicherer Beweis ihrer Authentizität, weil ein solch wertmindernder Schaden ja kaum das Werk eines Fälschers sein konnte.

Zwanzig Jahre lang war der Palast des König Minos der Sehnsuchtsort der archäologischen Weltöffentlichkeit gewesen. Arthur Evans war zum Ritter geschlagen worden, Emile Gilliéron hatte mit seinen Illustrationen und Nachbildungen mehr Geld verdient als jemals ein Antikenzeichner vor ihm. Wenn britische Millionärsgattinnen, deutsche Stahlbarone oder amerikanische Filmschauspieler eine Mittelmeerkreuzfahrt unternahmen, war ein Besuch auf Knossos Pflicht. Dann ließ man sich von Arthur Evans im Palast herumführen und auf der Terrasse der Villa Ariadne verköstigen, und wenn sich am Ende eines langen, warmen Tages die Dämmerung über die Anlage legte, wollte es manchen scheinen, als müsste nächstens eine federngekrönte Schlangengöttin oder König Minos persönlich die große Freitreppe hinuntersteigen. So verlockend war das Traumbild, dass die amerikanische Tänzerin Isadora Duncan bei ihrem Besuch nicht anders konnte, als auf der Freitreppe zwischen den schwarz-braunen Säulen barfuß und mit wehenden Gewändern einen improvisierten, minoisch-mykenischen Tempeltanz zu vollführen.

Das alles fand schlagartig ein Ende, als am 4. November 1922 tausend Kilometer südlich von Knossos der britische Archäologe Howard Carter im Tal der Könige das Grab des Tutanchamun entdeckte. Plötzlich fuhren die Jachten der Millionäre nicht mehr nach Kreta, sondern nach Ägypten. Alle wollten jetzt die goldene Totenmaske und die lapislazuliumrandeten Augen, den Sarg aus reinem Gold und die zahlreichen vergoldeten Schreine, den goldenen Thron und die beiden Wächterstatuen sehen. Weltweit brach in den Museen, Zeitungen und Universitäten eine Ägyptomanie aus, die viele Jahre anhalten sollte. Und gänzlich in Vergessenheit geriet der Palast des König Minos, als in Mesopotamien ein anderer Brite namens Leonard Woolley die biblische Stadt Ur entdeckte, die noch tausend Jahre älter war als Knossos und aparterweise übersät war mit tönernen Keilschrifttafeln, auf denen man schlüssig nachlesen konnte, dass schon sumerische Schulkinder Rechenübungen mit Quadrat- und Kubikwurzeln hatten machen müssen.

Diese Zurückstufung machte Arthur Evans zu schaffen – ihm, der zeitlebens davon geträumt hatte, irgendwann auf Knossos das Grab des König Minos und vielleicht gar dessen Bibliothek zu finden. Lange Jahre hatte er danach gesucht, immer weitere Kreise hatte er um Knossos gezogen, kreuz und quer hatte er Berge hinauf und hinunter auf Eselsrücken im Holzsattel die Insel durchstreift auf der Suche nach dem Königsgrab bis zum südlichen Strand und wieder zurück, war in zahllose Höhlen gekrochen und hatte jedes kleine Eiland besucht, das der schroffen Felsenküste vorgelagert war.

Nach dem großen Erdbeben von 1926 waren seine Ausritte rar geworden, die Last der Jahre machte sich bemerkbar. Immer seltener nahm er die Seereise von England nach Kreta auf sich, immer öfter verbrachte er ganze Jahre in Oxfordshire auf seinem Landsitz Youlbury. Im März 1931 aber, als er kurz vor seinem achtzigsten Geburtstag doch wieder einmal auf Knossos nach dem Rechten sah, bot ihm Nikolaos Polakis, der Priester von Forteba, einen riesigen Siegelring aus massivem Gold zum Kauf an, den angeblich ein Bauernbub namens Michael Papadakis beim Spielen in einem Weinberg gefunden hatte. In einer Version der Geschichte hatte der Ring glitzernd in der Erde gesteckt, in einer anderen am Zweig einer jungen, frisch aus der Erde geschossenen Pflanze gehangen.

Auf dem Ring war eine königlich aufrechte Gestalt mit einem Boot eingraviert, das die Form eines Seepferdchens hatte und zwischen zwei Mauern auf einen Olivenhain oder Weinberg zusteuerte, auf dessen Kuppe ein säulengestütztes Gebäude stand, das einem kleinen Tempel oder Grabmal ähnlich sah. Er sei auf den ersten Blick von der Echtheit des

Rings überzeugt gewesen, schrieb Arthur Evans, weil ihm die eingravierten Motive aus den Fresken von Knossos geläufig gewesen seien, zudem habe das massive Goldgewicht von siebenundzwanzig Gramm die Vermutung nahegelegt, dass dessen Träger von königlichem Blut gewesen sein müsse. Der Kauf sei nicht zustande gekommen, weil der Priester zwanzig Millionen Drachmen verlangte; aber immerhin habe er Arthur Evans gratis und umsonst den genauen Fundort beschrieben.

Anfang April 1931 ging Evans mit einer kleinen Grabungsequipe zur genannten Stelle in einem Weinberg drei Kilometer südlich von Knossos. Er fand an der fraglichen Stelle einen kleinen griechischen Friedhof und darunter ein großes, offenbar minoisches Bauwerk, das sich nach einigen Tagen Grabungsarbeit als säulengestützter Tempel mit gepflästertem Vorhof und darunterliegender Gruft erwies, deren Wände rot und die Decken blau bemalt waren.

Arthur Evans war begeistert. Diese Grabanlage war größer als alle Gräber, die er je auf Kreta gesehen hatte. Zwar war die Gruft schmucklos und leer, aber das verunsicherte ihn nicht, sondern bestärkte ihn in seiner Überzeugung, tatsächlich das wirkliche Grabmal des König Minos vor sich zu haben. Denn bekanntlich war Minos auf der Jagd nach dem entflohenen Dädalus nach Sizilien gesegelt und dort ermordet und beigesetzt worden, weshalb sein Leichnam sich gar nicht auf Kreta befinden konnte. Die Leere der Gruft war also ein Beweis oder zumindest ein Indiz dafür, dass dieses Grab tatsächlich für König Minos errichtet worden war.

Der goldene Siegelring, der Arthur Evans auf die Spur des Königsgrabs gebracht hatte und den die Archäologie seither als Ring des König Minos kennt, wurde vom staatlichen Museum in Candia gekauft, später aber als Fälschung erkannt und dem Priester zurückgegeben, welcher ihn angeblich der Obhut seiner Ehefrau überließ, die ihn angeblich irgendwo vergrub und sich dann später leider der Stelle nicht mehr entsinnen konnte – dies jedoch erst, nachdem Emile Gilliéron den Ring hatte zeichnen und fotografieren können, und nachdem er in seiner Werkstatt zuhanden von Arthur Evans eine Kopie hatte anfertigen lassen, die mit der verlorenen Originalfälschung geradezu identisch gewesen sein muss.

Dann wurde es still um den Ring des König Minos, bis achtzig Jahre später der Enkel des Priesters Polakis beim archäologischen Museum in Heraklion vorstellig und verkündete, der Ring sei wiederaufgetaucht. Der Museumsdirektor erwarb ihn für eine unbekannte Summe, seit 2002 wird er in der ständigen Ausstellung an prominenter Stelle präsentiert.

*

Zurück in Kalifornien, schrieb Felix Bloch seine Theorie zum Magnetismus der Neutronen in wenigen Tagen nieder. Er hatte die Idee lange ausgebrütet, jetzt lag sie offen vor ihm. Plötzlich lagen die Kämpfe, Zweifel und Entscheidungen der letzten Jahre weit zurück, als hätte jemand anderes sie ausgestanden. Als sein Aufsatz im Juli 1936 in der »Physical Review« erschien, erregte er Aufsehen, Bohr und Heisenberg schickten Briefe und gratulierten. Felix selber aber bedeutete der Magnetismus der Neutronen nun nichts mehr; fast wunderte ihn, dass er sich so lange darüber den Kopf hatte zerbrechen können. Die Idee schien ihm nun, da sie zu Papier gebracht war, banal und belanglos, auch weil niemand sie verstehen würde außer ein paar Sonderlingen, wie er selber einer war.

Die Atomphysik überhaupt war ihm wegen ihrer Sinn- und Zwecklosigkeit, für die er sie einst geliebt hatte, gleichgültig geworden. Er fand es eitel und geradezu obszön, dass man angesichts der Katastrophe, die die Welt zu erfassen drohte, seine Zeit mit selbstgenügsamen Introspektionen vergeudete. Wenn er nachts in seinem Junggesellenbungalow wachlag und aus den Foothills das Heulen der Kojoten herüberklang, fühlte er sich fremd und nutzlos, weil er mit seiner Lebenszeit nichts Sinnvolles anfing, keinen Freund hatte und seinen Nächsten zu Hause nicht beistehen konnte. Seine Reise nach Europa hatte nur seinem eigenen Wohlbefinden gedient, den Menschen in Not war er keine Hilfe gewesen. Er schämte sich der Monate, die er lümmelnd in seinem Zürcher Kinderbett und am Küchentisch der Mutter verbracht hatte, und er schämte sich der letzten zehn Jahre seines Lebens, die er ohne Nutzen für die Allgemeinheit vertan hatte.

Aber weil er einen Arbeitsvertrag mit der Universität unterschrieben hatte und Geld für Essen, Benzin und Miete brauchte, stand er jeden Morgen auf, duschte und rasierte sich und ging in den Vorlesungssaal des physikalischen Instituts, um seinen blonden, muskelbepackten Unschuldslämmern etwas über die Spektrallinien der Atome oder den Aufbau des Periodensystems zu erzählen. Er war ein guter Lehrer und bei den Studenten beliebt, weil er sie freundlich bei der Hand nahm und durchs Meer ihrer Unwissenheit sicher von einer Eisscholle zur nächsten leitete.

Er selber aber war nicht mehr neugierig. Er wollte nicht mehr herausfinden, ob Elektronen nun Weitsprung oder

Hochsprung oder sonst etwas Schönes machten, und das Sowohl-als-auch-Getue der Quantentheorie fand er nur noch kokett. Nach Berkeley zu den Seminaren mit Oppenheimer fuhr er nicht mehr, Fachzeitschriften las er nur noch gelegentlich.

Deshalb hatte er viel freie Zeit und zuwenig Beschäftigung für seinen Verstand. Er hätte trinken mögen, aber der Alkohol brachte den Leerlauf seiner Gedanken nicht zum Stillstand, sondern beschleunigte ihn nur; zudem schmeckte ihm das dünne amerikanische Bier nicht, von dem er, weil er ein großgewachsener und kräftiger Mann war, unappetitlich große Mengen hätte zu sich nehmen müssen, um einen Effekt zu verspüren.

Also fuhr er an einem Samstagmorgen im April 1936 nach San Francisco, kaufte im Cole Hardware Store einen Satz Schraubenschlüssel erster Qualität und verbrachte von da an seine Freizeit damit, den Chevrolet Sportster auf Vordermann zu bringen. Er nahm die Stoßstangen ab und legte sie im Labor des chemischen Instituts ins Chrombad. Er schliff die rostfleckigen Kotflügel und bemalte sie neu mit feuerwehrrotem Lack. Das schwarze Dach der Fahrerkabine strich er weiß, damit es weniger Sonnenlicht absorbierte. Er polsterte die durchgesessenen Sitze neu auf, dann schliff und lackierte er die hölzernen Radspeichen. Er nahm den Zylinderkopf ab und schnitt aus einer dünnen Korkplatte in dreitägiger Präzisionsarbeit eine neue Zylinderkopfdichtung, obwohl er für wenig Geld aus Detroit eine hätte bestellen können. Dann schmierte er sämtliche Lager und ersetzte den Keilriemen, bohrte das Einlassventil aus und schraubte tagelang am Zündverteiler, und zum Schluss verkürzte er den Auspuff, verlängerte ihn wieder und verkürzte ihn erneut.

Als er mit allem fertig war, sah der Chevrolet aus wie neu und der Motor war leistungsstärker als am Tag, an dem er in Detroit aus dem Werk gerollt war. Felix Bloch lauschte dem Surren des Motors und freute sich der Schönheit, die einer funktionierenden Maschine innewohnt, und dabei waren es zu seinem Erstaunen nicht die komplexen elektrischen Komponenten wie die Lichtmaschine, der Zündverteiler oder der Unterbrecher, die ihm am besten gefielen, sondern die einfachen mechanischen Teile wie die Scheibenwischer mit ihren trägen Pendelbewegungen oder die hübschen kleinen Bakelit-Kippschalter am Armaturenbrett oder die Kardanwelle, die das Drehmoment des Motors so elegant auf die Hinterachse übertrug.

Die manuelle Arbeit hatte ihm gutgetan, aber nun waren an dem Fahrzeug auf absehbare Zeit beim besten Willen keine Wartungsarbeiten mehr vorzunehmen. Also sah er sich nach einer anderen handwerklichen Aufgabe um und kam auf die Idee, im Labor des physikalischen Instituts eine Maschine zur Herstellung freier, nicht in einem Atomkern gebundener Neutronen zu bauen. Er fand es verlockend, mit seiner Hände Arbeit etwas zu schaffen, was es in der Natur nicht gab, und er hatte noch immer Niels Bohrs Ratschlag im Ohr, dass man Neutronen brauche, wenn man mit Neutronen arbeiten wolle. Also würde er welche herstellen. Dann würde man sehen, was sich mit ihnen anfangen ließ.

In den Geräteschränken des Labors fand er allerlei physikalisches Spielzeug wie Crookes' Röhre oder Leonardos Wasserpumpe, dann auch ein paar Kupferspulen und Transformatoren, allerlei thermodynamisches Gläserwerk sowie eine Vakuumpumpe und ein paar Prismen und vor allem eine Röntgenröhre, die man mit einer Spannung von maximal zweihunderttausend Volt speisen konnte. Zweihunderttausend Volt waren nicht schlecht, damit ließ sich etwas anfangen. Als erstes würde er schweres Wasser produzieren, um die Neutronen abzubremsen, und mithilfe der Röntgenröhre würde sich vielleicht ein einigermaßen verlässlicher Strahl herstellen lassen. Felix Blochs Idee war, den Neutronenstrahl zu polarisieren, indem er ihn an zwei starken Elektromagneten vorbeiführte, um so die magnetische Ladung der Neutronen nachweisen und vielleicht sogar messen zu können.

Er machte sich mit Feuereifer an die Arbeit. Die Aussicht, nach langer Zeit wieder einen von ihm gedachten Gedanken mit der realen Welt in Einklang zu bringen, war ihm ein großer Trost. Er lötete und schraubte Tag und Nacht wie damals in Zürich, als er im Keller der ETH seinen Spektrographen gebaut hatte. Und dann kam der Augenblick, an dem er versuchsweise seine Strahlungsquelle, eine Mischung von wenigen Milligramm Radium und Beryllium, im Inneren der Röntgenröhre plazierte.

Über seine Maschine sagte Felix Bloch später, sie sei eher eine Quelle der Inspiration als eine Neutronenquelle gewesen. Hin und wieder habe er mit einigem gutem Willen das eine oder andere freie Neutron für ein paar Sekunden nachweisen können, bevor es von einem Atomkern eingefangen wurde; aber die Produktion sei viel zu gering gewesen, ein halbwegs verlässlicher Neutronenstrahl sei nie zustande gekommen. Auch hatte Felix die Röntgenröhre nicht mal zu seiner alleinigen Verfügung, sondern musste sie alle paar Tage an die Mediziner ausleihen, die mit ihren Studenten tote Schafe oder ihre eigenen Hände durchleuchteten.

Felix Bloch war klar, dass er eine größere Maschine

brauchte – eine sehr viel größere Maschine. Im Labor seines Freundes Robert Oppenheimer stand zwar eine deutlich größere Maschine, die auf den Namen Zyklotron getauft worden war und als der größte Teilchenbeschleuniger der Welt galt; aber auch sie produzierte nur sehr unregelmäßig und unzuverlässig Neutronen, und auch sie musste man alle paar Tage den Medizinstudenten ausleihen.

Also setzte Felix Bloch sich an den Schreibtisch, zeichnete eine erste Planskizze für sein eigenes Zyklotron und wagte eine grobe Schätzung der Materialkosten. Dann griff er zum Telefonhörer und fing an, Geld zu sammeln. Der Dekan der Universität ließ ihn wissen, die Universität habe keine freien Mittel für sein anscheinend eher praxisfremdes Experiment, aber man verfolge seine Aktivitäten mit Interesse und wünsche ihm Glück. Die Rockefeller Foundation spendete viertausend und der Rotary Club von San Francisco tausend Dollar, und eine lokale Großbäckerei, die die Universität mit Brot zu beliefern hoffte, legte fünfhundert Dollar dazu.

Aber dann kam unerwartet der Tag, der allen Spielereien ein Ende machen und alles für immer verändern sollte – nicht nur in Felix Blochs Leben, sondern für die Zukunft der Menschheit und aller Lebewesen auf der Erde.

Jener Tag war der 26. Januar 1939.

Felix Bloch saß bei »Pietro's Barber Shop« in der Hamilton Avenue, im Radio liefen die Mittagsnachrichten. Er war bei Pietro Stammkunde, weil dieser ein schöner und schweigsamer Italiener war, der sein Handwerk beherrschte und eine Vorliebe für kleine, selbstgebaute Elektroapparate hatte. Wenn man die zwei Stufen zu seinem Salon hinaufstieg und den Schuhabstreifer betrat, öffnete sich die Eingangstür selbsttätig, und wenn man auf dem Frisierstuhl Platz genommen hatte, verstellte Pietro die Sitzhöhe per Knopfdruck mithilfe eines Elektromotors. Zum Aufschäumen der Seife benutzte er ein selbstgefertigtes elektrisches Rührwerk und fürs Schleifen seiner Messer eine kleine Maschine mit gegenläufig rotierenden Steinen. Von den brandneuen Remington-Trockenrasierern hingegen hielt Pietro nichts, weil er einen im Selbstversuch getestet hatte und zur prophetischen Überzeugung gelangt war, dass mit diesen Geräten auch in hundert Jahren keine ordentliche Rasur möglich sein würde.

Wenn es aber ans Schneiden des Haupthaars ging, setzte er ganz auf seine elektrisch betriebenen Drehmesser, deren abenteuerlichen Anblick er seinen Kunden nach Möglichkeit ersparte. Beim Kürzen des Deckhaars brachte er eine andere Maschine zum Einsatz als beim Auslichten des Schläfenhaars, fürs Stutzen der Nasen- und Ohrenhaare wieder eine andere und beim Ausscheren des Nackens noch mal eine andere, und wenn er die abgeschnittenen Haare unter dem Kragen entfernte, verwendete er dafür einen kleinen Staubsauger mit einem selbstgefertigten, samtgepolsterten Düsenvorsatz.

Zum Abschluss massierte Pietro seinen Kunden immer ganz manuell die Schläfen mit Acqua di Parma. Felix Bloch schloss die Augen und lauschte den Radionachrichten. Der Sprecher berichtete, dass der Oberste Gerichtshof des Bundesstaates Kalifornien den Bauernknecht Claud David wegen Mordes zum Tod verurteilt hatte. General Francos Truppen waren in Barcelona einmarschiert. An der Decke surrte der Ventilator, in der Ecke der Cola-Automat. Der Sprecher las die Wettervorhersagen. Nordkalifornien stand ein trübes und kühles Wochenende bevor. Plötzlich wurde die Stimme des Sprechers lebhaft, eben sei eine wichtige Nachricht eingegangen. Das Rascheln von Papier war zu hören. Dem deutschen Chemiker Otto Hahn in Berlin sei es gelungen, durch Beschuss mit Neutronen den Kern eines Uran-Atoms zu zertrümmern, was bisher als physikalisch unmöglich galt. Diese Nachricht habe der dänische Nobelpreisträger Niels Bohr zur Eröffnung der fünften Washingtoner Konferenz über theoretische Physik überbracht. Bei der Zertrümmerung des Urankerns sei das Element Barium entstanden und die ungeheure Energie von zweihundert Millionen Elektronenvolt freigesetzt worden.

Felix Bloch wusste sofort, was das bedeutete. Er riss sich das Tuch vom Hals und stürmte aus dem Salon, rannte zum Chevrolet und fuhr mit übersetzter Geschwindigkeit nach Berkeley. Er parkte vor der Freitreppe der schlossähnlichen LeConte Hall und rannte die drei Stockwerke hinauf zu Oppenheimers Büro, wo er diesem atemlos berichtete, was er am Radio gehört hatte. Man kann sich vorstellen, dass Oppenheimer auf der Kante seines Schreibtischs saß, »Ja … ja, ja … ja« machte und Felix Bloch bei der ersten Gelegenheit ins Wort fiel.

Welche Spaltprodukte hat Hahn gefunden? fragte Oppenheimer.

Barium.

Sonst nichts?

So haben sie's am Radio gesagt, aber das ist natürlich unmöglich. Uran 92 minus Barium 56 ergibt 36, also Krypton. Wenn Hahn Barium gefunden hat, muss er auch Krypton gefunden haben.

Und freie Neutronen? Oppenheimer steckte sich mit dem Stummel seiner niedergebrannten Chesterfield eine neue an.

Von Neutronen war nicht die Rede.

Solange keine Neutronen frei werden, ist alles halb so wild.

Ich fürchte, es werden welche frei.

Ein Neutron pro Kernspaltung bedeutet die Uranmaschine, sagte Oppenheimer. Unbegrenzt Energie für die ganze Menschheit bis ans Ende ihrer Tage.

Aber zwei Neutronen bedeuten die Bombe, sagte Bloch. Was machen wir jetzt?

Oppenheimer zuckte mit den Schultern. Wenn die Bombe möglich ist, wird jemand sie bauen.

Wahrscheinlich.

Ganz sicher.

Fragt sich nur, wer.

Jemand, der's kann, sagte Oppenheimer. So viele sind's nicht. Wir oder die anderen, nicht wahr?

Felix Bloch nickte.

Wo ist Hahn eigentlich jetzt?

Immer noch in Berlin.

Und Ihr Freund Heisenberg?

Immer noch in Leipzig.

Und von Weizsäcker?

Immer noch in Berlin.

Elftes Kapitel

Seine letzte Reise nach Knossos unternahm Emile Gilliéron im Alter von fünfzig Jahren, als Arthur Evans zum Ehrenbürger von Heraklion ernannt wurde. Zehntausend Menschen säumten am 15. Juni 1935 die Straße, während die Festgemeinde vom Hafen hinauf zum Palast des König Minos zog. Der stellvertretende Kultusminister war eigens aus Athen angereist, um auf dem großen Platz vor dem Ausgrabungsgelände Evans' Verdienste zu würdigen und Griechenlands Dankbarkeit für dessen Lebenswerk zum Ausdruck zu bringen. Nach ihm hielten auch der Botschafter des Vereinigten Königreichs und der Bürgermeister von Heraklion eine Rede. Und als die Sonne am Zenit stand, zelebrierte der griechisch-orthodoxe Bischof von Kreta eine Messe.

Anschließend fiel Arthur Evans die Aufgabe zu, eine Bronzestatue seiner selbst samt Marmorsockel und Gedenktafel zu enthüllen. Nachdem der Applaus verebbt war, trat er ans Rednerpult. Er sprach wie stets mit schwerem englischem Akzent in einem Gemisch von Neu- und Altgriechisch, das die Griechen nur mit Mühe und die Nicht-Griechen überhaupt nicht verstanden. Von allen Anwesenden folgte nur Emile Gilliéron dem Vortrag mit Leichtigkeit, weil er das Kauderwelsch seit dreißig Jahren im Ohr hatte.

Zuerst berichtete Arthur Evans von den Tagen, da Knossos noch kein Königspalast, sondern ein Olivenhain gewesen war. Dann deutete er mit großer Geste auf sein Lebenswerk und rief, dass der Palast zwar nur die Ruine einer Ruine sei, aber für alle Zeit beseelt bleibe vom organisatorischen Geist des König Minos und dem freien Künstlertum des Dädalos.

Aus der zweiten Reihe verfolgte Emile Gilliéron mit Wehmut, wie sein langjähriger Brotherr sich unter der Last seiner dreiundachtzig Jahre tapfer aufrecht hielt und unbeirrt seine Vision vom minoischen Königreich zum Besten gab. Nichts davon war Gilliéron neu, alles hatte er tausendmal gehört – die Rede von der friedfertigen Seemacht, der Traum vom schriftkundigen Matriarchat, die Legende vom plötzlichen Untergang nach Erdbeben und Vulkanausbrüchen. Er gönnte dem alten Mann die Ehrung von Herzen und bedauerte nur, dass sie wie die meisten Ehrungen zwanzig oder dreißig Jahre zu spät kam.

Wäre der Jubilar erst fünfzig oder sechzig Jahre alt gewesen, hätte er vielleicht noch von seinen überkommenen Visionen ablassen und mit seinen wissenschaftlichen Nachfolgern ins Gespräch kommen können. Jetzt aber war er unrettbar in seinem Altersstarrsinn verfangen und nur noch das erwartete Ärgernis für die jungen Archäologen, die doch mit dem festen Vorsatz hergekommen waren, den berühmten alten Mann zu ehren. Sie schauten betreten auf ihre Schuhspitzen, während Evans vom Geist des König Minos schwadronierte, und als er geendet hatte, stießen sie einander feixend in die Seiten, warfen schräge Blicke zum Palast hinüber und tuschelten, dass unter so viel Stahlbeton und Ölfarbe höchstens der Geist des Arthur Evans überleben werde.

Trotzdem war der Applaus lang und aufrichtig. Nach dem

Festakt begaben sich die geladenen Gäste zum Bankett auf die Terrasse der Villa Ariadne, und am späten Nachmittag kehrten sie zurück zum Hafen, wo der Dampfer nach Athen wartete. Der Abschied war herzlich, aber heuchlerisch; bei aller Verehrung für Arthur Evans, der seine ganze Lebenskraft und sein Privatvermögen für Knossos hingegeben hatte, war die archäologische Gemeinde Kretas doch froh, den alten Mann für immer loszuwerden, der seinen Nachfolgern nur noch im Weg und in der Sonne stand. Und als die Passagiere an Bord gegangen waren und die Matrosen die Leinen losgemacht hatten, wusste Emile Gilliéron, dass auch seine Zeit auf Kreta abgelaufen war.

Nachdem das Schiff den Hafen verlassen hatte und alles Winken und Grüßen vorüber war, tranken die Weggefährten Tee im kleinen Salon.

Erinnern Sie sich an unsere erste gemeinsame Überfahrt vor dreißig Jahren? fragte Arthur Evans. Als Sie aufs Tischtuch zeichneten?

Da war ich fünfzehn, sagte Gilliéron entschuldigend. Mein Vater hat sich deswegen noch wochenlang über mich lustig gemacht.

Ach, Ihr Vater, sagte Evans. Wie lange ist er schon nicht mehr unter uns?

Elf Jahre, sagte Emile. Er ist vier Tage vor dem vierten Geburtstag meines Sohnes gestorben.

Dann ist der kleine Alfred jetzt auch schon fünfzehn, nicht wahr? Hat er Ihr Talent geerbt, zeichnet er schon aufs Tischtuch?

Nicht, dass ich wüsste, sagte Emile kurz.

Nach einer Weile räusperte sich Evans und schaute um sich, als suche er etwas.

Sagen Sie, Gilliéron, haben wir diese Überfahrt vor dreißig Jahren nicht auf genau diesem Schiff gemacht? War das nicht exakt dieser Tisch, an dem Sie aufs Tischtuch gezeichnet haben?

Leider nein, Sir. Ich weiß zufällig, dass jenes Schiff vor vielen Jahren abgewrackt wurde.

Sind Sie sicher?

Absolut.

Wie bedauerlich, sagte Evans und strich mit beiden Händen über die Tischkante, als wollte er das Schiff streicheln. Ich hätte geschworen ... Dann sah er sich verlegen und verwirrt um.

Gilliéron hatte Mitleid mit dem alten Mann.

Es ist zwar nicht dasselbe Schiff, sagte er, aber ich stimme trotzdem ganz mit Ihnen überein. Jenes Schiff von damals hatte große Ähnlichkeit mit diesem hier.

Ah ja?

Eine erstaunliche Ähnlichkeit. Wie ein Ei dem anderen.

Nicht wahr? Arthur Evans nickte zufrieden. Schiffe sehen einander überhaupt alle sehr ähnlich, finden Sie nicht?

Absolut, sagte Gilliéron und schaute aufs graue Meer hinaus. Ein Schiff ist ein Schiff, so viel steht fest.

Dann versiegte das Gespräch. Arthur Evans betrachtete das Tischtuch mit verwundert hochgezogenen Brauen, und Emile Gilliéron ärgerte sich, dass er Mitleid empfand.

Es war ein anstrengender Tag gewesen, sie legten sich früh schlafen. Als sie anderntags im Hafen von Piräus Abschied nahmen, schüttelten sie einander die Hände, schworen baldiges Wiedersehen und wussten doch beide, dass sie einander in diesem Leben nicht mehr begegnen würden. Gut möglich, dass Emile Gilliéron auf der Fahrt von Piräus nach Athen eine

Träne vergoss, weil er nicht nur von Arthur Evans und dessen Epoche Abschied nahm, sondern auch von der Epoche seines Vaters und vielleicht auch schon von seiner eigenen.

Denn es geschah an jenem Tag zum ersten Mal in dreißig Jahren, dass er ohne jeden beruflichen Erfolg aus Kreta heimkehrte – ohne die kleinste Bestellung, ohne Auftrag und ohne Einladung. Das war kein Zufall und würde keine Ausnahme bleiben, Gilliéron machte sich keine Illusionen. Die jungen Faktenhuber hatten an jenem Feiertag nicht nur Arthur Evans, sondern auch ihn mit unausgesprochenem Schimpf in Pension geschickt. Das war in Ordnung und der Lauf der Dinge, Emile Gilliéron empfand keine Bitterkeit, weil er sich selbst nicht als Verlierer und die Faktenhuber nicht als Sieger sah; es kam lediglich zu einem Schichtwechsel. Jetzt würden die jungen Leute zeigen müssen, wozu ihre rechthaberische Wissenschaftlichkeit taugte.

Arthur Evans und Emile Gilliéron hatten immerhin den Palast des König Minos wiederauferstehen lassen – was hatten die Faktenhuber dagegen vorzuweisen? Ein paar wissenschaftlich akkurate Steinhaufen. Einer lag einsam am Stadtrand von Palekastro und ein anderer hinter dem Strand von Kato Zakros, in Phaistos hatten die Italiener ein bisschen was gefunden und die Franzosen hatten in Malla einen Steinhaufen ausgegraben, und alles war gewissenhaft vermessen, archiviert und katalogisiert worden. Aber wem erzählten diese Trümmer irgendetwas? Auch nur die kleinste Geschichte? Und wer würde sie noch sehen wollen, nachdem er den prächtigen Palast von Knossos gesehen hatte?

Arthur Evans und Emile Gilliéron waren die Schöpfer des Palasts von Knossos, das war nicht mehr zu ändern und würde auch in hundert Jahren so sein, wenn die jungen

Puristen, die archäologischen Schulmeister und ihre Buchhalter längst verrottet und vergessen in ihren Gräbern lagen, Seite an Seite mit den Museumskuratoren und Ministerialbeamten und all den anderen blutleeren, leidenschaftslosen Erbsenzählern, Korinthenkackern und Parasiten, die keinerlei Passion im Leben hatten, sich auf Staatskosten aufplusterten und nie im Leben eine Drachme aus der eigenen Tasche für etwas anderes als den eigenen Wanst hergegeben hatten. Auch in hundert Jahren, davon war Emile Gilliéron überzeugt, würde das kollektive Gedächtnis der Menschheit sich der Urgeschichte Kretas so erinnern, wie er und Arthur Evans sie geschaffen hatten – mit ihren Thronsälen, den Freitreppen und den rot-braunen Säulen, die sich nach unten verjüngten, und mit den Campingstuhl-Schönheiten, Safranpflückern und Schlangenpriesterinnen.

In jahrzehntelanger Arbeit hatte er ein Gesamtwerk geschaffen, das sich unabhängig von seiner historischen Wahrhaftigkeit einen Platz in den großen Museen dieser Welt verdient hatte. Zwar war Emile Gilliéron klar, dass er für seine Lebensleistung keinen Ehrendoktor erhalten, nicht zum Ritter geschlagen und nirgends zum Ehrenbürger ernannt werden würde, weil er im Gegenteil froh sein musste, nicht als Fälscher oder Betrüger hinter Gittern zu enden. Aber wenn die Welt seine künstlerische Leistung auch nicht zu würdigen wusste, so konnte er immerhin für sich in Anspruch nehmen, der größte Fälscher aller Zeiten zu sein; denn er hatte nicht einfach nur ein paar Ölschwarten, Elfenbeinfigürchen oder Geldscheine kopiert, sondern nichts weniger als das Lebensbildnis der ältesten Hochkultur Europas erfunden – mit all ihrer spielerischen Lebensfreude und ihrem Hang zu Jugendstil und Art déco.

Und wenn Emile Gilliéron auch das eine große Ziel seiner Jugend – das kleine Haus am Genfersee – noch immer nicht erreicht hatte, so konnte er doch mit sich zufrieden sein; er brauchte sich nichts mehr zu beweisen und war auf die Anerkennung der jungen Faktenhuber nicht angewiesen.

Unangenehm war nur, dass er noch keine dreiundachtzig Jahre alt war und noch eine ganze Weile Geld verdienen musste. In Athen stand es um seine Angelegenheiten nicht besser als auf Kreta, die großen Museen und Institute kauften nichts mehr bei ihm. Im Jahr zuvor hatte er sich noch ein letztes Mal gegen die jungen Archäologen durchgesetzt und im staatlichen Antikenmuseum einen ganzen Saal mit Minoica aus eigener Produktion eingerichtet. Aber das war nun vorbei, neue Aufträge waren nicht in Sicht.

Die Straße von Piräus nach Athen war geteert worden, zudem hatte man eine Straßenbahn gebaut. Eine dichte Kette von Automobilen war unterwegs, Pferdefuhrwerke und Eselskarren sah man kaum noch. Die Stadt war seit ein paar Jahren voller Autos, in den Sommermonaten hingen dichte Schwaden von Verbrennungsgasen in den Straßen. Die meisten Straßenbahnschaffner konnten Französisch, viele Kellner Deutsch. Das Haus der Familie Gilliéron stand nicht mehr auf einer Ziegenweide, sondern mitten in der lärmigen, rasch wachsenden Stadt.

In einem halben Jahrhundert hatten Vater und Sohn Gilliéron alle entwicklungsgeschichtlichen Stadien der Archäologie durchlaufen. Sie waren mit Schliemann als archäologische Jäger und Sammler durch die Ägäis gestreift, dann waren sie mit Evans auf Knossos sesshaft geworden wie die Ackerbauern. Als die zu bestellenden Äcker knapp geworden waren, hatten sie sich auf spezialisiertes Kunsthandwerk für eine zahlungskräftige Oberschicht verlegt, und als dieser feudale kleine Markt eingebrochen war, hatten sie sich breitere Käuferschichten erschlossen, indem sie eine Manufaktur einrichteten und die Stückkosten senkten. Und den letzten Schritt zur Industrialisierung hatten sie unternommen, als sie ihre Nachbildungen maschinell und massenweise von einer Fabrik im Süden Deutschlands vervielfältigen ließen.

Die Württembergische Metallwarenfabrik in Geislingen fabrizierte aufgrund Gilliéronscher Modelle in galvanoplastischem Verfahren minoische Stierköpfe und mykenische Trinkbecher aus Gold und Silber in jeder gewünschten Stückzahl, zudem allerlei Vasen, Öllampen und Kelche, Schwerter und Dolche, Münzen und Totenmasken sowie goldene Fingerringe wie den Ring des König Minos, der Arthur Evans zum Tempelgrab geführt hatte. Der reich illustrierte Katalog listete hundertvierundvierzig Artikel auf, Bestellungen waren an Emile Gilliéron, Rue Skoufa 43 in Athen, zu richten. In der Einleitung schrieb der Münchner Professor Paul Volters, die Artefakte seien nicht in ihrem verbogenen, zerdrückten und zerbrochenen Zustande gelassen, sondern wieder in die ursprüngliche Form gebracht worden.

Die Minoika aus Geislingen sicherten Emile Gilliérons Existenz, sie waren preiswert und verkauften sich gut. Allmählich aber ging die Nachfrage zurück, der Markt schien gesättigt. Zudem hatte die Württembergische Metallwarenfabrik immer mehr Aufträge der Wehrmacht zu erledigen und fand nur noch selten Zeit für Gilliérons originelle Sonderwünsche.

Damit nicht auch diese Einnahmequelle versiegte, musste Emile das Sortiment laufend erneuern. Zweimal jährlich –

meist im Herbst und im Frühling – reiste er nach Geislingen, um neue Artefakte zu überbringen und Anweisungen für deren Reproduktion zu erteilen. Dann blieb er jeweils ein paar Tage in der Fabrik, überwachte die Herstellung der Hohlformen und begutachtete die ersten Kopien, bevor er wieder nach Athen zurückkehrte.

Die Schiffs- und Bahnreisen wurden ihm von Jahr zu Jahr lästiger, er suchte nach Möglichkeiten, sich dieser Unannehmlichkeit zu entledigen. Irgendwann würde sein Sohn Alfred diese Reisen übernehmen, aber bis zu dessen Volljährigkeit würde es noch ein paar Jahre dauern.

Als Emile Gilliéron am Morgen des 2. September 1939 zu seiner üblichen Herbstreise aufbrechen wollte, las er beim Frühstück in der Zeitung, dass zwischen Deutschland und Polen ein Krieg ausgebrochen sei. Er stellte seine Tasse ab, rief den Lloyd Triestino an und verschob die Fahrt nach Triest um vier Wochen. Bis dahin, so hieß es in der Zeitung, würde der Krieg vorüber sein, Polen werde keine zwei Wochen standhalten.

Einen Monat später stand wiederum die Abreise bevor. Am Abend zuvor aß er mit seiner Frau Ernesta Tintenfisch an Rotweinsauce auf der Terrasse seines Hauses. Es war ein spätsommerlich warmer Abend, im Süden glühte die Akropolis, daneben ging der Mond auf. Nach dem Kaffee stellte Ernesta eine Lampe zu ihrer Staffelei und arbeitete weiter an ihrem jüngsten Ölbild, das eine Ansicht der Akropolis bei Vollmond darstellte; sie skizzierte den Verlauf des Schattenwurfs bei aufsteigendem Mond und musste sich entscheiden, welche Position die effektvollste war.

Emile Gilliéron schaute ihr bei der Arbeit zu und trank seinen Armagnac. Seit zwanzig Jahren war er nun mit ihr verheiratet, seit einundzwanzig Jahren schaute er ihr beim Malen zu. Er schätzte ihre Bilder, weil sie von handwerklich hoher Qualität, wenn auch allzu brav und künstlerisch ohne Mut waren. Es lag eine gewisse Tragik darin, dass Ernestas Akropolis-Bilder zu gut waren, um an Touristen verkauft zu werden, und zu belanglos, um die Aufmerksamkeit von Galeristen und Sammlern zu wecken. Jeder Schmierfink, jeder Stümper und jedes Genie hatte seine Käufer auf dem unersättlichen Athener Kunstmarkt, einzig Ernestas Werke waren unverkäuflich und stapelten sich zu Hunderten im Gilliéronschen Haus. Nur alle paar Monate fand eines den Weg in die Welt hinaus, um als verstaubte Dauerleihgabe im Salon von Freunden oder Bekannten zu enden.

Der Mond löste sich wie immer erstaunlich rasch vom Horizont. Als er nah am Zenit stand und die Akropolis kaum noch Schatten warf, räumte Ernesta ihre Malutensilien weg und zog sich zurück. Emile schenkte sich einen letzten Armagnac ein, den Koffer für die Reise hatte er schon gepackt. Diesmal würde er fahren müssen, auch wenn der Krieg noch nicht vorüber war; die Lagerbestände gingen zur Neige.

Emile graute vor der Reise. Die Zollkontrollen würden noch mühsamer sein als gewöhnlich, die Zugfahrten noch länger und die Ankunftszeiten noch ungewisser. Unter diesen Umständen war es nicht ratsam, auffällige Gegenstände wie die Streitaxt des Menelaos oder den Zweihänder des Theseus im Reisegepäck mitzuführen. Diesmal würde er nur minoische Goldringe und mykenische Münzen nach Deutschland bringen, die anderen Sachen aber zu Hause lassen.

Als die Flasche leer war, ging er ins Haus und wusch sich Gesicht und Hände, dann zog er sich aus und stellte den Wecker auf halb sieben. Es war kurz nach Mitternacht, der

30. September 1939 war eben angebrochen. Leise legte er sich neben seine Frau ins Bett und schlief wie immer rasch ein. In den vierundfünfzig Jahren seines Lebens hatte es kaum eine Nacht gegeben, in der er nicht leicht und rasch in den Schlaf gefunden hatte.

Zwei Stunden später aber erwachte seine Frau, weil er nicht mehr schnarchte. Und als sie ihn schüttelte, war er schon kalt.

*

Gewiss dachte Laura d'Oriano oft daran, dass es ihre Pflicht wäre, nach Bottighofen zu ihren Töchtern und zu Emil Fraunholz zurückzukehren. Besonders während der langen Nachmittage hinter dem Verkaufstresen, wenn wenig Kundschaft in den Laden kam und die Stunden zwischen den Damen- und Herrenhüten zäh vergingen, beschlich sie zuweilen ein Gefühl, als erwache sie aus tiefem Schlaf und befinde sich unerklärlicherweise zur falschen Zeit am falschen Ort in Gesellschaft fremder Menschen, mit denen sie nichts zu schaffen hatte. Manchmal war sie nahe daran, ihre Tasche und den Mantel unter den Arm zu nehmen und ohne ein Wort des Abschieds fortzugehen; aber weil sie nicht wusste, wohin sie gehen sollte und zu wem, tat sie es nie.

Eines wusste sie mit Sicherheit: dass sie niemandem etwas Gutes täte, wenn sie zurück nach Bottighofen ginge – ihren Töchtern ganz gewiss nicht, die am beschaulichen Bodensee unter der Obhut der Großmutter heranwuchsen zu wohlgenährten, friedfertigen und fleißigen Thurgauer Bauernmädchen; ihrem Ehemann auch nicht, der seine Eifersucht und den Trennungsschmerz umso leichter verwinden würde, je weniger Laura sich blicken ließ; und sich selber auch nicht, weil sie es niemals über sich bringen würde, ihr Leben in Holzschuhen als Thurgauer Hausfrau zwischen Apfelbäumen und Wäscheleinen zu fristen.

Und etwas anderes war ihr auch klargeworden: dass sie Bottighofen nicht deshalb verlassen hatte, weil sie singen wollte, sondern dass es umgekehrt war – dass sie singen wollte, um sich von Orten wie Bottighofen fernzuhalten. Es war gar nicht wahr, dass Laura in ihrem Leben ein großes Ziel verfolgte; sie hatte nur immer gewusst, was sie *nicht* wollte. Sie hatte kein folgsames Kind sein wollen und kein liebreizender Backfisch, keine begehrenswerte Braut und keine zuverlässige Gattin, keine umsichtige Hausfrau und keine treusorgende Mutter – nur deshalb hatte sie sich immer aufs Treppchen gesetzt und gesungen.

Sämtliche Marionettenrollen hatte sie abgelehnt, welche die Welt für sie bereitgehalten hatte, darin war sie unbeugsam und stark gewesen. Sobald sie sich aber eine eigene, ihr gemäße Rolle auf den Leib schreiben sollte, war sie ratlos, wie übrigens die meisten Menschen, und überließ sich der Macht der Umstände, indem sie von Tag zu Tag den Alltag meisterte, so gut es eben ging.

So blieb Laura d'Oriano Jahr um Jahr im Hutgeschäft der Maria Juarez und verkaufte Hüte an Ausländer, und alle paar Monate sang sie in einem Nachtcafé in der Verkleidung von Svenja, Carmen oder Aisha. Gemessen an den Ambitionen ihrer Jugend war das eine Niederlage, wenn auch eine elegante; denn immerhin schuldete Laura niemandem Rechenschaft über die Farbe ihrer Unterwäsche und war sie frei, jederzeit zu gehen, wohin sie wollte. Kein Mensch hielt sie fest, niemand knebelte oder band sie – allerdings musste sie genaugenommen eher froh sein, dass man sie nicht fortschickte, denn die Zeiten waren hart. Die Nachtcafés hatten kaum noch zahlende Gäste und das Hutgeschäft der Maria Juarez machte immer weniger Umsatz.

Das änderte sich schlagartig im Sommer 1940, als die Stadt plötzlich überquoll von Menschen aus aller Herren Länder. Nach dem Überfall der Wehrmacht auf Nordfrankreich waren Millionen Franzosen in die sogenannte freie Zone geflüchtet und mit ihnen mehrere hunderttausend Naziflüchtlinge, die zuvor in Nordfrankreich Zuflucht gefunden hatten und jetzt in den Süden drängten auf der Suche nach einem Schiff, das sie vor den Mördern über den Ozean in Sicherheit bringen würde.

Mit jedem Eisenbahnzug, der aus dem Norden im Bahnhof Saint-Charles eintraf, ergoss sich ein Strom von Neuankömmlingen über die große Freitreppe hinunter in die Canebière. Nur wenige waren elegant gekleidet und ließen sich ihre Koffer von uniformierten Trägern zu den Taxis tragen, die meisten hatten abgetretene Schuhe an den Füßen und ausgebeulte, mit Hanfschnüren zusammengebundene Pappkoffer unter den Armen; allen standen Furcht, Entbehrung und Erschöpfung ins Gesicht geschrieben, und die Reichen sorgten sich genauso wie die Armen um die Frage, wie lange ihr Notgroschen, den sie irgendwo am Leib versteckt mit sich umhertrugen, wohl reichen würde.

In der Summe aber brachten die Neuankömmlinge viel Geld in die Stadt. Mit jedem einfahrenden Zug wuchs die Nachfrage nach Nahrung, Unterkunft und Dingen des täglichen Bedarfs, und weil das Angebot knapp war, stiegen die Preise ins Unermessliche. Dabei kam es dem Hutgeschäft der Maria Juarez zustatten, dass Flüchtlinge oft ihren Hut verloren und sich dann bei der ersten Rast nach Ersatz umsahen, um sich wieder einigermaßen als Mensch zu fühlen. Die Türglocke bimmelte ohne Unterlass. Die Geschäfte liefen glänzend, die Arbeitsbienen im Atelier fertigten mit fliegenden Händen Damen- und Herrenhüte von morgens bis abends. Und weil die meisten Kunden Ausländer waren und in fremdländischen Sprachen redeten, war Laura d'Oriano hinter dem Verkaufstresen unentbehrlicher denn je.

Kam hinzu, dass jetzt auch die Nachtcafés wieder voll waren. Laura hatte Auftritte, so viele sie wollte. Es gab Abende, an denen sie in drei verschiedenen Lokalen in drei verschiedenen Maskeraden auf der Bühne stand – erst hier als Svenja, die Lilie von Kopenhagen, dann da als Carmen, die Rose von Sevilla, und dort als Aisha, die Königin von Tripolis.

Das Geld, das sie verdiente, zerrann ihr zwischen den Fingern. Das Leben in Marseille war teuer geworden, und was übrigblieb, schickte sie wie gewohnt nach Bottighofen. Seit Emil Fraunholz ihre Überweisungen ablehnte, sandte sie das Geld der Schwiegermutter, die ihr im Gegenzug alle paar Monate kommentarlos Fotografien ihrer beiden Töchter schickte, auf denen diese pausbäckig in die Kamera strahlten und ihre dicken blonden Zöpfe präsentierten. Laura wusste diese sprachlose Geste fraulicher Solidarität zu schätzen, verstand sie aber auch als Fingerzeig, dass es den Mädchen gutgehe und Laura es sich nicht einfallen lassen solle, in Bottighofen aufzutauchen.

In jenem Sommer 1940 wurde Laura d'Oriano neunundzwanzig Jahre alt. Sie feierte ihren Geburtstag allein in ihrem alten Mädchenzimmer am Vieux Port. Der Vater war schon ein bisschen alt geworden und ließ Laura in allem gewähren unter der einzigen Bedingung, dass sie keine Herrenbesuche nach Hause brachte, und auch die Mutter hatte sich damit abgefunden, dass ihre Tochter sämtliche Marionettenrollen ablehnte – falls es nicht auch eine Marionettenrolle war, dass sie allmählich ein ältliches Fräulein wurde, das noch immer bei den Eltern wohnte, aussichtslose Herrenbekanntschaften unterhielt und seit Jahr und Tag einen Aushilfsjob verrichtete, der einst als vorübergehende Notlösung gedacht gewesen war.

Laura fühlte sich in dieser Rolle nicht unwohl. Man kann sich vorstellen, dass sie diese noch lange gespielt hätte, wenn die Umstände es zugelassen hätten. Als aber Italien Frankreich den Krieg erklärte und Mussolini seine Landsleute heim ins Vaterland befahl, packten Lauras Eltern die Koffer und riefen ihre vier jüngsten Kinder zu sich, dann verkauften sie die Wohnung und nahmen die Fähre nach Rom – nicht um Mussolini zu gehorchen, sondern um einer Verhaftung durch die französische Polizei zu entgehen, die italienischen Staatsbürgern keine Aufenthaltsbewilligung mehr erteilte.

Laura blieb allein zurück. Schwierigkeiten mit den Behörden erwartete sie vorerst keine, da sie durch Heirat Schweizerin geworden war. Aber sie musste aus der Wohnung am Vieux Port ausziehen und eine neue Unterkunft suchen. Das erwies sich als schwierig, weil sämtliche Hotels und Pensionen ausgebucht und die Preise für die windigsten Buden in absurde Höhen gestiegen waren.

An einem Sommermorgen im Juli 1940 stand Laura d'Oriano auf der Straße und trug ihre gesamten Besitztümer im alten, edlen Reisekoffer zur Arbeit. Die Chefin machte ein strenges Gesicht, die Arbeitsbienen tuschelten. Als die Chefin kurz vor Ladenschluss mit den Tageseinnahmen zur Bank ging, huschte eine Arbeitsbiene aus dem Atelier hervor, drückte Laura einen Zettel in die Hand und hauchte, Laura könne gern bis auf weiteres bei ihr wohnen, in ihrer Dachkammer sei noch ein Schlafplatz frei.

Laura nahm das Angebot dankbar an. Die Dachkammer befand sich in der Rue du Tapis Vert in der sechsten Etage, und der Schlafplatz war ein altersschwaches Empire-Sofa neben einem zugigen Fenster. In der Mitte der Kammer stand ein Paravent, dahinter das Bett der Arbeitsbiene. Die zwei Frauen gingen früh zu Bett. Dann lagen sie im Dunkeln, jede vor den Blicken der anderen geschützt, und redeten noch lange von Frau zu Frau. Den folgenden Abend verbrachten sie in der gleichen Weise. Sie freundeten sich an, bald wusste jede alles von der anderen. Als die nächste Wochenmiete fällig war, bezahlte Laura die Hälfte, beim nächsten und beim übernächsten Mal auch.

So verging ein halbes Jahr.

Am Nachmittag des 10. Januar 1941 betrat ein kleiner, rundlicher Mann den Hutladen, dem eine Haartolle in die Stirn fiel und der auch sonst wie Napoleon Bonaparte aussah. Als die Chefin ihn begrüßte, antwortete er unwirsch auf Italienisch und sah sich hilfesuchend um, worauf die Chefin mit weichem Schwung ihres runden Arms auf Laura wies und sich ins Atelier zurückzog.

Laura hatte gleich bei den ersten Worten des kleinen Mannes gehört, dass er Italienisch mit französischem Akzent sprach, aber sie spielte das Spiel mit und fragte ihn auf Italienisch nach seinen Wünschen.

Ich brauche einen schwarzen Filzhut für die kalte Jahreszeit, sagte der kleine Mann. Größe vierundfünfzig, bitte.

Laura holte eine Auswahl von Filzhüten aus dem Regal, legte sie auf den Tresen und erläuterte deren Besonderheiten, während der kleine Mann einen um den anderen aufsetzte.

Ich nehme diesen hier, sagte er schließlich. Bitte nicht einpacken, ich setze ihn gleich auf. Sie sprechen übrigens ein sehr gepflegtes Italienisch.

Meine Eltern sind Italiener, sagte Laura.

Dann haben Sie gewiss bemerkt, dass ich selber Korse bin, sagte der kleine Mann.

Laura nickte.

Mein Italienisch ist furchtbar, aber Sie scheinen Talent für Sprachen zu haben. Man hat mir gesagt, dass Sie auch Griechisch, Türkisch und Russisch sprechen. Ist das richtig?

Das stimmt.

Was ist mit Deutsch?

Laura schwieg und musterte den Mann mit erhöhter Aufmerksamkeit.

Was ist mit Deutsch, Signora.

Bedaure, ich spreche kein Deutsch.

Macht nichts, sagte der kleine Mann. Ich muss mit Ihnen reden, Signora, es ist äußerst wichtig.

Ich höre.

Nicht hier. Ich erwarte Sie heute Abend um neunzehn Uhr in der Bar des »Hotel Select«.

Wofür halten Sie mich, Monsieur, sagte Laura. Ich lasse mich nicht in Hotelbars bestellen, schon gar nicht …

Nicht so laut, sagte der kleine Mann.

… schon gar nicht von einem falschen Italiener, der mir nicht seinen Namen nennt.

Ich rate Ihnen dringend, heute Abend ins Select zu kommen, Signora. Ihre Aufenthaltsbewilligung läuft nächstens ab, wissen Sie das?

Laura nickte.

So weit sollten Sie es nicht kommen lassen, man könnte Sie ohne Anlass von der Straße weg verhaften. Sie haben es übrigens bisher versäumt, Ihre neue Wohnadresse dem Schweizer Konsulat zu melden, holen Sie das nach. Haben Sie eine Lizenz für Bühnenauftritte?

Was für eine Lizenz?

Für gewerbsmäßige öffentliche Bühnenauftritte. Verordnung vom 12. November letzten Jahres.

Das wusste ich nicht.

Sie sollten Ihre Papiere rasch in Ordnung bringen und bis dahin sehr vorsichtig sein, Signora. Kommen Sie heute um neunzehn Uhr ins Select. Ich kann Ihnen helfen.

Ich weiß immer noch nicht, wer Sie sind.

Es ist besser für Sie, wenn Sie meinen Namen nicht kennen.

Ich verabrede mich nicht mit Unbekannten.

Signora …

Ich bleibe dabei.

Mein Name ist Simon Cotoni, ich bin Kommissar bei der *Surveillance du Territoire* in Nizza. Erzählen Sie niemandem von meinem Besuch, erwähnen Sie nirgends meinen Namen. Was schulde ich Ihnen für den Hut?

Das macht vierzehn Francs und fünfzig Centimes, bitte schön, Monsieur.

Der kleine Mann legte fünfzehn Francs auf den Tresen.

Heute Abend um neunzehn Uhr. Seien Sie pünktlich.

Als Laura die Quittung und das Wechselgeld über den Tresen schob, legte er ein Bündel Geldscheine daneben.

Das ist für Sie, zur Deckung der dringendsten Auslagen. Stecken Sie's ein. Na los, rasch. Die Miete an der Rue du Tapis Vert ist wieder fällig. Schicken Sie was in die Schweiz, wenn Sie mögen. Und kein Wort über meinen Besuch. Zu niemandem. Haben Sie mich verstanden?

Nachdem der kleine Mann gegangen war, zählte Laura d'Oriano das Geldbündel. Es waren dreihundert Francs. Genug für eine Woche.

*

Dann kam das Jahr, in dem Felix Bloch an einem Kongress am Massachusetts Institute of Technology in Boston eine junge Physikerin namens Lore Misch kennenlernte, die in Göttingen über Röntgenstrahlen doktoriert hatte und 1938 nach Amerika geflohen war. Die beiden heirateten am 14. März 1940. In der ersten Zeit wohnten sie in Felix' Junggesellenbungalow auf dem Campus, dann bezogen sie ein hübsches kleines Haus an der Emerson Road in Palo Alto. Am 16. Januar des folgenden Jahres kamen die Zwillinge George und Daniel zur Welt. Für die junge Mutter war das erste Jahr mit den zwei Neugeborenen eine anstrengende Zeit, sie hatte bald dringend eine Erholung nötig. Felix Bloch traf Vorbereitungen, mit seiner Familie den Sommer 1942 am Strand von La Carpinteria südlich von Santa Barbara zu verbringen.

Aber dann rief Robert Oppenheimer an und bat ihn, an seinem Sommerseminar in Berkeley teilzunehmen.

Diesmal nicht, sagte Bloch.

Es ist wichtig, sagte Oppenheimer.

Bedaure, sagte Bloch. Wir haben die Badehosen und die Windeln schon eingepackt. Und die Anzahlung fürs Strandhaus geleistet.

Packen Sie Windeln und Badehosen wieder aus, sagte Oppenheimer, und machen Sie sich keine Sorgen um die Anzahlung. Grüßen Sie Lore von mir. Sagen Sie ihr, dass ich es wiedergutmache.

Das kann ich nicht tun. Wir haben einen harten Winter hinter uns.

Es tut mir leid. Es geht um Neutronen, Bloch, ich brauche Sie in dem Seminar. Die Teilnahme ist verbindlich. Mehr kann ich am Telefon nicht sagen.

Wie soll ich das verstehen, sagte Bloch.

Hören Sie zu. Das Seminar wird so oder so stattfinden, ob das uns beiden nun passt oder nicht. Wenn wir es nicht tun, tun es die anderen. Wir oder die anderen, Bloch, verstehen Sie mich? Wahrscheinlich sind die anderen schon dabei. Wir sollten keine Zeit verlieren.

Ich verstehe.

Es ist Präsident Roosevelts persönlicher Wunsch, dass Sie mitmachen. Anfang Juli fangen wir an. Ein paar unserer alten Freunde aus den Kopenhagener Tagen werden auch dabeisein.

Wer?

Hans Bethe und Edward Teller. Van Fleck. Mein Assistent Robert Serber. Und ein paar von meinen Doktoranden. Hat Teller nicht bei Ihnen in Leipzig doktoriert?

Bei Heisenberg. Über ionisierte Wasserstoff-Moleküle. Bei mir hat er nur Tee gekocht. Im Pingpongkeller.

So kam es, dass Felix Bloch den Sommer 1942 nicht am Strand von Santa Barbara verbrachte, sondern im Dachgeschoss von LeConte Hall in Berkeley. Ziel des Seminars war es, in freiem gemeinsamem Gedankenspiel rein hypothetisch zu ergründen, ob es grundsätzlich denkbar sei, Waffen von größter Zerstörungskraft anzufertigen, indem man Bindungskräfte im Inneren der Atome freisetzte.

Neun Männer nahmen an dem Seminar teil. Sie gehörten zu den führenden Köpfen auf diesem Gebiet. Die Zusammenkünfte waren geheim. Sie fanden im Dachgeschoss in einem Raum statt, zu dem nur Oppenheimer einen Schlüssel besaß. Zwei französische Fenster führten hinaus auf einen Balkon, der aus Sicherheitsgründen mit einem Stahlnetz verhängt war.

Am Morgen des ersten Tages berichtete Robert Oppenheimer zur atmosphärischen Einstimmung vom bis anhin größten von Menschen verursachten Explosionsunglück, das sich am 6. Dezember 1917 im Hafen von Halifax ereignet hatte. Nach der Detonation von fünftausend Tonnen TNT auf einem französischen Munitionsschiff hatte sich ein gewaltiger Feuerball gebildet, die Druckwelle hatte die Stadt auf einem Gebiet von zweieinhalb Quadratmeilen dem Erdboden gleichgemacht und zweitausend Menschen getötet. Und als sich wieder Stille über Halifax legte, war eine pilzförmige Rauchwolke in den Himmel gestiegen.

Die Zerstörungskraft der Explosion war gewaltig gewesen. Aber eine Uranbombe, darüber waren sich die Seminarteilnehmer schon am ersten Tag einig, würde mindestens den zehnfachen Effekt haben. Der Rauchpilz würde zehnmal so hoch steigen, der Feuerball zehnmal größer und die Druckwelle zehnmal stärker sein, und die Gewalt würde ausreichen, mit einem Schlag nicht nur eine Kleinstadt wie Halifax auszulöschen, sondern eine Großstadt wie Berlin oder Hamburg. Oder Rom. Und sie würde nicht nur zweitausend Menschen töten, sondern zwanzigtausend. Oder zweihunderttausend.

Schon früh erkannten die Seminarteilnehmer, dass es eine technische Herausforderung sein würde, die Bombe klein und handlich genug auszugestalten, damit sie von einem B29-Bomber über eine lange Strecke zum Bestimmungsort transportiert werden konnte. Aber grundsätzlich schien es machbar. In einem ersten Memorandum hielt Oppenheimer fest, für eine rasche Kettenreaktion wäre ein mit Uran 235 gefüllter Behälter von zwanzig Zentimetern Durchmesser ausreichend, wobei natürlich ein Vielfaches an Volumen und Gewicht für den Zündmechanismus und die Ummantelung hinzukäme.

Den ganzen Sommer über rechneten und planten die neun Männer unter dem Dach von LeConte Hall an ihrer hypothetischen Bombe. Es galt exakt zu bestimmen, welche Mindestmenge Uran 235 nötig sein würde, um eine zuverlässige Kettenreaktion in Gang zu bringen. Ein Problem war der Zündmechanismus, der so konstruiert sein musste, dass die Masse möglichst rasch kritisch wurde und die Kettenreaktion vollständig ablief, ohne von einer vorzeitigen Detonation unterbrochen zu werden. Besonders wichtig war auch die Frage, wieviel Energie die Kettenreaktion freisetzen würde. Detaillierte Berechnungen ergaben, dass die Explosion einer Atombombe jene von Halifax in ihrer Gewalt nicht um das Zehnfache, sondern um mindestens das Hundertfache, wenn nicht das Tausendfache übertreffen würde, und dass die Zahl der Todesopfer also nicht zweitausend oder zwanzigtausend, sondern zweihunderttausend betragen könnte.

Felix Bloch hatte auf seinem Spezialgebiet dem Problem der Neutronendiffusion nachzugehen; er musste ermitteln, wie sich die schnellen Neutronen bei der Kettenreaktion verhalten würden. Einiges konnte er klären, manche Fragen blieben offen. Aber grundsätzliche Schwierigkeiten theoretischer oder technischer Natur tauchten während des Seminars nicht auf. Die Bombe war machbar, darin waren sich alle Teilnehmer einig.

Nur einmal machten sich Zweifel breit: Das war an jenem Julimorgen, an dem Edward Teller ins Besprechungszimmer hinkte, von Oppenheimer das Wort erbat und seine Befürchtung darlegte, dass die Hitze einer Atomexplosion als Initialzündung für einen Brand der gesamten Erdatmosphäre wirken könnte, der sich auf das Wasser in den Weltmeeren fortpflanzen und alles Leben auf dem Planeten auslöschen würde.

Der Hinweis war ein Schock. Oppenheimer, Bloch und Bethe ließen ihre Berechnungen liegen und beugten sich über das neue Problem. Es war eine bekannte Tatsache, dass Wasserstoff unter hohen Temperaturen instabil wurde, und Stickstoff, aus dem die Luft zu drei Vierteln besteht, ebenfalls. Die Frage war, bei welcher Temperatur eine Kettenreaktion ausgelöst würde und die Erde in Brand geriete.

Diesen Gedanken hatte vor Edward Teller nie ein Mensch gedacht, eine Antwort wusste niemand. Oppenheimer beauftragte Bethe, Tellers Berechnungen zu überprüfen. Nach ein paar Tagen gab Bethe Entwarnung, die Wahrscheinlichkeit einer globalen Entzündung von Luft und Wasser gehe »stark gegen Null«. Eine Kettenreaktion könne auch bei höchster Ausgangstemperatur nicht einsetzen, weil die Atomkerne in Luft und Wasser weit auseinanderlägen und der Energieverlust deshalb viel zu groß sei.

Eine Garantie konnte Bethe jedoch nicht geben, und bei einzelnen Teilnehmern blieben Zweifel zurück. Robert Oppenheimer aber atmete auf, denn die Ereignisse der letzten Zeit hatten ihn mehr denn je in der Überzeugung gefestigt, dass die Bombe unabdingbar nötig war, um Hitler in die Knie zu zwingen. In Russland hatte vor wenigen Tagen die Wehrmacht auf ihrem Weg zu den Ölfeldern des Kaukasus Stalingrad angegriffen, und im Atlantik hatte das deutsche U-Boot U 201 den unbewaffneten britischen Passagierdampfer Avila Star versenkt.

Das Seminar wurde weitergeführt, alle setzten ihre Arbeit fort.

Der Sommer verging. Das Seminar war vergnüglich, die Diskussionen blieben lebhaft. Eines Nachmittags im August aber, als die Sonne schon tief stand und durch die französischen Fenster in den Raum schien, ereignete sich eine Episode, an die sich Oppenheimers Assistent Robert Serber zeitlebens erinnern sollte. Oppenheimer unterbrach die Diskussion und sagte:

Jesus, schaut euch das an.

Über dem ganzen Raum lag der Schatten jenes Stahlnetzes, das zum Schutz der Seminarteilnehmer vor dem Balkon aufgespannt war. Das schwarze Karomuster lag über den Wänden und den Schreibtischen, über den Stühlen und den Papierstößen, auch die Hände und die Gesichter der Atomphysiker waren darin gefangen – über alles hatte sich der dunkle Schatten dieses Netzes gelegt.

Zwölftes Kapitel

Am Nachmittag des 7. Juni 1941 saß Laura d'Oriano im Überlandbus von Toulouse nach Mont-de-Marsan. Es war heiß, der Bus fuhr durch Rebberge und Kornfelder der Sonne entgegen, die schon tief im Westen stand. Alle Schiebefenster des Busses standen offen, die Vorhänge flatterten im Fahrtwind. Laura hatte ein Kopftuch umgebunden und las in einem Buch, über ihr lag eine kleine Reisetasche im Gepäcknetz; ihren edlen, aber auffälligen Reisekoffer hatte sie in Marseille zurückgelassen.

Der Chauffeur musterte sie im Rückspiegel. Gut möglich, dass er sie für eine Kriegswitwe aus Toulouse hielt, die in Erbschaftsangelegenheiten zur Familie ihres Mannes fuhr, oder für eine Grundschullehrerin, die ihre Eltern auf dem Land besuchte und sich die Reisezeit mit Verlaine oder Stendhal vertrieb.

Falls Polizisten für eine Personenkontrolle in den Bus gestiegen wären, hätte Laura ihre neue Identitätskarte aus der Handtasche geholt und sich als die französische Staatsbürgerin Louise Fremont ausgewiesen, wohnhaft in Paris, geboren am 27. September 1912 in Marseille. Zivilstand: ledig. Körpergröße: 1,61 Meter. Beruf: Tänzerin und Sängerin. Und dabei hätte sie sorgsam den Blick von ihrer Reisetasche ferngehalten, in dessen Futteral siebentausend Francs in kleinen Scheinen und allerlei Rationierungskarten eingenäht waren.

Bei der Abfahrt in Toulouse war der Bus ziemlich voll gewesen, dann hatte er sich allmählich geleert; jetzt war die Küstensperrzone nah, Laura war der letzte verbliebene Fahrgast. Der Chauffeur beachtete sie nicht mehr, er hatte sich sein Bild von ihr gemacht. An der drittletzten Haltestelle vor der Demarkationslinie, einem Winzerdorf namens Aire-sur-l'Adour, stieg sie aus und fand sich wieder in einer schmalen Hauptstraße mit geschlossenen Krämerläden, zwischen denen links und rechts kleine Seitenstraßen abgingen. Weiter vorn läuteten Kirchenglocken zur Messe. Das Kopfsteinpflaster war noch heiß von der nachmittäglichen Sonne.

Als der Bus abfuhr, winkte ihr auf der anderen Straßenseite ein hagerer alter Bauer mit roter Nase und grauem Stoppelbart. Er begrüßte sie freudig und nannte sie lauthals »ma petite Louise«, als sei sie seine Lieblingsnichte oder eine Enkelin, dann überquerte er die Straße, packte Laura bei den Schultern und küsste sie kräftig auf beide Wangen. Er nahm ihr die Reisetasche ab, legte den Arm um sie und zog sie rasch in eine Seitengasse, an deren Ende ein Feldweg hinaus in einen Rebberg führte.

Im Rebberg stand ein roter Traktor. Der Bauer schwang sich hinter den Lenker, Laura stieg auf den kleinen Sitz über dem rechten Hinterrad. Sie fuhren ans Ende des Rebbergs, von wo ein anderer Feldweg in den nächsten und den übernächsten Rebberg führte, und so ruckelten Laura und der Bauer zwei Stunden lang holpernd und schüttelnd durch die Rebberge Aquitaniens westwärts dem Sonnenuntergang entgegen, bis sie die Demarkationslinie hinter sich gelassen hatten und im lichten Pinienwald verschwanden, der sich über Dutzende von sandig-sumpfigen Kilometern bis zum Atlantischen Ozean und hinauf zur Gironde erstreckte.

Am folgenden Nachmittag tauchte Laura allein, mit zerzaustem Haar und zerschrammten Schuhen in Bordeaux auf. Sie machte einen ersten Spaziergang durch die Innenstadt, kaufte neue Straßenschuhe und ließ sich das Haar beim Coiffeur richten, dann trank sie Kaffee in einem Straßenrestaurant. Als es Abend wurde, ging sie zur Pension einer Madame Blanc, Rue du Quai Bourgeois Nummer 4, deren Adresse sie auf einem Zettel notiert hatte. Die Pension befand sich am Ufer der Garonne unweit des Hafens. Es gab noch freie Zimmer, und die Preise waren niedrig. Seit die Flüchtlinge vor der anrückenden Wehrmacht geflohen waren, standen in Bordeaux viele Zimmer leer.

Ihren ersten Bühnenauftritt hatte Laura am folgenden Samstag in einem Nachtcafé namens »Le Singe Dansant«. Sie trug wieder ihr altes Kosakenkostüm, zeigte wieder ihr Strumpfband und sang wieder »Bajuschki Baju«, und die Matrosen im Publikum brachen wieder in Tränen aus; der einzige Unterschied zu früheren Auftritten war der, dass hier die Matrosen Uniformen der italienischen Kriegsmarine trugen, weil sie zur Besatzung der zweiunddreißig U-Boote gehörten, die unter deutschem Oberkommando im Hafen von Bordeaux stationiert waren und sich auf ihren Einsatz in der Atlantikschlacht vorbereiteten. Und weil sie um Mitternacht zurück bei ihren U-Booten sein mussten, wartete keiner von ihnen auf Laura, als sie um halb eins durch den Hinterausgang auf die Straße trat.

Trotzdem erwies sich ihre Aufgabe als einfach, das reine Marionettenspiel. Es war alles so einfach, dass es Laura hätte traurig machen müssen, wenn sie darüber nicht so erleichtert gewesen wäre. Sie musste nur anderntags vor dem Schminkspiegel eine Andeutung von slawischen Wangenknochen auftragen und ihr Kosakenjäckchen über die Schultern werfen, und schon erkannten die italienischen Matrosen sie wieder, als sie auf ihrem Sonntagsspaziergang an der Hafeneinfahrt vorbeischlenderte.

Laura musste sich nicht einmal in den Hüften wiegen, um die jungen Burschen aus der Fassung zu bringen, es reichte vollauf, dass sie am Quai du Sénégal stehenblieb und sich eine Zigarette zwischen die Lippen steckte. Als sie in ihrer Handtasche nach Streichhölzern kramte, stürzte schon ein ganzes Rudel von ihnen herbei, um ihr Feuer anzubieten und auf vielerlei Art das Pfauenrad zu schlagen, und als sie sich in makellosem Italienisch bedankte und den Burschen im Weitergehen über die Schulter hinweg mit den Fingerspitzen zuwinkte, dazu auch noch leichthin Arrivederci sagte und ihre weißen Zähne zeigte, kannte die Begeisterung keine Grenzen mehr.

Es war alles so vorhersehbar, das jahrmillionenalte Marionettenspiel. Aber Laura spielte mit, weil es ihrem Zweck diente. Von jenem Sonntag an war sie bei den italienischen U-Boot-Matrosen eine Berühmtheit. Wenn sie im Straßencafé einen Martini bestellte, war dieser immer schon bezahlt. Wenn sie Einkäufe schleppte, war stets ein Kavalier zur Stelle, ihr diese in die Rue du Quai Bourgeois zu tragen. Und wenn sie im Botanischen Garten mit ihrem Stendhal oder Verlaine auf einer Parkbank Platz nahm, bat immer einer darum, sich für einen Augenblick zu ihr setzen zu dürfen.

So kam Laura mit ihnen ins Gespräch. Immer wieder aufs Neue musste sie zugeben, dass sie im richtigen Leben gar keine echte Kosakin, sondern eine brave Lehrerstochter aus Marseille sei, und dass sie nicht wirklich Anuschka heiße, sondern eigentlich auf den Namen Louise höre und von ihren Freunden Loulou gerufen werde, und dass sie deshalb so gut Italienisch spreche, weil ihre Mutter Italienerin sei. Und wenn Laura sich dann übergangslos bei den U-Boot-Matrosen erkundigte, ob das Leben unter Wasser sehr hart sei, holte jeder von ihnen tief Atem und begann zu erzählen.

Sie erzählten von der Hitze an Bord, der schlechten Luft und der unheimlichen Stille nach dem Abtauchen, wenn das U-Boot mit ausgeschalteten Maschinen auf dem Grund des Ozeans zwischen jahrhundertealten Schiffswracks lag und sich tagelang totstellen musste, um den feindlichen Horchern zu entgehen. Sie erzählten von der unsäglichen Wonne des Auftauchens, wenn man endlich wieder an der frischen Luft auf Deck stand und einem die Gischt ins Gesicht spritzte, und vom bösen Jubel, wenn man einen Volltreffer gelandet hatte und zehntausend feindliche Bruttoregistertonnen mit Mann und Maus im Meer versanken.

Es war alles ganz einfach. Den Matrosen ging von allein der Mund über, und keiner hätte hinterher auf die Idee verfallen können, von Laura ausgefragt worden zu sein; denn tatsächlich stellte sie kaum Fragen, sondern ermunterte ihre Begleiter lediglich mit sporadischen Ausrufen des Erstaunens zum Weiterreden, wogegen diese wie alle Männer hilflos waren. Also redeten sie und redeten. Sie erklärten Laura, wie man ein U-Boot absinken und wieder auftauchen ließ, und wo die Luft zum Atmen herkam und wo die Betten für die Mannschaft sich befanden. Sie zählten auf, wie viele U-Boote im Hafenbecken von Bordeaux lagen – zur Zeit zweiunddreißig, aber nicht alle in gefechtsbereitem Zustand, und nur italienische, keine deutschen –, und sie nannten die Namen der Boote, auf denen sie schon Dienst geleistet hatten.

Ein paarmal ergab es sich, dass gerade ein U-Boot ein- oder auslief, während Laura mit einem Begleiter an der Hafeneinfahrt saß. Dann ließ sie sich den Turm mit der Einstiegsluke zeigen, beachtete die Tauchzellen an den Seiten und die versenkbaren Flak-Geschütze auf dem Deck, prägte sich deren Kaliber ein und nickte zu allem höflich interessiert. Wenn Laura aber einen Rundgang durch den scharf bewachten U-Boot-Hafen vorschlug, schüttelten ihre Begleiter bedauernd die Köpfe und baten sie in auswendig gelernten Sätzen um Verständnis. Strengste Geheimhaltung, Feind hört mit. Die schärfste und wichtigste Waffe eines U-Boots ist seine Unsichtbarkeit. Ein U-Boot, dessen Position oder Kurs der Feind kennt, ist so gut wie verloren.

Laura merkte sich alles, und abends machte sie in ihrem Zimmer Notizen. Zwei- oder dreimal wöchentlich schrieb sie Briefe an einen Freund in Toulouse, den sie noch nie gesehen hatte. Sonst hatte sie keine Pflichten. Samstags sang sie im »Singe Dansant« ihre Kosakenlieder. Sonntags fuhr sie mit dem Bus ans Meer, nach Lacanau oder Cap Ferret, und unternahm lange, einsame Spaziergänge durch die Dünen. Jener Sommer war lang und friedvoll in Aquitanien. Der Krieg war weit weg und das Wetter gut, und vom Ozean her wehte beständig eine frische Brise übers Land. Und wenn Laura vor der Rückfahrt nach Bordeaux an der Bushaltestelle von einem Matrosen erkannt wurde, ließ sie sich manchmal zu einem Teller Miesmuscheln und Pommes frites einladen.

Draußen auf dem Ozean aber tobte der Krieg, aufs Neue

wurden weltweit ganze Flotten versenkt und Zehntausende von jungen Seeleuten in ihr nasses Grab geworfen. Man kann sich vorstellen, dass unter ihnen auch einige von Laura d'Orianos Begleitern waren, denn in jenem Sommer 1941 kehrten ungewöhnlich viele italienische U-Boote nicht von ihren Einsätzen nach Bordeaux zurück.

Die *Glauco* lief am 24. Juni 1941 in Richtung Mittelmeer aus, wurde drei Tage später in der Meerenge von Gibraltar angegriffen und sank westlich von Tanger. Acht Besatzungsmitglieder ertranken, zweiundvierzig gingen in Gefangenschaft.

Am 4. Juli brach die *Michele Bianchi* zu einer Mission mit unbekanntem Ziel auf, wurde aber gleich an der Gironde-Mündung mit allen sechzig Mann an Bord versenkt.

Die *Maggiore Baracca* wurde am 8. September vor Gibraltar versenkt. Achtundzwanzig Seeleute ertranken, zweiunddreißig gingen in Gefangenschaft.

Anfang Oktober 1941 lief die *Guglielmo Marconi* aus. Sie sank vor der Küste Portugals aus unbekannten Gründen mit allen sechzig Mann an Bord.

Im Oktober kam plötzlich der Herbst mit Stürmen und wochenlangem Regen über Aquitanien. Laura kündigte ihr Engagement im »Singe Dansant« und verabschiedete sich von der Zimmerwirtin. Dann ging sie mit ihrer Reisetasche südwärts in den großen Pinienwald, an dessen entgegengesetztem Ende anderntags wohl der Bauer mit dem roten Traktor auf sie wartete.

Die in Bordeaux stationierte italienische U-Boot-Flottille aber hatte, obwohl sie unvermindert weiter Einsätze fuhr, in den folgenden Monaten keine Verluste mehr zu beklagen.

*

Dann musste die Atombombe, weil sie nun mal ausgedacht war, auch gebaut werden.

Felix Bloch hatte seit Kriegsbeginn keinen Kontakt mehr zu seinen Physikerfreunden in Deutschland gehabt. Aber zweifellos hatte er in der Zeitung gelesen, dass Heisenberg und von Weizsäcker in Berlin an einer Uranmaschine arbeiteten, und vielleicht hatte er auch erfahren, dass die beiden während ihres letzten Besuchs bei Niels Bohr in Kopenhagen vom nahen Endsieg und der biologischen Notwendigkeit des Krieges gesprochen hatten. Möglicherweise wusste er auch, dass von Weizsäcker in Berlin ein Patent für eine Plutoniumbombe beantragt hatte, und dass die Wehrmacht auf ihrem Raubzug durch Europa alles greifbare Uran zusammenkarrte. Zwar war spätestens seit Pearl Harbor und allerspätestens seit Stalingrad jedem vernünftigen Menschen klar, dass Deutschland einem Schachspieler ähnelte, der zwei Türme weniger auf dem Brett hat als der Gegner; aber eine Atombombe, das war ebenso klar, würde die beiden Türme wieder ins Spiel bringen. Und vielleicht eine Dame obendrein.

So war die Lage, als an einem Frühlingstag des Jahres 1943 Robert Oppenheimer nach Palo Alto kam und Felix Bloch bat, auch in diesem Jahr auf Sommerferien am Strand zu verzichten und stattdessen mit ihm in die Wüste New Mexicos zu fahren, um an einem geheimen Ort, der auf keiner Landkarte verzeichnet war, eine Atombombe zu bauen. Und zwar nicht nur über den Sommer, sondern für den Rest des Jahres und darüber hinaus, auf unbestimmte Zeit.

Man weiß nicht, wie Blochs erste Antwort ausfiel. Man weiß nicht, ob Oppenheimer ihm diese Bitte an der Universität oder zu Hause an der Emerson Road vortrug, und ob das Treffen am Morgen, am Nachmittag oder am Abend stattfand. Man weiß nicht, ob Felix' Ehefrau Lore dabei war, und auch nicht, ob die Zwillinge noch wach waren oder ob sie schon schliefen. Man weiß nicht, ob das Gespräch im Garten, auf der Veranda oder drinnen im Haus stattfand, oder ob sie einen Spaziergang unternahmen, um vor unerwünschten Mithörern sicher zu sein.

Man weiß auch nicht, ob es ein kurzes oder ein langes Gespräch war, ein karger Männerdialog oder die leidenschaftliche Debatte zweier Gelehrter, die um den tiefsten Sinn ihrer Wissenschaft stritten. Man weiß nichts über dieses Gespräch, das doch das wichtigste und schwerste in Felix Blochs Leben gewesen sein muss, weil er in jener Stunde eine verbindliche Antwort auf die Frage finden musste, ob er es – ja oder nein? – vor seinem Gewissen verantworten konnte, im Dienste der Freiheit, der Menschlichkeit und des Weltfriedens über die schrecklichste Tötungsmaschine der Menschheitsgeschichte nicht nur nachzudenken, sondern diese tatsächlich zu konstruieren; und ob er als europäischer Jude – ja oder nein? – berechtigt oder gar verpflichtet war, den Völkermord der Nazis mit allen ihm zur Verfügung stehenden Mitteln zu bekämpfen, und sei es mit der Anfertigung einer Massenvernichtungswaffe, die in ihrer egalitären Effizienz Fritz Habers Giftgas aus dem Ersten Weltkrieg um ein Vielfaches übertreffen würde.

Man weiß nichts darüber, weil Felix Bloch in seinen gesamten nachgelassenen Schriften, die viele tausend Seiten umfassen, diese Gewissensfrage mit keinem Wort erwähnt. In keinem seiner Aufsätze, Briefe und Notizblätter, die er sorgsam geordnet zuhanden der Nachwelt in der Stanford Library hinterlassen hat, findet sich ein Wort von ihm über die Atombombe. Derart gründlich bleibt das Thema ausgespart – derart sorgsam, ist man versucht anzunehmen, wurde jedes dazugehörige Stück Papier entfernt –, dass noch nicht mal der Name Oppenheimers, der doch zehn Jahre lang sein engster Freund und wissenschaftlicher Vertrauter war, Erwähnung findet.

Trotzdem lässt sich das Wichtigste über jenes Gespräch mit Sicherheit festhalten: Erstens, dass es tatsächlich stattgefunden hat, und zweitens, dass Felix Bloch seine zwei Gewissensfragen mit Ja und mit Ja beantwortete. Und falls er sich gefragt haben sollte, ob dreihundert Jahre physikalischer Forschung ihren Höhepunkt wirklich im Bau einer Atombombe finden sollten, wird Oppenheimer seine Bedenken beiseitegeschoben haben mit der abschließenden Bemerkung, dass es jenseits aller philosophischen Erörterungen in der aktuellen geostrategischen Lage letztlich nur um eines gehe – um die Frage nämlich, wer zuerst über die Bombe verfüge: Hitler oder Amerika.

Dieses Gespräch muss so oder ganz ähnlich stattgefunden haben. Denn Tatsache ist, dass Lore und Felix Bloch im Frühsommer 1943 – vielleicht Ende Juni, zu Beginn der Semesterferien – die Koffer packten und mit ihren Zwillingen, die nun zweieinhalb Jahre alt waren, zu einer Reise in die Wüste New Mexicos aufbrachen.

Oppenheimer hatte Bloch aus Gründen der Geheimhaltung angewiesen, an der kleinen Bahnstation von Palo Alto nicht gleich Fahrkarten nach Santa Fe zu kaufen, sondern jeweils beim Umsteigen in Bakersfield, Albuquerque und Lamy neue Scheine zu lösen. Die Fahrt dauerte insgesamt vierundvierzig Stunden. Am späten Morgen des dritten Reisetages trafen Felix Bloch und die Seinen in der alten Hauptstadt New Mexicos ein.

Damals war Santa Fe noch eine friedliche spanische Kleinstadt aus längst vergangenen Zeiten. Auf der Plaza standen alte, schattenspendende Bäume, darunter gab es gusseiserne Parkbänke, auf denen zu jeder Tageszeit Männer jeden Alters ihre Siesta abhielten. Kleine Gruppen junger Frauen mit schwarzen Haaren, grellroten Lippen und bunten Röcken paradierten um den Obelisk in der Mitte des Parks und sahen sich scheu nach eventuellen Bewunderern um. Autos gab es kaum, vor dem »La Fonda Hotel« waren Reitpferde und Maulesel festgebunden. Auf den Stufen der Franziskus-Kathedrale spielten Kinder, auf der Veranda des Gouverneurspalasts saßen Indianerfrauen, die ihre Babys mit bunten Tüchern auf den Rücken gebunden hatten und Töpferwaren und Schmuck feilboten.

Im Sommer 1943 trafen in der verschlafenen Stadt ungewöhnlich viele Fremde ein. Die meisten waren bleichgesichtige Stadtmenschen aus dem Norden, von denen kaum einer Spanisch konnte und viele Englisch mit europäischen Akzenten sprachen. Manche waren allein und manche zu zweit, viele hatten Kinder dabei und schleppten nebst ihren Koffern sonderbare Gegenstände wie Besen, Eimer, Spiegel, Topfpflanzen oder Kinderwagen mit sich.

Jeden Morgen wartete auf diese Stadtmenschen an der East Palace Avenue ein alter Schulbus, auf dem in leuchtend roter Schrift »US Army« stand. Ein stämmiger Soldat ging den Hausfrauen beim Einladen ihres Hausrats zur Hand und ließ sich gutmütig von ihnen herumkommandieren. Wenn alles sicher an Bord verstaut war, hievte er sich hinters Steuer und band den Türgriff mit einem Hanfseil am Armaturenbrett fest. Dann legte er den ersten Gang ein und fuhr los.

Der Bus war reserviert für Robert Oppenheimers Gäste, über tausend unternahmen im Frühsommer 1943 die zweistündige Fahrt hinauf nach Los Alamos. Es waren vor allem Physiker mit ihren Familien, aber auch Chemiker, Sprengstoffexperten, Biologen, Feinmechaniker, Elektroingenieure, Ballistiker und Metallurgen. Die Schotterstraße führte über rote Erde an lila Felsen und ockerfarbenen Klippen vorbei in nordwestlicher Richtung hinauf zum ehemaligen Knabeninternat von Los Alamos, das auf zweitausenddreihundert Metern über dem Meer am Kraterrand eines gewaltigen erloschenen Vulkans lag. In der Ferne zogen sich lavendelfarben die südlichsten Ausläufer des Sangre-de-Cristo-Gebirges hin, daneben lag düster der schwarze Basalt des Black-Mesa-Tafelbergs. In den Felsen gab es indianische Pueblos. Manche waren verlassen und zerfallen, andere bewohnt. Da und dort hingen rote Pfefferschoten zum Trocknen an den Lehmwänden, auf den Vorplätzen lag gelber, blauer, weißer und schwarzer Mais in der Sonne.

Eine schmale Holzbrücke führte über die roten Fluten des Rio Grande, dann ging es steil bergan. Kakteen blühten, Klapperschlangen verkrochen sich im Wüstenbeifuß. Dann plötzlich hinter einer Kurve dröhnten in gewaltigen Staubwolken riesige Bulldozer der US Army, welche die lila Felsen und die ockerfarbenen Klippen abgruben, um die Straße für den Schwerverkehr zu begradigen.

Endlos quälte sich der Bus den Berg hinauf. Als er am Rand des Kraters angekommen war, führte die Straße geradeaus nach Los Alamos, das in wenigen Wochen jede Ähnlichkeit mit einem Knabeninternat verloren hatte und zu einer Barackenstadt für tausend Einwohner angewachsen war. Die Stadt war in einem Umkreis von sechs Kilometern lückenlos mit Stacheldraht umfasst, im Osten und im Westen gab es je ein Eingangstor und eine Straßensperre. Militärpolizisten mit Maschinenpistolen kontrollierten die Passierscheine und warfen stumme Blicke in den Bus. Dann gab ein Sergeant das Signal zum Weiterfahren.

Als der Bus vor dem ehemaligen Schulhaus anhielt, stand Oppenheimer bereit, die Ankömmlinge zu begrüßen. Er klopfte den Männern auf die Schultern und fragte ihre Frauen, wie die Reise gewesen sei, sagte »ja … ja, ja … ja« und bot reihum sein Feuerzeug an, und dann winkte er Soldaten herbei, die das Gepäck übernahmen und allen ihre Unterkünfte zuwiesen.

Felix und Lore Bloch wohnten unweit des Wasserturms in Apartment House T124, einem zweistöckigen, rasch errichteten und lindengrün gestrichenen Holzhaus mit vier Wohnungen. In den Küchen standen rußende Holzherde aus Armeebeständen. Die Wohnzimmer waren einheitlich karg eingerichtet, die Schlafzimmer mit Feldbetten ausgestattet. Auf den Decken und Laken prangte schwarz der Aufdruck »USED«, was für »United States Engineer Detachment« stand.

Einsam waren Felix und Lore Bloch nicht in Los Alamos. Die Wände waren dünn, die Nachbarn dahinter alte Freunde. Neben ihnen im Erdgeschoss wohnte Edward Teller, der für Felix im Leipziger Pingpongkeller Tee gekocht und in Berkeley zuvor das geheime Sommerseminar mit seiner Vision eines Weltenbrandes erschreckt hatte. Im Obergeschoss hatte sich der Physiker Robert Brode einquartiert, den Felix schon als Student in Göttingen und später in Berkeley als Mitglied des »Monday Evening Journal Club« kennengelernt hatte. Ganz in der Nähe wohnten auch Robert Oppenheimer und

Hans Bethe, etwas weiter entfernt der Zürcher Physiker Hans Staub und der Mathematiker John von Neumann, mit denen Felix an der ETH studiert hatte.

Die meisten waren mit ihren Ehefrauen angereist, viele mit ihren Kindern, und allen war klar, dass sie in Los Alamos zu Geheimnisträgern ersten Ranges geworden waren und bis Kriegsende zu bleiben hatten. Der Altersdurchschnitt lag bei neunundzwanzig Jahren, es gab kaum jemanden über vierzig; die Geburtenrate lag in Los Alamos während der gesamten Kriegsjahre weit über dem Landesdurchschnitt. Oppenheimer und Bloch gehörten mit Serber und Bethe zu den Ältesten, zumindest bis zur Ankunft von Enrico Fermi und Niels Bohr.

Alle waren zum Arbeiten gekommen, es gab in Los Alamos keine Pensionierten und keine Kranken, keine Flaneure, Künstler oder Spekulanten, keine Tunichtgute, Parasiten und Taschendiebe, keine Simulanten, Erbschleicher und Drückeberger. Morgens um sieben Uhr heulten die Sirenen, dann eilten die Männer in die Labors, die sich an den Rändern der Siedlung in streng abgeschirmten Bezirken befanden. Die Kinder gingen zur Schule oder wurden in die Krippe gebracht, die Frauen arbeiteten in Verwaltungsbüros, Kantinen, Bibliotheken oder Schulen. Es herrschte eine Stimmung wie im Sommercamp.

Täglich trafen neue Fachleute ein, täglich schleppten Armeetransporter tonnenschwere Apparaturen aus den entferntesten Winkeln der USA herbei; allein im Monat Juli kamen die vier leistungsfähigsten und größten Teilchenbeschleuniger der Welt in Los Alamos an und wurden in eigens errichteten Baracken auf eigens gegossene Betonfundamente gestellt.

Felix Bloch arbeitete mit Edward Teller und John von Neumann an einem Zündmechanismus, bei dem das radioaktive Isotop als Hohlkugel geformt und mittels Implosion sehr rasch sehr hoch verdichtet wurde, um die kritische Masse für eine vollständige Kettenreaktion ohne vorzeitige Detonation zu erreichen. Ihre Aufgabe war es, theoretisch zu ermitteln und dann experimentell zu beweisen, dass das möglich war. Die Berechnung der aus allen Richtungen nach innen gehenden Druckwellen erwies sich als mathematisch äußerst schwierig und dauerte, weil noch keine Rechenmaschinen zur Verfügung standen, mehrere Wochen.

Als das Rechnen erledigt war, folgte der experimentelle Nachweis. Felix Bloch und seine Kollegen fertigten kleine Bomben aus metallenen, von Sprengstoff umgebenen Hohlkugeln, trugen sie hinunter in einen steil abfallenden Canyon und legten sie auf eine Platte aus schwerem Eisenbeton. Dann gingen sie hinter einem eigens für sie eingerichteten Geschützstand in Deckung und hielten sich die Ohren zu.

Nachdem das Echo des Donners zwischen den Felswänden verhallt war und der Rauch sich verzogen hatte, kamen sie wieder hervor und sammelten die Trümmer der Metallkugel ein. Die ersten Versuche waren entmutigend. Die Kugeln wurden durch die Detonation nicht gleichmäßig zusammengepresst, sondern zu Bruchstücken in den unberechenbarsten Formen zerfetzt.

Also kehrten die Männer zurück ins Labor, legten die Kugeln beiseite und entwarfen röhrenförmige Bomben in der Hoffnung, so die Gegenläufigkeit der Druckwellen um eine Dimension zu verringern.

Um achtzehn Uhr heulten die Sirenen zum Feierabend, dann gingen alle nach Hause. Abends traf man sich zu Cocktails im Speisesaal der ehemaligen Knabenschule. Die meisten Bewohner von Los Alamos waren als Akademiker das gesellige Leben einer Universitätsstadt gewohnt; da es in der Wüste New Mexicos kaum Unterhaltung gab, organisierten sie auf eigene Faust Konzerte, Film- und Theateraufführungen und Tanzabende in endloser Folge, hin und wieder auch tänzerische Gastvorstellungen von Indianern, die tagsüber als Heizer, Handwerker oder Dienstboten für die Wissenschaftler arbeiteten. Einmal führte eine Gruppe theaterbegeisterter Physiker »Arsen und Spitzenhäubchen« auf, wobei Oppenheimer die erste Leiche in der Truhe spielte und Edward Teller die zweite. Gegen Mitternacht ging man auf dunklen, unbeleuchteten Schotterstraßen nach Hause. Wenn der Mond schien, warfen die Pinien schwarze Schatten.

Nachts wurde es still in Los Alamos, alles schlief im Schutz des Stacheldrahtverhaus, der die Siedlung in weitem Kreis umfasste. Vor dem Stacheldraht patrouillierten schweigsame Soldaten, in der Ferne heulten Schakale. Ab und zu fiel ein Schuss. In solchen Nächten lag Felix Bloch lange wach und wunderte sich, dass er nun wie ein Schulbub in abgelegenen Schluchten kleine Bomben zündete. Erstaunt stellte er fest, dass er, der doch im Leben unbedingt etwas Friedfertiges und kriegstechnisch ganz und gar Unnützes hatte machen wollen, nun doch hinter Stacheldraht angelangt war. Und manchmal fragte er sich, wen dieser Stacheldraht eigentlich schützte – Los Alamos vor der Welt, oder die Welt vor Los Alamos.

Auch sein Nachbar Edward Teller war oft spätabends noch wach. Er hatte die Angewohnheit, zu nachtschlafender Zeit auf dem Steinway-Flügel zu spielen, den seine Frau in einem

Hotel ersteigert und auf unbekannten Wegen aus Chicago herbeigeschafft hatte. Er war ein virtuoser und leidenschaftlicher Pianist, im Herbst 1943 spielte er ausdauernd Franz Liszts Ungarische Rhapsodie Nummer 12. Die Klänge drangen durch die dünnen Wände hinaus in die nächtliche Stille und waren in der Ebene weithin zu hören bis zu den Hügeln und hinein in die dunklen Canyons, wo die alten, verlassenen Pueblos der Indianer ruhten.

Dreizehntes Kapitel

Als Laura d'Oriano am 12. Oktober 1941 in die freie Zone zurückkehrte, fuhr sie auf direktem Weg nach Nizza und suchte Kommissar Cotoni in dessen Büro auf, das sich vor dem Bahnhof an der Avenue Georges Clemenceau befand. Verwundert nahm sie zur Kenntnis, dass der kleine Korse aufstand und salutierte, als sie sein Büro betrat, und dass er ihr auf die Schulter klopfte wie einem Soldaten, der sich im Kampf durch Tapferkeit ausgezeichnet hat.

Die *Surveillance du Territoire* ist mit Ihrer Arbeit sehr zufrieden, sagte er und überreichte ihr einen Umschlag mit siebentausend Francs. General de Gaulle lässt Ihnen seinen persönlichen Dank ausrichten.

Ich habe zu danken, sagte Laura und steckte den Umschlag ein.

Ich darf Sie bitten, in nächster Zeit die Stadt nicht zu verlassen. Es könnte sein, dass wir bald eine neue Aufgabe für Sie haben.

Sie nickte und wandte sich zum Gehen, aber Cotoni hielt sie am Ellbogen fest.

Sagen Sie, Laura, geht es Ihnen gut?

Aber ja, danke der Nachfrage.

Sie werden mich indiskret finden, sagte er. Aber Sie haben

diesen gewissen Ausdruck im Gesicht, den ich von meiner Frau kenne.

Genau, sagte Laura. Das wird es sein.

Ja, sagte Cotoni. Nur dass meine Frau diesen Ausdruck nicht immer hat. Sie hingegen haben ihn schon bei unserem letzten Treffen gehabt. Und beim vorletzten auch, wenn ich mich recht erinnere.

Was soll man machen, sagte Laura. Das Los einer Frau.

Wie lange schon?

Ein Jahr, vielleicht anderthalb. Laura zuckte mit den Schultern. Mal stärker, mal schwächer.

Dann ziehen Sie Ihren Mantel aus und setzen Sie sich hin, sagte Cotoni und griff zum Telefonhörer. So etwas muss man beheben. In diesem Zustand kann ich Sie nicht gebrauchen.

Am 19. Oktober fuhr er Laura mit seinem Dienstwagen ins Hospital der Heiligen Jungfrau von Orléans, tags darauf wurde sie operiert. Welcher Art genau ihr Leiden war, ist nicht mehr in Erfahrung zu bringen. Aber wenige Wochen später sagte sie im Verhör, man habe ihr den Blinddarm herausgeschnitten, und weil die Bauchhöhle schon offen war, habe man auch gleich den Uterus entfernt. Danach scheint sie wieder beschwerdefrei gewesen zu sein.

Die Krankenhausrechnung über siebentausend Francs beglich Kommissar Cotoni. Nach der Operation erholte sie sich elf Tage im Krankenhaus, dann setzte sie die Rekonvaleszenz in einem Hotelzimmer fort. Cotoni schaute täglich bei ihr vorbei und brachte Früchte und frische Milch. Ab und zu führte er sie zum Essen aus und bestand darauf, dass sie ein großes Stück Fleisch bestellte.

Fleisch und Milch waren rar in jenen Tagen, ein Großteil

der landwirtschaftlichen Produktion ging an die deutschen Besatzer. Der Oktober 1941 war aber auch die Zeit, in der die deutschen Panzer in Russland erstmals im Schlamm steckenblieben. Im Mittelmeer traf Churchill Vorbereitungen für einen Feldzug gegen Italien, und im Atlantik hatten die US-amerikanischen Kriegsschiffe von Präsident Roosevelt den Befehl erhalten, auf jedes deutsche oder italienische Schiff ohne Warnung zu schießen.

Als Laura d'Oriano wieder bei Kräften war, bestellte Kommissar Cotoni sie zu sich ins Büro und setzte ihr die Einzelheiten ihres nächsten Einsatzes auseinander. Sie sollte unter falschem Namen nach Italien reisen und die Kriegshäfen in Genua und Neapel aufsuchen. In Genua sollte sie nur eine kurze Bestandsaufnahme machen, in Neapel aber sechs Wochen bleiben und laufend berichten, was für Schiffe ein- und ausliefen.

Am 6. Dezember 1941 brachte er Laura zu einem Verbindungsmann, der sich Ćosić nannte. Dieser fuhr mit ihr in einem silbergrauen Panhard nach Briançon, die höchstgelegene Stadt im äußersten Osten der französischen Alpen, nur zehn Kilometer und fünfhundert Höhenmeter von der italienischen Grenze entfernt.

Dort bezogen sie in der »Auberge de la Paix« zwei nebeneinanderliegende Zimmer und lebten wie die Touristen. Sie gingen in tiefverschneiten Wäldern spazieren und bummelten durch die Altstadt. Er kaufte ihr einen Norwegerpullover, wollene Skihosen und Bergschuhe. An einem Kiosk wählten sie Ansichtskarten aus, dann tranken sie Kaffee auf sonnenbeschienenen Terrassen. Abends aßen sie im Hotelrestaurant Chateaubriand bei einer guten Flasche Wein.

So ging das fünf Tage lang. Am zweiten Tag herrschte Aufregung im Städtchen, weil die Radios den japanischen Angriff auf Pearl Harbor meldeten. Am fünften Tag herrschte erneut Aufregung, weil Deutschland Amerika den Krieg erklärt hatte.

An jenem Abend, es war der 11. Dezember 1941, stand Laura d'Oriano lange vor ihrem Fenster und schaute hinunter in die Gasse. Sie trug ihren neuen Norwegerpulli und die wollene Skihose. Von Ćosić hatte sie inzwischen Abschied genommen. Er hatte ihr eine gefälschte italienische Identitätskarte mitgegeben, die auf den Namen Laura Fantini lautete, dazu einen gefälschten Führerschein und einen Mitgliederausweis der Nationalen Föderation Faschistischer Hauseigentümerverbände, und dazu einen dicken Briefumschlag mit neuntausend italienischen Lire, verbunden mit der Ermahnung, diese sparsam auszugeben, um kein unnötiges Aufsehen zu erregen.

Kurz vor Mitternacht tauchte in der Gasse ein junger Mann mit einer roten Zipfelmütze auf, blieb unter Lauras Fenster stehen und rieb sich die Hände, als würde er frieren. Das war das Zeichen. Laura schnürte ihre Bergschuhe, stieg unter Gepolter die Treppe hinunter und winkte im Hinausgehen dem Nachtportier, als ginge sie zu einer nächtlichen Schlittenfahrt oder zum Curling. Gepäck hatte sie keines bei sich.

Der junge Mann mit der Zipfelmütze stellte sich ihr nicht vor und wollte auch ihren Namen nicht erfahren, sondern führte sie wortkarg durch die Stadt bis zur Passstraße, wo er hinter einem Schneewall zwei Paar Schneeschuhe und zwei Bergstöcke hervorholte. Er zeigte ihr, wie man sich die Schneeschuhe an die Füße band und wie man damit kräftesparend durch den Tiefschnee stapfte, und dann ging er voran bergauf zum Col de Montgenèvre, der seit zwei Monaten Wintersperre hatte.

Der nächtliche Marsch über den steilen Pass im tiefen Schnee muss sieben bis neun Stunden gedauert haben, und er muss für Laura d'Oriano, die in ihrem Leben erst wenig Schnee und kaum je einen Berg gesehen hatte, sehr anstrengend gewesen sein. Laut Auskunft der französischen meteorologischen Anstalt war die Nacht vom 11. auf den 12. Dezember 1941 nicht ungewöhnlich kalt, aber es herrschte kräftiger Nordwestwind, und in Höhenlagen um 1800 Meter fielen rund dreißig Zentimeter Schnee.

Es muss kurz nach Tagesanbruch gewesen sein, als Laura und ihr Bergführer auf der Passhöhe ankamen und im Schneetreiben die Grenze überschritten, bevor sie auf der italienischen Seite nach dem Grenzdorf Cesana abstiegen. Dort wurden sie in der Pension »Croce Bianca« von einer Wirtin erwartet, die nicht allzu viele Fragen stellte und Laura ein Zimmer gab, damit sie sich ein paar Stunden ausruhen konnte. Den Norwegerpulli, die Skihose und die Bergschuhe überließ Laura ihrem Bergführer. Dieser sollte die Sachen aufbewahren, bis sie in sechs Wochen wiederkehren und den Pass in umgekehrter Richtung erneut überqueren würde.

Die Schneeschuhe ließ sie in der Pension zurück, als hätte sie sie vergessen. Am Mittag ging sie zur Straße, die in die Stadt führt, und stieg um 12 Uhr 20 in den Bus, der sie aus den Bergen hinunter in die Ebene bis zum Hauptbahnhof von Turin brachte. Dort nahm sie den nächsten Schnellzug nach Genua, und als das Mittelmeer wieder in Sicht kam und der Zug in der alten Hafenstadt im Bahnhof Piazza Principe einfuhr, fühlte sie sich schon fast wieder wie zu Hause.

Ćosić hatte ihr ein Empfehlungsschreiben für eine Maria Talia mitgegeben, die an der Via San Donato 2 am Rand der Altstadt unweit des Hafens eine kleine Pension betrieb. Als Laura dort eintraf, standen in einigen Schritten Entfernung neben einem geparkten Auto zwei Männer, die Zigaretten rauchten, gestikulierten und über Fußball sprachen. Laura beachtete sie nicht weiter.

Die beiden Männer waren, wie Laura zwei Wochen später erfahren sollte, Beamte der italienischen Geheimpolizei. Sie hatten den ganzen Tag in der Via San Donato gewartet, weil sie von einem Agenten der Gegenspionage aus Nizza den Hinweis erhalten hatten, dass an jenem Freitag, 12. Dezember 1941, eine französische Spionin aus dem Netzwerk eines gewissen Ćosić in der Pension der Maria Talia eintreffen werde. Nachdem Laura in der Pension verschwunden war, setzten sie sich ins Auto und behielten die Tür im Auge. Einen Hinterausgang gab es nicht, das hatten sie am Nachmittag überprüft. Zur Essenszeit verpflegten sie sich in der Osteria an der Ecke und beobachteten durchs Fenster das Geschehen auf der Straße. Dann setzten sie sich wieder ins Auto und rauchten Zigaretten. Um Mitternacht wurden sie abgelöst.

Laura d'Oriano kam erst am nächsten Morgen um zwölf Minuten vor neun Uhr wieder zum Vorschein. Sie ging durch die Via San Donato an der Fakultät für Architektur und am Teatro Nazionale vorbei bis zur Hafenstraße, wo sie in der Bar »Santa Lucia« einen Kaffee und eine Brioche bestellte. Sie schaute auffällig oft durchs Fenster zu den Hafenbecken hinüber, trat aber mit niemandem in Kontakt. Auch mit dem Kellner sprach sie nur kurz.

Danach kehrte sie in die Innenstadt zurück und unternahm, geduldig verfolgt von den beiden Geheimpolizisten, einen ausgedehnten Einkaufsbummel durch die verschiedensten Fachgeschäfte, der um halb zehn begann und erst um halb eins endete, als die Geschäfte zur Mittagspause zusperrten. Als erstes erwarb sie nach ausgiebiger Prüfung der verschiedenen Modelle eine leichte Damenreisetasche der Marke »Il Ponte«, dann allerlei Damenkleider und Toilettenartikel erster Qualität, die sie in ihre neue Reisetasche packte. Während dieser drei Stunden trat sie mit niemandem in Kontakt, auch mit dem Verkaufspersonal in den Geschäften wechselte sie nur die üblichen Höflichkeiten.

Auf dem Rückweg in die Via San Donato kaufte sie in einer Bäckerei einen *Panino al Prosciutto crudo*, den sie in ihrem Zimmer verspeiste. Das Einwickelpapier und die Schinkenschwarte wurden nach ihrer Abreise im Papierkorb sichergestellt. Den Samstagnachmittag und den Abend verbrachte sie in der Pension. Besucher empfing sie laut Auskunft der Maria Talia keine, auch nahm sie mit keinem Pensionsgast Kontakt auf.

Am Sonntagmorgen, dem 14. Dezember 1941, trat sie um 09 Uhr 53 aus dem Haus, während die Glocken von San Donato zur Messe läuteten. Sie ging in die Kirche und setzte sich auf die dritthinterste Bank auf der linken Seite. Dort blieb sie allein. Am Gottesdienst nahm sie aktiv teil, die Gesänge und Gebete schienen ihr in italienischer Sprache geläufig zu sein, auch trat sie mit den anderen Gläubigen vor den Altar und empfing die heilige Kommunion.

Nach der Messe ging sie wie schon am Vortag zum Hafen und bestellte Kaffee und Brioche in der Bar »Santa Lucia«. Anschließend Spaziergang zum Hafenportal der Kriegsmarine. Vor dem Schlagbaum standen zwei Wachsoldaten. Als die d'Oriano sie ansprach, verwehrten sie ihr den Zutritt.

Danach Rückkehr in die Pension »Talia«. Keine weiteren Vorkommnisse bis zum Abend. Um 22 Uhr 18 trat die d'Oriano erneut aus dem Haus, diesmal mit ihrer neuen Reisetasche, und begab sich auf direktem Weg zum Bahnhof Piazza Principe. In der Halle kaufte sie einen Fahrschein zweiter Klasse für den Nachtzug nach Neapel. Kurz vor der Abfahrt des Zuges warf sie in der Bahnhofshalle einen Brief ein, worauf die beiden Geheimpolizisten sich aufteilten. Der eine folgte ihr auf den Bahnsteig und setzte sich nach der Abfahrt des Zuges um 23 Uhr 14 zu ihr ins Abteil, während der andere den Briefkasten öffnete und den Brief behändigte. Der Brief steckte in einem rosa Umschlag und war an einen Emilio Brayda in Turin adressiert.

Mein Liebster,

ich warte ungeduldig auf Neuigkeiten von Dir, bitte lass recht bald von Dir hören. Du kennst mich doch und weißt, dass ich sonst unglücklich werde und immer gleich das Schlimmste denken muss. Wenn Du nur wüsstest, was für Ängste ich ausstehe! Bitte schreib mir, dass alles in Ordnung ist und dass Du mich nicht vergessen hast. Ich bete jeden Tag zur Heiligen Mutter Gottes für uns und hoffe inständig, dass sie meine Gebete erhört.
Ich küsse und küsse und küsse Dich,

Deine Antonia

Der Geheimpolizist trug den Brief aufs Kommissariat und erhitzte ihn mittels eines handelsüblichen Bügeleisens, das dort zu diesem Zweck bereitlag, bis das Schreibpapier sich zu bräunen begann und zwischen den Zeilen des Liebesbriefs eine zweite, bisher unsichtbare Nachricht hell hervortrat, die mit Salzwasserlösung in Blockbuchstaben verfasst worden war und bis auf den heutigen Tag im italienischen Staatsarchiv in Rom eingesehen werden kann.

Hafen von Genua STOP
4 Schnellboote STOP
Kreuzer Roma zu Flugzeugträger umgebaut STOP
Alles sehr schwer zu erkennen STOP
Weiterreise nach Neapel STOP FINAL.

Die nächtliche Eisenbahnfahrt nach Neapel verlief ereignislos, der Zug traf am Montag Morgen, dem 15. Dezember 1941, um 10 Uhr 30 in Napoli Centrale ein. Als Laura d'Oriano sich auf dem Bahnhofplatz nach einem Taxi umsah, sprach ein Soldat sie an und lud sie zum Kaffeetrinken ein. Sie lehnte dankend ab, fragte aber den Soldaten, ob der Hafen für Zivilpersonen zugänglich sei. Als er ihr dazu keine Auskunft geben konnte, winkte sie ein Taxi herbei und stieg ein.

Der Soldat wurde in der Folge polizeilich angehalten und zur Befragung aufs Bahnhofskommissariat gebracht. Dort konnte er glaubhaft darlegen, dass er die Frau nicht kenne und sie nur angesprochen habe, weil sie ihm wegen ihres blondierten Haars und der guten Kleidung aufgefallen sei.

Das Taxi fuhr auf direktem Weg zur Pension »Lombardi« in der Via Angiporto, wo Laura ein Zimmer für unbestimmte Zeit bezog und die Miete für einen Monat im Voraus bezahlte. In den folgenden zwei Tagen bummelte sie wiederholt durch die Altstadt und spazierte am Hafen entlang, ohne mit jemandem in Verbindung zu treten.

Am Abend des 16. Dezember ging sie ins Kino und kam mit einem Unteroffizier in Uniform ins Gespräch. Er beteuerte nachher in der polizeilichen Befragung ebenfalls, die Frau nie zuvor gesehen zu haben, auch habe er mit ihr nicht über militärische Belange gesprochen.

Nach dem Kino ging Laura d'Oriano allein auf direktem Weg zurück in die Pension. Für den Rest der Nacht wurden keine weiteren Vorkommnisse registriert.

Am frühen Morgen des 17. Dezember verließ sie noch vor Tagesanbruch überraschend die Pension, lief zum Hauptbahnhof und kaufte eine Fahrkarte für den Schnellzug um 07 Uhr 30 nach Rom. Kurz vor der Abfahrt warf sie wiederum einen Brief ein.

Lieber Cousin,

hier ein paar Zeilen, um Dir mitzuteilen, dass es meiner Frau jetzt besser geht. Wir haben schreckliche Ängste ausgestanden wegen dieser Krankheit, die nun Gott sei Dank vorbei ist, hoffentlich für immer. Vor allem Mama ist froh, nicht mehr solche Angst haben zu müssen.
Wir hoffen, Dich bald wiederzusehen, dann erkläre ich Dir alles genauer. Und Du, wie geht es Dir? Ich hoffe, gut. Lass von Dir hören, wir freuen uns immer sehr über Nachrichten von Dir.
Papa umarmt Dich, alle hier im Haus lassen Dich herzlich grüßen.
Und ich entbiete Dir meinen kräftigen Handschlag.
Auf bald!

Bartoly

Auch dieser Brief wurde mit einem Bügeleisen erwärmt und gebräunt. Zwischen den Zeilen stand:

Hafen Neapel STOP
1 Zerstörer, zwei Lazarettschiffe STOP
Enorme Schwierigkeiten, kaum etwas zu sehen STOP
Muss meine Mutter besuchen STOP FINAL

Die Eisenbahnfahrt von Neapel nach Rom dauerte drei Stunden und sechs Minuten. Laura d'Oriano saß während der ganzen Reise, ohne es zu wissen, einem Geheimpolizisten gegenüber, der nach der Ankunft im Bahnhof Roma Termini die Verfolgung einem römischen Kollegen überließ. Dieser folgte ihr bis zur Wohnung der Eltern am Largo Brancaccio Nummer 83. Das Haus stand fortan während der ganzen zehn Tage, die Laura d'Orianos Besuch andauerte, unter Beobachtung. Weil sie aber kaum aus dem Haus ging, keinen Besuch empfing und keine Briefe schrieb, blieben die Polizeirapporte sehr kurz und wenig informativ. Man wird nie erfahren, was sich in jenen Tagen zugetragen hat.

Man kann vermuten, dass die Wiedersehensfreude groß war, als Laura nach anderthalb Jahren Trennung unangemeldet klingelte, und dass Mutter und Tochter einander unter der Wohnungstür umarmten und herzten und wohl auch ein paar Tränen vergossen. Weiter kann man annehmen, dass die Mutter Laura in den Salon führte, aufs Sofa setzte und ihr Tee oder Eierlikör und Kekse aufnötigte. Laura wird sich gewundert haben, dass die Mutter in der großen Wohnung allein war. Und dann wird die Mutter ihr berichtet haben, wie es gekommen war, dass ein Familienmitglied ums andere sie verlassen hatte.

Lauras Brüder waren während der Überfahrt von Marseille nach Rom über Nacht zu glühenden Anhängern des Faschismus geworden. Unmittelbar nach dem Landgang im

Hafen von Ostia hatten sie das nächste Rekrutierungsbüro gestürmt und sich einem Infanterieregiment zuteilen lassen, das wenig später nach Ostafrika entsandt wurde. Seither schrieben sie der Mutter Briefe in nahezu identischen Handschriften und gleichbleibend nichtssagenden Inhalts aus Massaua, Addis Abeba und Adua.

Die zwei Mädchen hatten in Rom ihre Träume von russischen Prinzen begraben und eine Vorliebe für schnittige Schwarzhemden in gewichsten Stiefeln entwickelt. Die eine hatte einen Buchhalter aus dem Finanzministerium geheiratet und war nach Palermo gezogen, die andere war nach Griechenland gegangen und Hilfskrankenschwester auf einem Lazarettschiff geworden.

Der Vater schließlich war vor ein paar Monaten nach Albanien gereist in Geschäften, mit denen er die ganze Familie finanziell wieder auf die Beine zu bringen hoffte. Er hatte sein letztes Geld in eine Druckerei in Tirana investiert, die sich auf Notenblätter spezialisierte und beste Qualität zu konkurrenzlosen Preisen besorgen konnte – hätte besorgen können, wenn ihr nicht im Dezember 1939 Papier und Druckerschwärze ausgegangen wären, weil auf dem darniederliegenden Weltmarkt keine Lieferanten mehr zu finden waren.

Mag sein, dass der Bericht der Mutter mehrere Stunden in Anspruch nahm, und dass Laura sich manches zwei- oder dreimal erzählen ließ, um sicher zu sein, dass sie alles richtig verstanden hatte. Gut möglich, dass Mutter und Tochter gemeinsam in die Küche gingen und eine Mahlzeit zubereiteten, eine *Parmigiana* vielleicht oder *Spaghetti aglio e olio*, und dass sie einander bis zur Schlafenszeit mit Familienanekdoten unterhielten. Vielleicht sangen sie, nachdem sie einen

Eierlikör oder zwei getrunken hatten, vor dem Zubettgehen noch ein paar Lieder. Man kann sich vorstellen, dass sie anderntags beim Frühstückskaffee ihr Gespräch wiederaufnahmen und alles am Vortag Besprochene rekapitulierten, und dass sie danach Karten spielten, Hausarbeiten erledigten, einander die Haare frisierten oder Fotos aus vergangenen Zeiten anschauten.

Das alles kann man sich vorstellen, aber man weiß es nicht, weil die Polizeibeamten draußen auf der Straße Laura zehn Tage lang kaum zu Gesicht bekamen. Jeden Morgen gingen Mutter und Tochter im Krämerladen an der Ecke einkaufen, dann verschwanden sie wieder in der Wohnung. Sie gingen nie aus, niemand kam zu Besuch – auch nicht an Heiligabend, Weihnachten oder am Stephanstag.

Nach zehn Tagen waren die Ermittler sicher, dass die Spionin Laura d'Oriano in der Hauptstadt keine Spionagetätigkeit entwickeln und keine Verbindungsleute aufsuchen würde, sondern einzig aus familiären Gründen nach Rom gekommen war.

Aber um die letzten Zweifel auszuräumen, ließen sie sie auch dann noch unbehelligt, als sie am Morgen des 27. Dezember 1941 mit ihrer Reisetasche zum Hauptbahnhof zurückkehrte und eine Fahrkarte zweiter Klasse nach Neapel kaufte. Und weil sie diesmal keinen Brief einwarf, mussten die zwei Geheimpolizisten sich nicht aufteilen, sondern setzten sich nebeneinander zu ihr ins Abteil für den Fall, dass sie im Zug doch noch einen Kontaktmann treffen würde.

Aber als der Zug um halb elf anfuhr, war Laura d'Oriano noch immer allein, und sie blieb es während der ganzen halbstündigen Fahrt bis zum ersten Zwischenhalt im Bahnhof Littoria. Nachdem der Zug zum Stillstand gekommen war, schaute sie aus dem Fenster und beobachtete die aussteigenden Fahrgäste. Auf dem Bahnsteig standen ungewöhnlich viele Carabinieri, die ihre Maschinenpistolen gegen den Zug gerichtet hatten. Zwei Männer in schwarzen Ledermänteln gingen schnell an ihnen vorbei und stiegen in den Zug.

Ein paar Sekunden später betraten sie Laura d'Orianos Abteil. Sie salutierten, stellten sich als Maresciallo Riccardo Pasta und Maresciallo Giovanni Spano vor und baten sie um ihren Ausweis. Und dann nahmen sie sie fest wegen Verdachts auf militärische Spionage gegen das Königreich Italien.

Laura d'Oriano wurde in Handschellen gelegt, mit dem nächsten Zug zurück nach Rom gebracht und in die Haftanstalt Regina Coeli überführt, die ein feuchtes Gemäuer und ehemaliges Nonnenkloster aus dem 17. Jahrhundert war. Ein Seitenflügel war für Mussolinis Geheimpolizei Ovra reserviert, die dort politische Häftlinge in Einzelhaft setzte und Verhöre durchführte.

Vierzehntes Kapitel

In Los Alamos verging die Zeit. Felix Bloch lebte mit seiner Familie Tage, Wochen und Monate in einer Stadt, die offiziell nicht existierte und auf keiner Karte verzeichnet war. Sie hatte keine Postleitzahl, keine telefonische Vorwahl und keine Sportvereine, und ihre Einwohner besaßen kein Wahlrecht, weil sie auf keinen Wahllisten auftauchen durften, und sie hatten keine Telefonnummer und mussten die Briefe, die sie schrieben, vor dem Abschicken der Militärzensur vorlegen.

Felix Bloch versuchte es als Teil eines großen Pfadfinderspiels zu sehen, dass er Tag für Tag zu den immer gleichen Uhrzeiten an den immer gleichen Kontrollposten seinen Dienstausweis zeigen musste, obwohl die immer gleichen Militärpolizisten ihn längst kannten und mit Namen grüßten. Er versuchte darüber hinwegzusehen, dass seine Frau, wenn sie zum Einkaufen nach Santa Fe ging, auf Schritt und Tritt von Geheimdienstleuten beschattet wurde, die man von Weitem als solche erkannte, weil sie viel zu gut angezogen waren mit ihren schwarzen Anzügen, den schwarzen Hüten und grauen Krawatten auf den weißen, immer frisch gebügelten Hemden. Er versuchte es mit Humor zu nehmen, dass er mit seinen Söhnen kein Schweizerdeutsch sprechen durfte, weil halbwüchsige Militärpolizisten aus Oklahoma seinen Zürcher Dialekt für Ungarisch oder Esperanto oder sonst eine Geheimsprache hielten. Und wenn er abends die Kinder in ihren Feldbetten schlafen legte und sie mit Laken zudeckte, auf denen in schwarzen Lettern USED stand, rief er sich selbst zur Ordnung und ermahnte sich, dass dies alles im Dienst einer großen Sache geschah.

Seine Experimente mit den röhrenförmigen Bomben in den abgelegenen Canyons hatten Fortschritte gemacht. Die Methode der Implosionszündung war nun ausgereift. Sie war kompliziert, aber äußerst zuverlässig. Oppenheimer war zufrieden, als Felix Bloch, Edward Teller und John von Neumann ihm Ende Oktober 1943 ihre Resultate präsentierten.

Die letzte Schwierigkeit bestand nun in der Beschaffung der zwanzig bis dreißig Kilogramm Uran 235, die für den Bau einer Atombombe nötig sein würden. Eine solche Menge des künstlichen Isotops gab es auf der ganzen Welt noch nicht, weil es unter immensem Aufwand an Energie, Rohstoffen und Arbeitskräften aus dem natürlichen Uran isoliert werden musste. Aber das Kriegsministerium hatte in weit entfernten Gegenden Amerikas riesige Fabriken aus dem Boden gestampft und insgesamt hundertfünfzigtausend Arbeiter eingestellt, die laufend Uran 235 und Plutonium herstellten, ohne die geringste Ahnung über dessen Verwendungszweck zu haben.

In nur einem Jahr war Robert Oppenheimers Bombenprojekt vom theoretischen Gedankenspiel im engsten Freundeskreis zum kostspieligsten wissenschaftlichen Unternehmen der Menschheitsgeschichte angewachsen. Es gab kein grundsätzliches Hindernis mehr, die wesentlichen technischen Probleme waren gelöst. Gleichzeitig aber hatten die technischen Lösungen auch Antworten auf die großen ethischen Fragen gegeben – oder diese zumindest überflüssig erscheinen lassen. Die erste Gewissensfrage zum Beispiel – ob man eine Atombombe bauen dürfe, nur weil man es konnte – hatte sich erübrigt, seit man zu diesem Zweck ganze Städte aus dem Boden gestampft, Milliarden von Dollar budgetiert und hundertfünfzigtausend Menschen in Dienst genommen hatte. Ein Abbruch des Unternehmens war allein schon aus finanziellen Gründen nicht mehr möglich.

Die zweite Gewissensfrage – ob man eine Atombombe zur Explosion bringen dürfe, nur weil man sie besaß – stand zwar noch nicht zur Debatte, aber Felix Bloch ahnte, dass auch sie schon beantwortet war. Die Bombe war nun in der Welt. Sie würde gebaut werden und zur Explosion kommen. Das zu verhindern lag nicht mehr in seiner Macht und auch nicht in jener Robert Oppenheimers, und nicht einmal die vereinten Kräfte aller Wissenschaftler von Los Alamos hätten jetzt noch dagegen anzugehen vermocht. Wahrscheinlich wäre die Bombe sogar dann gebaut worden, wenn durch ein Wunder der Weltgeschichte Roosevelt, Churchill, Hitler, Stalin und Hirohito zu einer Friedenskonferenz zusammengefunden hätten, um gemeinsam und aufrichtig immerwährenden Verzicht zu schwören.

Neu stellte sich aber die Frage, gegen wen Amerika die neue Waffe eigentlich richten würde. Bis vor kurzem war es für jeden Einwohner von Los Alamos selbstverständlich gewesen, dass ein B29-Bomber sie über Deutschland abwerfen würde, um den Holocaust zu stoppen und den Weltkrieg zu beenden. Im Herbst 1943 aber war das nicht mehr so klar. Denn immer deutlicher war abzusehen, dass die Alliierten den Krieg mit oder ohne Atombombe gewinnen würden. Amerikanische und britische Truppen waren in Sizilien gelandet, Mussolini war entmachtet, die japanische Marine seit der Schlacht um Midway auf dem Rückzug. Alliierte Bomber hatten in Hamburg einen Feuersturm entfacht, die sowjetischen Truppen trieben die Wehrmacht in den Westen zurück.

Auf Hitlers Schachbrett fehlten inzwischen nicht nur zwei Türme, sondern auch beide Läufer, und er hatte keine Chance mehr, mit Atomkraft eine Dame ins Spiel zurückzubringen. Zwar arbeiteten Heisenberg, von Weizsäcker und Hahn in Berlin weiter an ihrer Uranmaschine, aber es war nun offensichtlich, dass das kriegserschöpfte Deutschland niemals über die notwendige Menge an Energie, Arbeitskräften und Rohstoffen verfügen würde, um vor Kriegsende ausreichend Plutonium oder Uran 235 herzustellen.

So war die Lage, als Felix Bloch seine Arbeit an der Implosionszündung abschloss, für die Oppenheimer ihn nach Los Alamos geholt hatte. Alle anderen arbeiteten unter Hochdruck weiter. Felix hätte nun eine neue Aufgabe übernehmen sollen, denn es gab noch viele kleine Rechenaufgaben zu lösen. Aber das waren Rechnungen, die jeder Physikstudent anstellen konnte. Dafür brauchte Oppenheimer ihn nicht.

Von Tag zu Tag stieg die Wahrscheinlichkeit, dass der Krieg vorbei sein würde, bevor die Bombe einsatzbereit war. Sonntags gingen Lore und Felix nun in die Wildnis und suchten den Klang des Schweigens abseits des Weltenlärms. Die Zwillinge ließen sie in der Obhut der Nachbarn zurück, ein Auto borgten sie von den Tellers. Weil in den Bergen schon Schnee lag, fuhren sie durchs westliche Stadttor und dann achtzehn Kilometer durchs Valle Grande, dessen dichtes, grünes Gras auf dem Grund eines alten Vulkans wuchs. Am Eingang in den Frijoles Canyon ließen sie den Wagen stehen und wanderten in der engen Schlucht zwischen Gelbkiefern, Stechfichten und Zitterpappeln dem Bach entlang, wo Eichhörnchen, Waschbären und Skunks noch keine Scheu vor Menschen hatten und die Ponderosa-Kiefern auf der Suche nach Licht höher wuchsen als anderswo.

In den senkrecht hochschießenden Felswänden waren da und dort verlassene Wohnhöhlen zu sehen, die längst ausgestorbene Indianervölker über Jahrhunderte in den weichen Tuffstein gegraben hatten. Jetzt waren Lore und Felix allein. Bis hierher folgten die Geheimdienstleute ihnen nicht, da im Canyon eine Kontaktaufnahme mit der Außenwelt praktisch unmöglich war.

Wenn sie Rast machten und sich still verhielten, konnten sie das Rasseln der herbstmüden Klapperschlangen hören, die sich ein Plätzchen für den Winterschlaf suchten. Und wenn sie am Ende der Schlucht angelangt waren, wo der Frijoles in den Rio Grande mündete, blieben sie stehen und betrachteten ehrfürchtig den roten Strom und die weißen Sandbänke und die noch immer blühenden Kakteen.

Es muss an einem der ersten Novembertage 1943 gewesen sein, dass Felix Bloch das Büro von Robert Oppenheimer aufsuchte und um die Erlaubnis bat, Los Alamos zu verlassen. Über den Inhalt dieses Gesprächs weiß man nichts, weil Felix Bloch über seine Zeit auf Los Alamos bis an sein Lebensende Stillschweigen bewahrt hat, vielleicht aus Gründen der Geheimhaltung, zu der ihn das Militär auch übers Kriegsende hinaus verpflichtet hatte. In seiner gesamten hinterlassenen Korrespondenz findet Los Alamos nur einmal Erwähnung: in einem Telegramm des militärischen Befehlshabers, General Leslie Groves, der Bloch ausdrücklich ermahnte, dass die Geheimhaltung auch mit Kriegsende nicht aufgehoben sei. Vielleicht ist das der Grund, dass er auch in der Familie wortkarg blieb. Seine Kinder und die Enkel können sich nicht erinnern, dass er jemals darüber gesprochen hätte, und in der Öffentlichkeit hat er sich, soweit bekannt, nur ein einziges Mal dazu geäußert.

Er sei aus dem einzigen Grund nach Los Alamos gegangen, sagte er dem Wissenschaftshistoriker Charles Weiner am 15. August 1968 in seinem Büro am physikalischen Institut der Universität Stanford, weil er befürchtet habe, dass die Deutschen die Bombe vor ihnen entwickeln würden. Als sich dann gezeigt habe, dass dies sehr wahrscheinlich nicht geschehen werde, habe er sich verabschiedet, was einige seiner Freunde, insbesondere Oppenheimer, ziemlich verärgert habe.

Am Tag, an dem Lore und Felix Bloch abreisten, suchte General Groves sie in Apartment House T124 auf und erinnerte sie an ihre Geheimhaltungspflicht. Dann kam ihr Nachbar Edward Teller und bot ihnen an, sie in seinem privaten Wagen hinunter zur Bahnstation von Lamy zu fahren. Im Augenblick des Abschieds, als das Gepäck im Kofferraum von Tellers Auto verstaut war und die Zwillinge auf dem Rücksitz saßen, war Oppenheimer nicht da. Und als Felix Bloch ihn suchen ging, war er in ganz Los Alamos nicht auffindbar.

Die Fahrt nach Lamy dauerte zweieinhalb Stunden. Man redete über Pferdefleisch, Orson Welles und ungarischen Rotwein. Zu besprechen gab es nichts. Der Abschied am Bahnhof war kurz. Der Zug würde bald fahren, und Teller hatte einen weiten Rückweg vor sich. Er war für den Abend mit Oppenheimer zum Pokerspielen verabredet.

*

Laura d'Oriano wurde am Tag nach ihrer Verhaftung im Gefängnis Regina Coeli von Beamten der Geheimpolizei Ovra einvernommen. Laut Protokoll leugnete sie zuerst jede Spionagetätigkeit und machte geltend, nur deshalb nach Italien eingereist zu sein, weil sie ihre Mutter in Rom besuchen wollte, die sie seit Jahren nicht mehr gesehen habe; die klandestine Wanderung über den Col de Montgenèvre unter falscher Identität habe sie gewählt, weil die italienischen Behörden ihr das Einreisevisum verweigert hätten.

Aber dann legten die Polizisten Laura d'Oriano die von ihrer Hand geschriebenen, mittels Bügeleisen gebräunten Briefe mit den geheimen Botschaften vor, worauf sie ein umfassendes Geständnis ablegte.

Anfang April 1942 wurde sie ins Turiner Justizgefängnis verlegt und dort aufs Neue verhört. Im Dezember kam sie zurück nach Rom. Insgesamt blieb sie ein Jahr und drei Wochen in Haft. Es war die Zeit, in der die Achsenmächte unter immer größeren militärischen Druck gerieten, das Regime musste innenpolitisch Stärke zeigen.

Der Strafprozess gegen Laura d'Oriano vor dem römischen Militärgericht begann am Sonntag, dem 15. Januar 1943, morgens um 08 Uhr 30, den Schuldspruch verkündete Gerichtspräsident Antonino Tringali Casanuova noch am selben Tag. Das Urteil lautete auf Tod durch Erschießen.

Unmittelbar darauf wurde sie in einem Gefängniswagen zur Festung Bravetta am westlichen Stadtrand von Rom gefahren. Am nächsten Morgen um 06 Uhr 15 kam ein Geistlicher in ihre Zelle und nahm ihr die Beichte ab. Ein Wärter brachte ihr das Frühstück, sie hatte am Abend zuvor Milchkaffee und eine Brioche bestellt. Dann wurde Laura d'Oriano auf den Exerzierplatz geführt. Der Kommandant des Exekutionspelotons verlas das Urteil. Um 07 Uhr 07 wurde es vollstreckt.

*

Emile Gilliérons unerwarteter Tod brachte seine Familie in Geldnot. Die Tanten und Schwägerinnen zogen weg, die jüngeren Kinder fanden Unterschlupf bei ihren Taufpaten. Als Einzige blieben in der Rue Skoufa der erstgeborene Sohn Alfred und seine Mutter zurück, die weiter Akropolis-Bilder malte und diese zu verkaufen versuchte. Als Ende Oktober 1940 italienische Truppen im Norden Griechenlands einfielen, musste Ernesta, die gebürtige Italienerin war, aus Athen fortgehen. Sie übersiedelte mit Alfred nach Italien und kam in einer ersten Zeit bei Verwandten in Neapel unter; dann zogen die beiden nach Rom, wo Alfred eine Lehre als Steinmetz und Steinbildhauer absolvierte. Es erscheint wenig wahrscheinlich, kann aber nicht ausgeschlossen werden, dass er dort unwissentlich Laura d'Oriano über den Weg lief, als diese über die Weihnachtstage 1941 in Rom ihre Mutter besuchte.

Als Ernesta und Alfred Gilliéron 1945 nach Athen zurückkehrten, fanden sie ihr Haus an der Rue Skoufa dicht bevölkert mit Kriegsflüchtlingen aus aller Herren Länder vor; sie mussten es nach und nach Zimmer für Zimmer zurückerobern. Nach dem Krieg führte Alfred die Familientradition fort und produzierte minoische Nachbildungen für zahlungskräftige Touristen. Die Zusammenarbeit mit der Württembergischen Metallwarenfabrik konnte er aber nicht wiederaufnehmen, weil diese im Krieg alle Hohlformen verloren hatte. 1956 heiratete er eine Lettin namens Rosentreter, an Neujahr 1959 kam sein einziger Sohn zur Welt, den er zu Ehren des Vaters und des Großvaters auf den Namen Emile taufen ließ. Mitte der sechziger Jahre schossen an der Rue Skoufa moderne Stahlbetonbauten in die Höhe, die schöne Aussicht auf die Akropolis war bald verbaut. Also ließ Alfred Gilliéron das alte Haus abreißen und ein modernes, sechsstöckiges Mehrfamilienhaus errichten, dessen zwei oberste Stockwerke er mit seiner Familie selbst belegte. Sein Sohn Emile III. studierte Chemie. Er lebt mit seiner Mutter immer noch in der Rue Skoufa. Die Wohnung ist üppig geschmückt mit Werken des Vaters, des Großvaters und des Urgroßvaters, und im Salon hängt ein schönes Ölgemälde seiner Großmutter Ernesta, das die Akropolis im Abendrot darstellt.

*

Felix Bloch engagierte sich nach dem Abschied aus Los Alamos im Radarprojekt der Harvard University in Cambridge, das entscheidend zum Sieg der Alliierten gegen die Achsenmächte beitrug. 1945 kehrte er an die Universität Stanford zurück und nahm seine Lehrtätigkeit wieder auf. In der Forschung konzentrierte er sich weiter auf den Magnetismus des Neutrons. Für seine Entdeckung der Kerninduktion, einer neuen Methode zur Messung des magnetischen Moments von Atomkernen, erhielt er 1952 den Nobelpreis für Physik. 1954/55 leitete er das Europäische Kernforschungszentrum Cern in Genf.

Die Kerninduktion führte auf direktem Weg zur Magnetresonanztomographie, welche die medizinische Diagnostik in den letzten Jahrzehnten des zwanzigsten Jahrhunderts revolutionierte. Man kann deshalb ohne Übertreibung sagen, dass Felix Blochs Lebenswerk weitaus mehr Menschen das Leben gerettet hat, als die Atombombe jemals zu töten vermochte.

*

Laura d'Oriano ist in der Geschichte des Königreichs Italien die einzige Frau, die zum Tod verurteilt und hingerichtet wurde. Sie wurde in einem anonymen Grab beigesetzt, das ihr Vater Policarpo nach dem Krieg ausfindig machte. Er ließ sie auf dem Römer Friedhof Verano bestatten, auf dem auch Giuseppe Garibaldi, Natalia Ginzburg und Sergio Leone ruhen. Und als er am 8. Juni 1962 ebenfalls starb, wurde er neben ihr zur letzten Ruhe gebettet.

Emil Fraunholz verlor bis zu seinem Tod am 20. Januar 1989 kein Wort mehr über seine Ehefrau, von der er nie offiziell geschieden wurde. Die beiden Mädchen durften ihren Namen nicht aussprechen. Die jüngere Tochter Anna trat in den fünfziger Jahren unter dem Vornamen Laura als Sängerin auf, ohne zu wissen, dass ihre Mutter und die Großmutter auch gesungen hatten. 1960 aber machte sie ihren Großvater Policarpo in Rom ausfindig. Von ihm erfuhr sie, dass ihre Mutter eine Spionin gewesen war.

Ende

Alex Capus im dtv

»Alex Capus ist ein wunderbarer Erzähler, für den alles eine Geschichte hat, für den die Welt lesbar ist.«
Süddeutsche Zeitung

Eigermönchundjungfrau
ISBN 978-3-423-13227-5
»Erzählungen, in denen die Schweizer Kleinstadt Olten zum Schauplatz einer brillant erzählten Comédie humaine wird. Große Literatur in der Tradition Tschechows.« (Daniel Kehlmann)

Munzinger Pascha
Roman
ISBN 978-3-423-13076-9
Die wahre Geschichte von Werner Munzinger, der 1852 auszieht, um die Sklaverei in Afrika abzuschaffen.

Mein Studium ferner Welten
ISBN 978-3-423-13065-3
Über die »Verheißungen des Lebens und die Hindernisse des Glücks« (FAZ) in einer ganz normalen Kleinstadt.

Fast ein bißchen Frühling
Roman
ISBN 978-3-423-13167-4
Die Geschichte zweier Bankräuber, die 1933 aus Wuppertal nach Indien fliehen wollten, der Liebe wegen aber nur bis Basel kamen.

Glaubst du, daß es Liebe war?
Roman
ISBN 978-3-423-13295-4
Die komische Geschichte eines geläuterten Sünders und Kleinstadt-Casanovas, der vor seinen Gläubigern nach Mexiko flieht.

13 wahre Geschichten
ISBN 978-3-423-13470-5
Von skurrilen Helden und abenteuerlichen Wechselfällen eidgenössischer Geschichte.

Léon und Louise
Roman
ISBN 978-3-423-14128-4 und
ISBN 978-3-423-25363-5
dtv großdruck
Zwei junge Menschen verlieben sich, aber der 1. Weltkrieg bringt sie auseinander – bis sie sich 1928 zufällig in der Pariser Métro wiederbegegnen.

Der Fälscher, die Spionin und der Bombenbauer
Roman
ISBN 978-3-423-14374-5
Drei Helden wider Willen, die sich nur einmal 1924 in Zürich begegnet sind, doch deren Wege auf eigentümliche Weise miteinander verbunden bleiben.

Arno Geiger im dtv

»Arno Geiger schreibt große Literatur, mit jonglierender und doch so bodennaher Kunst wie man sie kaum findet im neuen Österreich oder sonst wo.«
Franz Haas in ›Der Standard‹

Schöne Freunde
Roman
ISBN 978-3-423-13504-7
Die phantasiereiche Geschichte eines Kindes, das auszieht, erwachsen zu werden. Ein Roman, der die Untiefen der menschlichen Seele berührt und doch durch und durch komisch ist.

Kleine Schule des Karussellfahrens
Roman
ISBN 978-3-423-13505-4
Ein moderner Schelmenroman von einem, der nichts vom Leben erwartet und doch alles will.

Es geht uns gut
Roman
ISBN 978-3-423-13562-7
Philipp hat das Haus seiner Großmutter geerbt, und die Familiengeschichte, von der er definitiv nichts wissen will, sitzt ihm nun im Nacken.

Irrlichterloh
Roman
ISBN 978-3-423-13697-6
Fünf Menschen auf der Suche nach der Liebe und sich selbst – ein abgedrehter Liebesroman voll Witz und lodernder Phantasie.

Anna nicht vergessen
ISBN 978-3-423-13785-0
Über Liebesdesaster und Lebensträume, über Menschen, die nicht vergessen werden wollen: Arno Geigers brillante Erzählungen.

Alles über Sally
Roman
ISBN 978-3-423-14018-8
Alfred und Sally sind schon lange verheiratet. Das Leben geht seinen Gang, allzu ruhig, findet Sally. In einem Anfall von Lebenshunger beginnt sie ein Verhältnis mit Alfreds bestem Freund …

Der alte König in seinem Exil
ISBN 978-3-423-14154-3
ISBN 978-3-423-25350-5
(dtv großdruck)
»Ein Buch der Suche nach einer verlorenen Welt, einer verlorenen Heimat, einem verloren geglaubten Charakter und einer wiedergefundenen Beziehung.« (Welt am Sonntag)

Norbert Gstrein im dtv

»Einer der allerersten Erzähler nicht nur der deutschen, sondern der europäischen Literatur.«
Richard Kämmerlings in der ›FAZ‹

Die englischen Jahre
Roman
ISBN 978-3-423-**13714**-0
Die Arandora Star wird 1940 torpediert und versenkt. An Bord auch ein Gefangener, dessen Identität unklar ist. Die Aufklärung des Geheimnisses dahinter bringt das Emigrantenschicksal eines österreichischen Juden während des Zweiten Weltkriegs zutage.

Das Handwerk des Tötens
Roman
ISBN 978-3-423-**13849**-9
Die Geschichte des Journalisten Christian Allmayer, der als Kriegsberichterstatter im Kosovo bei einem Hinterhalt ums Leben kam.

Die Winter im Süden
Roman
ISBN 978-3-423-**13921**-2
Ein Vater und seine Tochter. Er hat sie nach dem Krieg als Kind in Wien verlassen und ist nach Argentinien gegangen. Fast ein halbes Jahrhundert später kommen beide in ihre jugoslawische Heimat zurück und finden dort ihre Vergangenheit wieder – und die eines ganzen Landes.

In der Luft
Drei lange Erzählungen
ISBN 978-3-423-**13956**-4
Norbert Gstrein beleuchtet das Leben von drei Einzelgängern, die gegen die Wirklichkeit anrennen oder sich auf ihre Weise, und sei es buchstäblich in der Luft, ihre eigene Wirklichkeit schaffen.

Die ganze Wahrheit
Roman
ISBN 978-3-423-**14132**-1
»Eine Satire auf den Literaturbetrieb, ein echter Gstrein.« (Richard Kämmerlings in der ›FAZ‹)

Eine Ahnung vom Anfang
Roman
ISBN 978-3-423-**14404**-9
Auf dem Bahnhof einer Provinzstadt wird eine Bombe gefunden. Ein Lehrer glaubt auf einem Fahndungsfoto seinen Lieblingsschüler zu erkennen, der sich in religiöse Phantastereien verrannt hat.